A ÚLTIMA LIVRARIA DE LONDRES

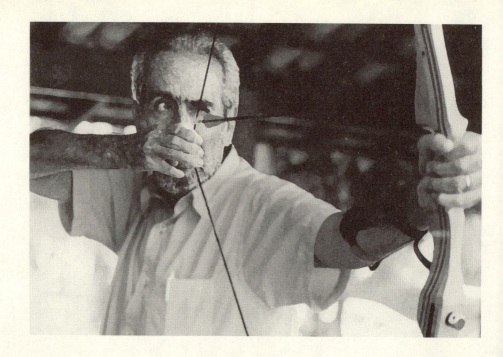

O Arqueiro

GERALDO JORDÃO PEREIRA (1938-2008) começou sua carreira aos 17 anos, quando foi trabalhar com seu pai, o célebre editor José Olympio, publicando obras marcantes como *O menino do dedo verde*, de Maurice Druon, e *Minha vida*, de Charles Chaplin.

Em 1976, fundou a Editora Salamandra com o propósito de formar uma nova geração de leitores e acabou criando um dos catálogos infantis mais premiados do Brasil. Em 1992, fugindo de sua linha editorial, lançou *Muitas vidas, muitos mestres*, de Brian Weiss, livro que deu origem à Editora Sextante.

Fã de histórias de suspense, Geraldo descobriu *O Código Da Vinci* antes mesmo de ele ser lançado nos Estados Unidos. A aposta em ficção, que não era o foco da Sextante, foi certeira: o título se transformou em um dos maiores fenômenos editoriais de todos os tempos.

Mas não foi só aos livros que se dedicou. Com seu desejo de ajudar o próximo, Geraldo desenvolveu diversos projetos sociais que se tornaram sua grande paixão.

Com a missão de publicar histórias empolgantes, tornar os livros cada vez mais acessíveis e despertar o amor pela leitura, a Editora Arqueiro é uma homenagem a esta figura extraordinária, capaz de enxergar mais além, mirar nas coisas verdadeiramente importantes e não perder o idealismo e a esperança diante dos desafios e contratempos da vida.

A ÚLTIMA LIVRARIA DE LONDRES

Um romance sobre a Segunda Guerra Mundial

MADELINE MARTIN

Título original: *The Last Bookshop in London*

Copyright © 2021 por Madeline Martin
Copyright da tradução © 2022 por Editora Arqueiro Ltda.
Edição publicada mediante acordo com a Harlequin Books S.A.

Todos os direitos reservados. Nenhuma parte deste livro pode ser utilizada ou reproduzida sob quaisquer meios existentes sem autorização por escrito dos editores.

tradução: Simone Reisner
preparo de originais: Melissa Lopes
revisão: Ana Grillo e Pedro Staite
diagramação: Abreu's System
capa: © 2021 por Harlequin Enterprises ULC
imagens de capa: picsfive | 123RF (papel antigo); Ivan Cholakov | Dreamstime | AGB Photo Library (aviões); sborisov | iStock (Big Ben); CalebTheTraveler | Shutterstock (biblioteca); Lee Avison | Trevillion Images (mulher)
adaptação de capa: Natali Nabekura
impressão e acabamento: Bartira Gráfica

CIP-BRASIL. CATALOGAÇÃO NA PUBLICAÇÃO
SINDICATO NACIONAL DOS EDITORES DE LIVROS, RJ

M334u

Martin, Madeline
   A última livraria de Londres / Madeline Martin ; tradução Simone Reisner. – 1. ed. – São Paulo : Arqueiro, 2022.
   272 p. ; 23 cm.

   Tradução de: The last bookshop in London
   ISBN 978-65-5565-328-1

   1. Guerra Mundial, 1939-1945 – Ficção. 2. Ficção americana. I. Reisner, Simone. II. Título.

22-77563
CDD: 813
CDU: 82-3(73)

Meri Gleice Rodrigues de Souza – Bibliotecária – CRB-7/6439

Todos os direitos reservados, no Brasil, por
Editora Arqueiro Ltda.
Rua Funchal, 538 – conjuntos 52 e 54 – Vila Olímpia
04551-060 – São Paulo – SP
Tel.: (11) 3868-4492 – Fax: (11) 3862-5818
E-mail: atendimento@editoraarqueiro.com.br
www.editoraarqueiro.com.br

*Aos autores de todos os livros que eu já li.
Obrigada pelo refúgio, pelo aprendizado
e por moldar quem eu sou hoje.*

1

Agosto de 1939
Londres, Inglaterra

Grace Bennett sempre sonhou em morar em Londres. Mas jamais poderia imaginar que essa se tornaria sua única opção, ainda mais às vésperas de uma guerra.

O trem parou na estação Farringdon, que tinha o nome claramente sinalizado na parede, em uma faixa azul sobre um círculo vermelho. Várias pessoas aguardavam na plataforma, ansiosas para entrar, enquanto outras tantas ansiavam por sair. Vestiam roupas bem-feitas, seguindo o estilo elegante da vida na cidade. Muito mais sofisticadas do que em Drayton, no condado de Norfolk.

Doses iguais de nervosismo e entusiasmo vibravam nas veias de Grace Bennett.

– Chegamos.

Ela olhou para o lado, onde estava Viv.

Sua amiga colocou a tampa no batom e deu um sorriso vermelho. Viv espiou pela janela, o olhar percorrendo o tabuleiro de xadrez formado pelos anúncios que revestiam a parede curva.

– Depois de tantos anos sonhando com Londres... – Ela apertou rapidamente a mão de Grace. – Aqui estamos.

A primeira vez que Viv falou sobre deixarem a maçante Drayton para viverem em um lugar onde a vida fosse mais animada foi quando ainda eram meninas. Na época, trocar a pacata vida em família no campo pelo ritmo contagiante e frenético de Londres era uma ideia radical. Grace jamais poderia imaginar que se tornaria uma necessidade.

No momento, não havia mais nada para Grace em Drayton. Pelo menos nada pelo qual valesse a pena voltar.

As duas se levantaram dos assentos aveludados e pegaram sua bagagem. Cada uma levava apenas uma mala desbotada, desgastada mais pelo tempo que pelo uso. Ambas estavam abarrotadas até quase explodir e, além de incrivelmente pesadas, eram difíceis de carregar com a caixa da máscara de gás pendurada no ombro. Por ordem do governo, aquelas coisas medonhas tinham que ser levadas para todo canto, a fim de garantir que os habitantes estivessem protegidos caso houvesse algum ataque químico.

Para sorte delas, a Britton Street ficava a apenas dois minutos a pé dali, segundo explicara a Sra. Weatherford.

A amiga de infância da mãe de Grace tinha um quarto para alugar, que ela havia oferecido um ano antes, quando a mãe de Grace falecera. As condições eram generosas: dois meses de graça enquanto Grace procurava emprego. Apesar da vontade de ir para Londres e do incentivo de Viv, Grace permanecera em Drayton por quase um ano, na tentativa de juntar os pedaços de sua vida estilhaçada.

Isso tinha sido antes de ela descobrir que a casa onde vivera desde que nascera na verdade pertencia ao tio. Antes de ele se instalar lá, com a esposa arrogante e os cinco filhos. Antes de sua vida ser completamente destroçada.

Não havia espaço para Grace em sua própria casa, o que a tia fazia questão de deixar claro com bastante frequência. O que um dia fora um lugar de aconchego e amor tornou-se um lugar onde ela não se sentia bem-vinda. Quando a tia finalmente teve a audácia de pedir a Grace que fosse embora, ela soube que não lhe restava outra opção.

Escrever a carta para a Sra. Weatherford no mês anterior, para perguntar se a proposta ainda estava de pé, foi uma das coisas mais difíceis que Grace já fizera. Era uma rendição aos desafios que estava enfrentando, um fracasso terrível e esmagador, uma capitulação que representava sua maior frustração.

Grace nunca fora uma pessoa corajosa. Mesmo agora, ela se perguntava se teria conseguido ir para Londres se Viv não tivesse insistido para que fossem juntas.

Um tremor percorreu seu corpo enquanto elas esperavam que as portas de metal se abrissem e revelassem um mundo totalmente novo.

– Vai ser tudo maravilhoso – sussurrou Viv. – Muito melhor que o que ficou para trás, Grace. Prometo.

As portas pneumáticas do trem elétrico se abriram com um chiado, e elas pisaram na plataforma em meio ao empurra-empurra de gente chegando e partindo ao mesmo tempo. Então as portas se fecharam atrás delas, e a rajada de vento provocada pela saída do trem levantou suas saias e seus cabelos.

Um anúncio dos cigarros Chesterfield na parede mais distante exibia um belo salva-vidas fumando, enquanto outro cartaz, bem ao lado, convocava os homens de Londres a se juntarem às forças armadas.

Não era apenas um lembrete da guerra que seu país poderia enfrentar em breve, mas de como a vida na cidade era mais perigosa. Se Hitler tivesse a intenção de invadir a Grã-Bretanha, certamente seu primeiro alvo seria Londres.

– Ah, Grace, olhe! – exclamou Viv.

Grace desviou os olhos do cartaz para as escadas de metal, que deslizavam para cima em uma correia invisível, desaparecendo em algum lugar acima do teto arqueado. Em direção à cidade dos seus sonhos.

A convocação foi rapidamente esquecida quando ela e Viv correram em direção à escada rolante, tentando disfarçar seu encantamento enquanto a engenhoca as transportava sem esforço.

Viv ergueu os ombros numa alegria malcontida.

– Eu não disse que ia ser incrível?

A enormidade de tudo aquilo atingiu Grace de repente. Depois de anos sonhando e planejando, ali estavam elas, em Londres.

Longe do tio insuportável de Grace, fora do alcance dos pais rigorosos de Viv.

Esquecendo-se de todos os problemas, as duas saíram da estação feito pássaros engaiolados prontos para finalmente abrir as asas e voar.

Edifícios se elevavam em direção ao céu, obrigando Grace a bloquear o sol com a palma da mão para conseguir enxergar o topo deles. Várias lojas pelo caminho as saudavam com placas em cores fortes anunciando lanchonetes, salões de beleza e uma farmácia. Nas ruas, caminhões passavam fazendo barulho e um ônibus de dois andares retumbava na direção contrária, as laterais pintadas de um vermelho tão intenso e brilhoso quanto as unhas de Viv.

Grace se continha para não agarrar o braço da amiga e ficar gritando para ela olhar para isso e aquilo. Afinal, Viv também estava assimilando tudo, os olhos arregalados e cintilantes. Assim como Grace, ela era uma menina do interior deslumbrada com o que via, embora usasse um vestido elegante e os cachos ruivos em um penteado perfeito.

Grace não era tão refinada. Embora tivesse colocado seu melhor vestido para a ocasião, o comprimento da saia terminava logo abaixo dos joelhos e a cintura estava marcada com um cinto preto fino que combinava com seus saltos baixos. Embora não fosse tão elegante quanto o vestido preto e branco de bolinhas de Viv, o algodão azul-claro realçava os olhos cinzentos de Grace e seus cabelos louros.

Viv o tinha costurado para ela, é claro. A amiga sempre cuidara de ambas com os olhos voltados para aspirações mais altas. Ao longo de sua amizade, elas haviam passado horas costurando vestidos e enrolando os cabelos, anos lendo revistas femininas de moda e etiqueta e, em seguida, fazendo inúmeras correções para garantir que perdessem o sotaque de Drayton.

Naquele instante, Viv parecia capaz de enfeitar uma daquelas capas de revista, com suas maçãs do rosto salientes e os olhos castanhos de cílios longos.

Elas se misturaram à enxurrada de pessoas correndo para lá e para cá, trocando as malas de mão para aliviar o peso, enquanto Grace liderava o caminho em direção à Britton Street. Felizmente, as instruções enviadas pela Sra. Weatherford em sua última carta eram bem detalhadas e fáceis de seguir.

O que tinha faltado nos relatos, porém, eram todos aqueles sinais de guerra.

Havia anúncios chamando os homens para fazer a sua parte, outros instando as pessoas a ignorar Hitler e suas ameaças e planejar suas férias de verão. Do outro lado da rua, um muro feito de sacos de areia emoldurava uma porta com uma placa em preto e branco proclamando ser um abrigo público à prova de ataques aéreos.

Seguindo as orientações da Sra. Weatherford, elas chegaram à Britton Street em apenas dois minutos e se viram na frente de uma casa geminada de tijolinhos. A porta era verde com uma aldrava de latão polido, e havia uma floreira repleta de petúnias roxas e brancas na janela. Com base no que a Sra. Weatherford escrevera, aquela era, sem dúvida, a casa dela.

E a nova casa de Grace e Viv.

Viv subiu as escadas, seus cachos balançando a cada passo, e bateu na porta. Grace se juntou a ela no topo, cheia de expectativa. Afinal, aquela era uma grande e querida amiga de sua mãe, que as visitara em Drayton várias vezes quando Grace era mais nova.

A amizade entre a mãe de Grace e a Sra. Weatherford havia começado quando a Sra. Weatherford morava em Drayton. E perdurou mesmo depois que ela se mudou, atravessando a Grande Guerra, que tirou a vida de seus maridos, e a doença que acabou por levar a mãe de Grace.

A porta se abriu e a Sra. Weatherford, com uma aparência mais envelhecida do que Grace se lembrava, apareceu na soleira. Ela sempre fora rechonchuda, com bochechas vermelhas como maçãs e olhos azuis. Só que agora usava óculos redondos, e seus cabelos escuros estavam entremeados de mechas prateadas. Seu olhar parou primeiro em Grace.

Ela arquejou baixinho e levou os dedos aos lábios.

– Grace, você está a cara da sua mãe. Beatrice sempre foi muito linda, com aqueles belos olhos cinzentos. – A senhora abriu mais a porta, revelando seu vestido de algodão branco com flores azuis e botões da mesma cor. Atrás dela, o hall de entrada era pequeno, porém arrumado, e dele saía um lance de escadas que levava ao outro andar. – Por favor, entrem.

Grace murmurou seus agradecimentos pelo elogio, evitando demonstrar o quanto aquelas palavras tocavam naquela parte sua que ainda sofria pela perda da mãe.

Ela ergueu a mala e entrou na casa, que guardava no ar o saboroso aroma de carne e legumes. Grace ficou com água na boca.

Ela não comia uma refeição caseira adequada desde a morte da mãe. Pelo menos não uma que fosse gostosa. Sua tia não cozinhava bem, e, como Grace passava muitas horas trabalhando na loja do tio, não tinha tempo para preparar nada decente.

Um tapete amorteceu os passos de Grace. Era de cor creme com flores em tons pastel. Apesar de limpo, parecia um pouco desgastado em algumas partes.

– Vivienne! – cumprimentou a Sra. Weatherford, quando Viv se juntou a Grace na entrada.

– Todos os meus amigos me chamam de Viv – disse ela, oferecendo um sorriso para a Sra. Weatherford com seu charme singular.

– Vocês duas se tornaram moças lindas. Já sei que meu filho vai ficar corado. – A Sra. Weatherford fez um sinal para que elas colocassem as bagagens no chão. – Colin! – chamou ela, virando-se para o alto das escadas bem enceradas. – Cuide dos pertences das moças enquanto eu ponho a chaleira para ferver.

– Como está o Colin? – perguntou Grace, educadamente.

Assim como ela, ele era filho único e ficara sem pai após a Grande Guerra. Embora fosse dois anos mais novo que Grace, eles costumavam brincar juntos quando crianças. Ela se lembrava daqueles momentos com enorme carinho. Colin sempre tivera uma doçura, uma bondade genuína, por trás da acentuada inteligência de seu olhar.

A Sra. Weatherford ergueu as mãos, exasperada.

– Tentando salvar o mundo, um animal de cada vez, e trazendo todos para casa – respondeu ela.

A risada bem-humorada que se seguiu deixava claro que ela não se importava tanto com isso quanto queria demonstrar.

Enquanto esperavam Colin, Grace aproveitou para admirar o hall de entrada. Havia uma mesinha ao lado da escada, com um aparelho de telefone preto em cima. O papel de parede era de um brocado alegre em tons de azul e branco, um pouco desbotado, e combinava com o branco das portas e dos batentes. Embora simples, tudo ali parecia imaculado. Na verdade, Grace tinha certeza de que seria difícil encontrar uma poeirinha que fosse em qualquer coisa que a amiga de sua mãe possuísse.

Ouviu-se um estalo, seguido de passos descendo a escada, quando um rapaz alto e esbelto surgiu. Seus cabelos escuros estavam bem penteados, e ele usava uma camisa de colarinho e calça marrom.

Ele deu um sorriso tímido, que suavizou suas feições e fez com que parecesse ter ainda menos de 21 anos.

– Olá, Grace.

– Colin? – disse Grace, incrédula.

Ele era uns 30 centímetros mais alto que ela; sua cabeça pairava acima da dela, como a dela um dia fizera com a dele.

Ele corou.

Sua reação foi cativante, e ela ficou comovida ao perceber que ele não tinha perdido sua doçura naqueles anos que se estenderam entre os dois.

Grace olhou para o rapaz, levantando a cabeça, e comentou:

– Você cresceu bastante desde a última vez que nos vimos.

Ele encolheu os ombros magros, parecendo totalmente envergonhado, antes de oferecer um leve aceno para Viv, com quem também costumava brincar, já que as duas meninas sempre haviam sido inseparáveis.

– Viv. Bem-vindas a Londres. Mamãe e eu estávamos ansiosos pela chegada de vocês. – Ele lançou um sorriso tímido para Grace e se inclinou para pegar as duas malas que as moças tinham colocado no chão. Mas então hesitou. – Posso levar isso para vocês?

– Por favor – disse Viv. – Obrigada, Colin.

Ele assentiu e pegou as malas, uma em cada mão, carregando-as sem dificuldade escada acima.

– Vocês se lembram das minhas visitas com Colin? – perguntou a Sra. Weatherford.

– Lembro – respondeu Grace. – Ele continua gentil como sempre.

– Porém muito mais alto – acrescentou Viv.

A Sra. Weatherford olhou para as escadas com uma adoração nos olhos, como se ainda conseguisse vê-lo.

– Ele é um bom rapaz. Agora, venham. Vamos tomar um chá e depois mostrarei a casa.

Ela fez sinal para que as moças a seguissem e abriu a porta que dava na cozinha. A luz entrava pela janela acima da pia e pela porta dos fundos, filtrando-se por entre cortinas brancas transparentes. Tudo naquela cozinha estreita era tão impecável quanto no hall de entrada. O sol se refletia nas bancadas brancas e limpas, e alguns pratos haviam sido colocados em um escorredor para secar. Havia panos de prato da cor de limão-siciliano pendurados em um suporte, e o cheiro de tudo o que ela estava cozinhando estava ainda mais tentador.

Ela indicou a mesinha com quatro cadeiras brancas para Grace e Viv e pegou a chaleira no fogão.

– Seu tio escolheu um bom momento para reivindicar sua casa, com uma guerra pairando sobre nós. – Ela levou a chaleira até a pia e abriu a torneira. – Bem a cara de Horace – prosseguiu, com evidente antipatia, enquanto a água corria. – Beatrice tinha medo de que ele tentasse algo assim, mas a doença dela foi tão repentina...

A Sra. Weatherford desviou o olhar do nível da água na chaleira para Grace.

– Eu não deveria tagarelar tanto, afinal, vocês acabaram de chegar de viagem. Estou muito feliz em tê-las aqui. Só queria que as circunstâncias fossem melhores.

Grace mordeu o lábio inferior, sem saber direito o que dizer.

– A senhora tem uma linda casa, Sra. Weatherford – observou Viv rapidamente.

Grace lançou-lhe um olhar de agradecimento, que Viv respondeu com uma piscadela cúmplice.

– Obrigada. – A mulher mais velha fechou a torneira e olhou sorrindo para sua cozinha ensolarada. – Ela está na família do meu Thomas há várias gerações. Não é mais tão bonita quanto antes, mas nos atende bem.

Grace e Viv se sentaram. A almofada com estampa de limões era tão fina que elas sentiam o duro assento de madeira por baixo.

– Somos muito gratas por nos permitir ficar aqui. É muito generoso da sua parte.

– Imagine. – A Sra. Weatherford pôs a chaleira no fogão e acendeu a chama. – Não há nada que eu não faria de bom grado pela filha da minha querida amiga.

– A senhora acha que vai ser difícil encontrar emprego? – indagou Viv.

Embora a amiga mantivesse um tom leve, Grace sabia quanto ela ansiava por ser vendedora em alguma loja.

Na verdade, a ideia também atraía Grace. Parecia muito glamouroso trabalhar em uma loja de departamentos, uma elegante e grandiosa como a Woolworths, com andares repletos de itens que se estendiam por um quarteirão inteiro.

A Sra. Weatherford deu um sorriso misterioso.

– Acontece que eu conheço bem alguns proprietários de estabelecimentos comerciais em Londres. Tenho certeza de que posso fazer alguma coisa para ajudar. E Colin trabalha na Harrods. Ele também pode tentar conseguir algo lá.

Os olhos de Viv se iluminaram enquanto murmurava o nome da loja para Grace, mas ela conseguiu conter a empolgação.

A Sra. Weatherford pegou um dos panos e tirou um prato do escorredor, enxugando algumas gotas remanescentes.

– Preciso dizer que vocês duas não falam como se fossem de Drayton.

Viv levantou ligeiramente o queixo.

– Obrigada. Nós treinamos bastante. Esperamos que nos ajude a conseguir emprego.

– Que boa ideia. – A Sra. Weatherford abriu um armário e colocou o prato dentro. – Imagino que tenham trazido cartas de recomendação.

Viv passara o dia anterior à partida para Londres com uma máquina de escrever emprestada, digitando cuidadosamente uma carta de recomendação para si mesma. Ela se ofereceu para fazer uma para Grace, mas ela não quis.

A Sra. Weatherford retomou a tarefa de secar os pratos. Viv ergueu as sobrancelhas para Grace, indicando que ela também deveria ter falsificado uma carta.

– Nós temos cartas de recomendação – afirmou Viv, com enorme confiança por ambas, sem dúvida já planejando como poderia produzir uma para Grace.

– Viv tem – completou Grace. – Infelizmente, eu não tenho. Meu tio se recusou a escrever uma carta de recomendação pelo tempo que passei na loja dele.

Aquela fora a ofensa final, uma retaliação por ela ter "abandonado a loja" onde trabalhara durante a maior parte de sua vida. Ele não pareceu se importar que sua esposa tivesse insistido para que Grace encontrasse outro lugar para morar, apenas com o fato de que a sobrinha não estaria mais à sua total disposição.

A chaleira deu um apito estridente e emitiu uma nuvem de vapor. A Sra. Weatherford a retirou do fogão, interrompendo o barulho, e a colocou sobre um descanso.

Ela fez um som de desaprovação quando adicionou uma colherada de ervas em um infusor redondo, antes de acrescentar a água fervida ao bule.

– Isso é uma vergonha, uma coisa abominável. – Ela murmurou algo bem baixinho sobre Horace e colocou o bule em uma bandeja de prata com três xícaras e um conjunto de açucareiro e leiteira. Olhou para Grace com uma expressão resignada. – Eles não vão aceitá-la em uma loja de departamentos sem uma carta de recomendação.

Grace sentiu um nó na barriga. Talvez ela devesse ter permitido que Viv falsificasse uma carta para ela também.

– No entanto – acrescentou a Sra. Weatherford lentamente, enquanto carregava a bandeja para a mesa e servia uma xícara fumegante para cada uma –, sei de um lugar onde você poderia trabalhar por seis meses para conseguir uma carta de recomendação adequada.

– Grace se sairá perfeitamente bem em qualquer coisa que a senhora esteja pensando. – Viv pegou um torrão de açúcar e o colocou dentro de seu chá. – Ela sempre tirava as notas mais altas da escola. Especialmente em matemática. Administrava toda a loja do tio praticamente sozinha e a aperfeiçoou muito enquanto esteve lá.

– Então acho que a minha ideia vai funcionar maravilhosamente.

A Sra. Weatherford tomou um gole de chá.

Alguma coisa roçou na canela de Grace. Olhando para baixo, ela viu um gatinho malhado fitando-a com seus olhos cor de âmbar.

Grace acariciou o pelo macio atrás das orelhas do gatinho, que ronronou.

– Estou vendo que a senhora tem um gato – disse ela.

– Só por mais alguns dias. Espero que não se importem.

A Sra. Weatherford fez um gesto com a mão para enxotar o gato, mas ele se manteve teimosamente ao lado de Grace.

– Esse malandro não sai da minha cozinha quando sente cheiro de comida. – A Sra. Weatherford lançou um olhar desgostoso para o bichinho, que retribuiu o olhar sem nenhuma culpa ou vergonha. – Colin é incrível com os animais. Se eu permitisse que ele ficasse com cada criatura ferida que traz para casa, nós teríamos um zoológico – observou ela, com uma risada que interrompeu o vapor que subia de seu chá.

O gato deitou-se com a barriga para cima, revelando uma pequena estrela branca no peito. Grace acariciou o local e sentiu o ronronar rítmico vibrar sob a ponta de seus dedos.

– Qual é o nome dele?

– Malhado. – A Sra. Weatherford revirou os olhos. – Meu filho é bem melhor em resgatar animais do que em batizá-los.

Como se tivesse sido convocado, Colin entrou na cozinha naquele mesmo instante. Malhado saltou e trotou até seu salvador. Colin ergueu o gatinho com suas mãos grandes, tocando com delicadeza a pequena criatura, que se aninhou carinhosamente contra seu peito.

Desta vez, foi Colin que a Sra. Weatherford enxotou.

– Tire esse gato da cozinha agora mesmo.

– Desculpe, mãe.

Colin deu um rápido sorriso de desculpas para Grace e Viv e saiu da cozinha com o gato agarrado em seu peito.

A Sra. Weatherford balançou a cabeça com um sorriso afetuoso enquanto o observava se afastar.

– Vou visitar o Sr. Evans para garantir uma vaga para você na loja dele – disse ela, recostando-se na cadeira e olhando para o jardim com um suspiro.

Grace olhou pela janela onde havia um buraco na terra ao lado de uma triste pilha de flores arrancadas e um monte do que pareciam ser folhas de alumínio. Provavelmente os primórdios de um abrigo antiaéreo.

Ela não tinha visto nenhum em Drayton, onde as chances de serem bombardeados não eram grandes, mas ouvira falar de várias cidades onde aqueles abrigos haviam sido distribuídos. Os moradores deveriam enterrá-los no jardim como um refúgio para o caso de Hitler atacar a Grã-Bretanha.

Grace sentiu um arrepio percorrer sua espinha. Dentre tantos outros momentos para chegar a Londres, haviam escolhido justamente o começo de uma guerra. Àquela altura, eram um dos alvos preferenciais dos bombardeios.

Não que retornar a Drayton fosse uma opção. Ela preferia enfrentar o perigo onde sua presença fosse desejada a lidar com a hostilidade dos tios.

Curiosa, Viv espiou pela janela e logo desviou o olhar. Depois de uma vida inteira em uma fazenda, lidar com a terra já havia "cansado sua beleza", como ela dizia.

A Sra. Weatherford suspirou novamente e tomou um gole de chá.

– Já foi um jardim muito bonito.

– Será de novo – afirmou Grace, com mais confiança do que de fato sentia.

Se houvesse bombardeios, algum jardim voltaria a ser o mesmo? Alguma delas voltaria a ser a mesma?

Tais pensamentos cutucaram o fundo de sua mente e lançaram as mulheres em uma sombra sinistra.

– Sra. Weatherford – disse ela, de repente, não querendo mais pensar em guerra ou bombardeios. – Posso perguntar que tipo de loja o Sr. Evans possui?

– É claro, minha querida. – A Sra. Weatherford colocou sua xícara de chá sobre o pires, provocando um tilintar, seus olhos se iluminando com entusiasmo. – É uma livraria.

Grace disfarçou a pontada de decepção. Afinal, ela sabia muito pouco sobre livros. Qualquer tentativa de leitura de sua parte acabava sendo anulada por incontáveis interrupções. Estivera sempre ocupada demais na loja do tio, tentando ganhar dinheiro suficiente para a sobrevivência dela e da mãe, para se preocupar com a leitura. Então, a mãe adoeceu...

A loja do tio Horace era bastante fácil de administrar, especialmente porque utensílios domésticos eram itens que ela mesma usava. Vender chaleiras, toalhas, vasos e outros produtos com os quais estava familiarizada era algo natural. Mas ela não sabia nada sobre literatura.

Bem, isso não era inteiramente verdade.

Ainda se lembrava do exemplar de *Contos de fadas dos irmãos Grimm* de sua mãe, com uma linda princesa pintada na capa. De como ela amava deixar seu olhar vagar pelas coloridas ilustrações enquanto a voz de sua mãe criava magia com aqueles contos de fadas. No entanto, tirando esse livro, ela nunca tivera tempo para ler. Não depois que a escola começou, nem quando ela se viu obrigada a ajudar na loja do tio Horace. E, principalmente, não depois que a mãe ficou doente.

– Ótimo – disse Grace, abrindo um sorriso animado para esconder a apreensão.

Afinal, ela teria que dar um jeito. Qualquer coisa seria melhor que trabalhar na loja do tio.

Mas como poderia vender algo sobre o qual sabia tão pouco?

2

A primeira tentativa de Grace de ir à Livraria Primrose Hill não saiu conforme o planejado.

Não que ela tivesse grandes expectativas de sucesso, mas esperava que o proprietário estivesse ao menos preparado para a sua chegada.

Ela não teve problema algum para encontrar a livraria, mais uma prova das excelentes habilidades de direção da Sra. Weatherford. A loja estreita não estava localizada na Primrose Hill, como o nome reivindicava, mas era uma das muitas em uma fileira ao longo da Hosier Lane, cada uma delas com vitrines que refletiam a apatia do nublado sol da tarde. Os dois primeiros andares da livraria haviam sido pintados de preto, com uma fachada de estuque amarelo rachada e desbotada pelo tempo. Um letreiro branco anunciava a Livraria Primrose Hill, com letras arredondadas em preto brilhante. A intenção era criar um efeito elegante, mas, para Grace, pareceu triste e sem graça.

O sentimento ecoava nas vitrines lúgubres da loja, onde havia camadas de fita branca coladas de qualquer jeito, em vez de criarem um desenho definido e atraente. O uso das fitas era comum naqueles tempos; muitos proprietários as haviam colado em suas vitrines e nas janelas das casas por precaução contra estilhaços, no caso de um bombardeio. No entanto, elas costumavam ser colocadas de forma ordenada e com esmero.

Uma onda de preocupação tomou conta de Grace uma vez mais. E se o Sr. Evans lhe perguntasse sobre o último livro que ela lera? Ela inspirou profundamente para ganhar coragem e entrou na loja. Um sininho tocou acima da porta, um som alegre demais para um lugar tão melancólico.

Havia um cheiro de mofo no ar, misturado com um odor parecido com o de lã molhada. Camadas de poeira nas estantes indicavam que grande parte do estoque não era tocada havia um bom tempo, e pilhas de livros no chão arranhado de madeira davam ao cenário uma sensação de desordem. Esse efeito era intensificado por um balcão à direita, coberto com o que pareciam ser contas amontoadas ao acaso em meio a um caótico mar de tocos de lápis e outras coisas que deveriam estar no lixo.

Não era de admirar que o Sr. Evans precisasse de ajuda.

– Chame se precisar de alguma coisa.

A voz invisível era seca e parecia pouco usada, como os livros.

– Sr. Evans? – disse Grace, dirigindo-se mais para o interior da pequena livraria.

Fileiras de estantes sem qualquer identificação se estendiam mais alto que ela, posicionadas tão próximas umas das outras que ela se perguntou como qualquer um poderia caber ali para examinar seu conteúdo. Uma galeria no segundo nível contornava todo o perímetro do primeiro andar, visível acima das prateleiras altas e igualmente amontoada e bagunçada. Apesar de seu tamanho externo, o interior da livraria parecia pequeno e apertado demais.

Passos arrastados seguiram em direção a ela, e um homem corpulento, com cabelos e sobrancelhas grossos, espremeu-se por um corredor estreito, com um livro aberto nas mãos. Ele levantou a cabeça e a analisou por um bom tempo, sem dizer nada.

– Sr. Evans?

Grace contornou com cuidado uma pilha de livros que chegava aos seus joelhos.

As sobrancelhas do homem se levantaram acima dos óculos.

– Quem é você? – perguntou ele.

O que Grace mais desejava naquele momento era navegar por aquela floresta de prateleiras e se dirigir para a saída da loja. Mas ela chegara com um objetivo e se encheu de determinação, como sua mãe sempre lhe ensinara.

– Boa tarde, Sr. Evans. Meu nome é Grace Bennett. A Sra. Weatherford me mandou aqui para falar com o senhor sobre uma vaga de vendedora.

Os olhos azuis do homem se estreitaram atrás dos óculos.

– Eu disse àquela enxerida que não preciso de nenhuma ajuda.

– Como assim? – perguntou Grace, demonstrando surpresa.

Ele voltou a olhar para o livro e lhe deu as costas.

– Não há nada para você aqui, Srta. Bennett.

Instintivamente, Grace deu um passo em direção à porta.

– Eu... entendo... – Ela gaguejou. – Obrigada pela atenção.

Ele nem prestou atenção nela enquanto se movia de lado por entre as estantes, em mais um claro sinal de dispensa.

Ela o encarou em completo choque. Se ele não a contratasse, será que haveria outras opções sem uma carta de recomendação? Ela não conhecia ninguém além da Sra. Weatherford, de Colin e de Viv. Estava em uma cidade estranha, longe de casa, onde já não se sentia bem-vinda. O que mais ela iria fazer?

Uma onda de pânico correu por suas veias e deixou a palma de suas mãos formigando de calor. Ela tinha que ficar e lutar pelo emprego. Afinal, precisava dele.

E se não conseguisse pagar o aluguel do quarto depois de dois meses? Certamente não poderia pedir mais ajuda à Sra. Weatherford do que ela já havia oferecido. E nem poderia depender do auxílio de Viv.

De repente, a atmosfera abafada da loja tornou-se sufocante, as estantes abarrotadas a asfixiavam. Ela deveria ficar e lutar, mas suas emoções estavam em conflito. Deus, como sentia falta da força da mãe, de seus conselhos e seu amor...

Sem dizer mais nada, Grace foi até a porta, contornando estantes entulhadas e pilhas de livros, e saiu da loja.

Voltou para a Britton Street a passos rápidos, desejando simplesmente ficar sozinha. Mas não havia como ficar sozinha ali. Viv estava na sala de estar com a Sra. Weatherford, admirando Malhado. Colin, que havia trabalhado a noite toda no Pet Kingdom, o setor de animais da Harrods, com um novo filhote de elefante, estava agachado ao lado do gatinho com um pedaço de carne na ponta de uma colher. Todos os olhos se voltaram para Grace assim que ela chegou.

Embora soubesse que seus amigos tinham boas intenções, ela preferia fugir de seus olhares em vez de revelar que havia fugido ao primeiro sinal de dificuldade.

– Como foi com o Sr. Evans? – indagou a Sra. Weatherford, sentada na poltrona cor de vinho.

O rosto de Grace ficou quente, mas ela conseguiu forçar um sorriso e agir com indiferença.

– Acho que ele não está à procura de uma vendedora.

– E por que você presumiria uma coisa dessas? – perguntou a Sra. Weatherford.

Grace apoiou o peso na outra perna. A caixa com a máscara antigás, com seu cordão fino, bateu em seu quadril.

– Ele mesmo me disse.

A Sra. Weatherford se levantou com um grunhido.

– Colin, coloque a chaleira para ferver.

De onde estava sentado, no chão ao lado do gato, com uma colher empoleirada entre seus dedos grandes, Colin olhou para a mãe e indagou:

– Vai tomar chá aqui?

– Não é para mim. – Ela foi depressa até as escadas. – É para Grace, que sem dúvida está precisando muito de uma xícara de chá, enquanto eu vou dar uma palavrinha com o Sr. Evans.

– Espere – disse Viv, colocando a mão no ombro de Colin antes que ele conseguisse se levantar.

Ela fez carinho na cabeça de Malhado e se levantou de onde estava, sentada no chão ao lado deles.

– Melhor que tomar chá, que tal sairmos para explorar Londres? – Ela abanou as mãos em direção a Grace. – Você já está bem-vestida, e meu compromisso é só amanhã à tarde. Vamos dar uma olhada na cidade.

O compromisso de Viv era uma entrevista na Harrods, garantida em parte por Colin, com sua influência pelo fato de trabalhar lá havia vários anos, e também pela carta de recomendação dela. Embora sua situação fosse realmente invejável, Grace jamais se ressentiria da felicidade da amiga.

E, por mais que Grace não quisesse deixar o sossego da casa, o sorriso de Viv era tão animado que ela foi incapaz de dizer não.

Viv se arrumou com tanta pressa que desceu as escadas no mesmo minuto que a Sra. Weatherford, ambas com o chapéu preso no lugar certo, o salto dos sapatos fazendo *toc toc* na polida superfície de madeira.

– Ouça bem o que vou dizer – avisou a Sra. Weatherford, que se olhou em um espelhinho pendurado ao lado da porta e ajustou a borda de seu pequeno chapéu preto. – O Sr. Evans vai contratar você se ele souber o que é bom para ele.

Grace desejou poder protestar, negar com firmeza sua necessidade de um emprego ou da ajuda que a Sra. Weatherford oferecia. Mas, infelizmente, não podia recusar sua caridade. O tio a levara a essa situação com sua recusa em escrever uma carta de recomendação adequada. Depois de tantos anos aprimorando a loja, fora uma atitude dolorosamente injusta. Injusta e cruel.

Antes que ela pudesse impedir, a Sra. Weatherford desapareceu pela porta da frente, bufando com determinação.

Viv tomou a mão de Grace.

– Vamos sair e conhecer esta cidade preciosa, querida – disse ela, com seu mais requintado sotaque da "alta sociedade".

Grace não pôde deixar de sorrir diante disso e permitiu que sua amiga a puxasse para o mundo lá fora, deixando Colin com Malhado.

As duas moças logo se deixaram envolver pela cidade acelerada, em meio a prédios imponentes, cobertos de anúncios de cores vivas, e os estrondos e buzinas do trânsito. Elas se misturaram àquele ambiente, acompanhando o ritmo rápido da vida na cidade.

Mas Londres não era a preciosidade que elas esperavam. Seu brilho estava embotado pelos efeitos de uma guerra iminente, colado com fitas brancas e muita apreensão. Seu fulgor estava mascarado atrás dos muros de sacos de areia, e sua alma, rasgada, abrindo caminho para abrigos e trincheiras. Eram sinais impossíveis de ignorar.

Em Drayton, onde a possibilidade de um ataque era menor, alguns preparativos também eram aparentes. Lá, porém, as fitas que revestiam as janelas e vitrines se tornaram um tipo de diversão, e o grande temor pairando sobre a população estava mais ligado ao racionamento que a um bombardeio. Em Londres, os preparativos eram feitos com uma necessidade assustadora.

Os indícios podiam ser deixados de lado temporariamente, é claro. Como quando Grace e Viv entraram na Harrods pela primeira vez e deram de cara com os rebuscados arabescos por todo o teto, as colunas egípcias pintadas e a requintada iluminação. A loja era grande como os campos de Drayton, cada novo departamento mais empolgante e elaborado que o anterior. Havia lenços de seda tão finos que Grace tinha a sensação de estar tocando o ar, e os perfumes atrás dos balcões de vidro espalhavam no ambiente um sofisticado cheiro de almíscar.

O mais fascinante de tudo era o Pet Kingdom, onde Colin trabalhava. O elefantinho que ele acalmara a noite inteira agora brincava em uma pilha de feno, enquanto um filhote de leopardo se lambia com sua língua rosa texturizada e as observava com curiosos olhos verdes.

– Imagine só – comentou Grace, com um ar sonhador, enquanto deixavam os animais e se dirigiam aos outros departamentos. – Em breve você vai trabalhar como vendedora aqui.

– E você estaria comigo – sussurrou Viv. – Se tivesse me deixado escrever uma carta de recomendação para você também.

A animação de Grace diminuiu um pouco com a lembrança de onde ela iria parar se o Sr. Evans fosse convencido pela Sra. Weatherford. Ele parecia um homem ríspido, dentro de uma loja repleta de mercadorias sobre as quais ela pouco sabia.

E mesmo assim Grace não conseguia se convencer a apresentar uma carta de recomendação falsa. Ela nunca fora boa em mentir, ficando toda corada e tropeçando nas palavras. Sem dúvida, ela se atrapalharia com informações falsas. Porém, sabia que Viv continuaria insistindo, a menos que ela oferecesse algum tipo de concessão.

– Se não surgir nenhuma outra oportunidade, talvez eu possa reconsiderar – afirmou Grace, lentamente.

O rosto de Viv se iluminou.

– Combinado.

– Só se não surgir nenhuma outra oportunidade – repetiu Grace, de repente com esperança de que a Sra. Weatherford pudesse dobrar o Sr. Evans.

Mas Viv já havia se virado para examinar um par de meias-calças e mal registrou a cuidadosa declaração de Grace. Viv colocou o item de lado, a mão estendida sobre a embalagem cor-de-rosa farfalhante.

– Sabe o que ainda não fizemos? – Ela girou em direção a Grace com tanto entusiasmo que sua saia verde rodou sobre os joelhos. – Ainda não fomos ao Hyde Park.

Grace sorriu. Quantos dias de verão elas haviam passado deitadas na grama aquecida pelo sol, respirando seu doce perfume, enquanto fingiam estar no Hyde Park?

– Fica aqui perto – observou ela, levantando as sobrancelhas.

Viv olhou ao redor das fileiras iluminadas de intermináveis e elegantes expositores.

– Se conseguirmos achar a saída.

Grace esticou o pescoço, procurando, sem sucesso. Elas levaram mais tempo do que gostariam de admitir e se perderam entre o departamento de roupa de cama e o dos braseiros, até que finalmente conseguiram localizar a saída e se dirigir ao Hyde Park.

O que elas esperavam encontrar eram aglomerados de espreguiçadeiras cheias de pessoas vestidas de forma extravagante, a extensão do lago Sinuoso captando a luz do sol como diamantes cintilantes e uma grama verde sem fim, tão macia que elas iriam ter vontade de tirar os sapatos. Mas o que não tinham previsto eram as trincheiras escavadas no solo, como feridas abertas, ou – pior ainda – o pesado armamento.

Os enormes corpos de metal eram mais altos que um homem, apoiados por rodas tão grandes que chegavam à cintura de Grace. Um cano bem longo projetava-se de cada um daqueles monstros em direção ao céu, pronto para derrubar qualquer ameaça.

Grace olhou para as pesadas nuvens cinzentas, quase esperando ver uma frota de aviões na obscura profundidade.

– Não se preocupem com os alemães, senhoritas – disse um homem mais velho que parou diante delas. – Aqueles canhões antiaéreos vão atirar neles antes que possam tocar em nós. – Ele meneou a cabeça, satisfeito consigo mesmo. – Vocês ficarão em segurança.

O estômago de Grace deu um nó e não a deixou falar. Viv pareceu igualmente afetada e só conseguiu esboçar um sorriso fraco. O homem tocou a aba de seu chapéu e retomou seu caminho pelo parque, com um jornal debaixo do braço.

– A guerra está realmente chegando, não é? – disse Viv, em voz baixa e com uma expressão preocupada.

Estava. Todos sabiam disso, mesmo que não quisessem admitir.

As férias já tinham sido abreviadas quando os professores foram orientados a voltar para a cidade mais cedo e iniciar a preparação para a provável evacuação de milhares de crianças. Se estavam planejando enviar as crianças para o interior, a guerra certamente não demoraria a chegar.

Apesar disso, havia uma resignação nas palavras de Viv que fez Grace se sentir culpada.

– Você não precisa ficar aqui, Viv. Não é seguro. Você só veio para me ajudar, porque eu estava com muito medo de vir sozinha. Mas poderia...

– Voltar para Drayton? – Os lábios de Viv se curvaram para cima com uma risada. – Prefiro morrer a voltar e me enterrar de novo até o pescoço naquela terra.

Talvez a gente morra aqui mesmo. Grace não verbalizou seu pensamento macabro, mas olhou para trás mais uma vez, para um canhão antiaéreo, escuro e sinistro, levantando-se contra o céu da tarde.

– A guerra ainda nem foi declarada. – Viv ajustou a alça da bolsa e o cordão da máscara antigás sobre o ombro. – Vamos voltar para a casa da Sra. Weatherford e ver se ela conseguiu colocar um pouco de bom senso na cabeça do Sr. Evans.

Grace fez uma cara azeda para a amiga.

– Ele não me quer lá tanto quanto eu. A livraria é velha e empoeirada, cheia de livros dos quais eu nunca ouvi falar.

Um brilho se acendeu nos olhos de Viv.

– Por isso mesmo que é perfeito para você, Patinha.

Grace não pôde deixar de sorrir diante do termo carinhoso. Sua mãe a chamara assim pela primeira vez quando seus cachos loiros de bebê cobriam a base de seu pescoço. Como a cauda de um patinho, a mãe costumava dizer. O apelido pegou. Depois que a mãe morreu, Viv era a única que ainda recordava, e usava, o apelido.

– A loja do seu tio era uma porcaria empoeirada antes de você aparecer. – Viv colocou as mãos na cintura. – E algo me diz que a Sra. Weatherford vai pressionar o Sr. Evans a escrever uma carta de recomendação dentro de seis meses.

A imagem da Sra. Weatherford dando uma bronca no Sr. Evans era quase risível.

– Seria uma briga de cachorro grande.

– Eu sei bem em quem eu apostaria o meu dinheiro. – Viv piscou. – Vamos ver o que ela conseguiu.

Quando voltaram para a Britton Street, a Sra. Weatherford já estava na sala de estar com uma xícara de chá e o cheiro de carne assada tomava conta do ambiente. Mais uma refeição deliciosa, sem dúvida. A Sra. Weatherford tinha muito talento na cozinha, como a mãe de Grace.

A Sra. Weatherford ergueu a cabeça e afastou a névoa de vapor de seus óculos.

– Ah, aí estão vocês. Grace, o Sr. Evans lhe pagará um salário justo e quer que você comece amanhã de manhã às oito em ponto.

Grace tirou os sapatos de saltos baixos e, sem se preocupar em calçar as pantufas, pisou no tapete grosso da sala.

– A senhora quer dizer...?

Um malicioso sorriso de vitória surgiu nos lábios da Sra. Weatherford.

– Sim, minha querida. Você é a nova vendedora da Livraria Primrose Hill.

A sensação de alívio lutou com a apreensão. Era um trabalho, um emprego que garantiria o sustento de Grace em Londres. Com isso, talvez ela finalmente pudesse deixar Drayton e o tio no passado de uma vez por todas.

– Obrigada por falar com ele, Sra. Weatherford – disse, comovida. – Foi muito atencioso da sua parte.

– Foi um prazer, querida.

O leve estufar no peito da velha senhora indicava que fora, de fato, um prazer para ela.

Grace fez uma pausa.

– Posso perguntar por que a loja se chama Livraria Primrose Hill se ela não fica nessa rua?

A Sra. Weatherford deu um sorriso sonhador, que revelou a Grace que era por um bom motivo.

– O Sr. Evans e sua esposa, que Deus a tenha, se conheceram na Primrose Hill. Eles se recostaram na mesma árvore e descobriram que estavam lendo o mesmo livro. Dá para imaginar? – Ela pegou um pedaço de bolo da bandeja. – Quando eles abriram a loja, disseram que era o nome perfeito para uma livraria compartilhada pelos dois. Muito romântico, não é?

Era quase impossível imaginar o velho e ranzinza proprietário da livraria como um jovem apaixonado, mas o nome do estabelecimento era mesmo encantador. Assim como sua história.

No final das contas, seria apenas por seis meses.

3

Grace chegou à Livraria Primrose Hill quando faltavam dez minutos para as oito da manhã, com cachos perfeitos e nervos à flor da pele. Viv a ajudara a arrumar o cabelo à noite e se levantara cedo só para lhe desejar boa sorte, pois sua entrevista na Harrods era na parte da tarde.

Grace precisaria toda a sorte que conseguisse.

O Sr. Evans estava atrás do balcão abarrotado quando Grace entrou. Usava um paletó de tweed com uma camisa de colarinho por baixo e não se deu ao trabalho de olhar quando o sino tocou.

– Bom dia, Srta. Bennett – disse ele, com a voz entediada.

Grace sorriu, determinada a recomeçar o relacionamento com o pé direito. Ou oferecendo a outra face, dependendo da visão de cada um.

– Bom dia, Sr. Evans. Agradeço muito pela oportunidade de trabalhar na sua loja.

Ele levantou a cabeça e olhou para ela através das grossas lentes dos óculos. Seus cabelos brancos ralos e as sobrancelhas espessas estavam tão domesticados quanto era possível.

– Não preciso de ajuda, mas aquela mulher não me deixaria em paz enquanto eu não aceitasse. – Ele abanou um dedo atarracado na cara dela. – E cuidado para não se apegar muito a esse trabalho, Srta. Bennett. É só por seis meses.

Aliviada, Grace relaxou os ombros. Pelo menos ele não esperava que ela trabalhasse ali pelo resto da vida.

– Não vou me apegar – respondeu ela, com sinceridade.

Como poderia se apegar a um lugar tão decadente e abandonado?

Ela observou a livraria e ficou chocada ao perceber de novo como o espaço parecia apertado. As estantes estavam cheias e quase encostadas umas nas outras, como se fossem dentes grandes em uma boca pequena, em meio a pilhas desordenadas de livros espalhados. Não havia um senso de harmonia ou de propósito.

Quando Grace começara a trabalhar na loja do tio, pelo menos havia alguma aparência de ordem. O que ela poderia fazer ali, com aquele caos aleatório?

Uma sensação de desesperança tomou conta dela. Afinal, por onde poderia começar? Será que o Sr. Evans já alimentava alguma expectativa que ela deveria alcançar?

Ela ficou parada, insegura, com a bolsa e a caixa da máscara antigás no ombro, o chapéu ainda na cabeça. O Sr. Evans não parecia notar enquanto rabiscava uma série de números em um livro-caixa, com o toco de lápis cuidadosamente apertado entre a ponta dos dedos. Se ele fizesse a ponta mais uma única vez, o lápis desapareceria.

Grace pigarreou.

– Onde devo colocar meus pertences?

– Sala dos fundos – murmurou ele, sem parar de movimentar a mão por cima do papel.

Ela olhou para os fundos da loja e viu uma porta, presumivelmente a da sala dos fundos.

– Então, o que o senhor gostaria que eu fizesse?

A ponta do lápis se quebrou, e o Sr. Evans bufou de frustração. Ele a encarou.

– Eu já lhe disse que não preciso de ajuda. Pode se sentar lá nos fundos e ficar costurando, ou se acomodar em um canto e ler um livro, ou lixar as unhas. Por mim, tanto faz.

Grace assentiu e seguiu pelo corredor de estantes desalinhadas em direção à porta indicada. Acima dela, havia uma placa suja de latão em que se lia "Livraria Primrose Hill" gravado no alto, com uma pequena linha de palavras abaixo: "Onde os leitores encontram o amor". Talvez fosse um presságio de que seus seis meses não seriam tão ruins.

A sala era pequena e fracamente iluminada por uma lâmpada descoberta, com uma mesa e uma cadeira bem frágeis. As paredes estavam cobertas de caixas, algumas vezes em camadas de duas ou três, diminuindo ainda mais o espaço, onde ela mal conseguia se mover. Era muito menos acolhedor que a livraria em si, algo que Grace pensara ser impossível. Ela viu vários ganchos na parede, onde pendurou seus pertences, e voltou para a área principal da loja.

Ela não gostava muito de costurar – essa era a especialidade de Viv – e não saberia por qual livro começar uma leitura, muito menos como arquivá-lo. Um olhar para suas unhas, no entanto, a fez lamentar ter esquecido a lixa em casa.

Não havia nada a fazer a não ser inventar alguma tarefa. As espessas camadas de poeira nas estantes imploravam por uma limpeza. É verdade que espanar não estava na lista recomendada pelo Sr. Evans, mas era o que a livraria mais necessitava.

Três horas mais tarde, quase asfixiada pela poeira no ar, ela se arrependeu de sua escolha. Seu vestido branco com raminhos de flores cor-de-rosa, um de seus favoritos, estava manchado de sujeira, e o Sr. Evans olhava na direção dela toda vez que ela tossia. O que aconteceu com bastante frequência.

Enquanto isso, vários clientes entraram e saíram. Ela tentou se aproximar deles enquanto fazia a limpeza, tomando bastante cuidado para não mandar nuvens de poeira em sua direção, mas perto o suficiente caso necessitassem de alguma ajuda.

Não que ela soubesse o que responder se eles lhe fizessem alguma pergunta. Felizmente, ninguém fez, pelo menos até cinco minutos depois que o Sr. Evans saiu para tomar chá em uma cafeteria próxima.

Uma senhora, que usava um vestido xadrez, aproximou-se e olhou fixamente para Grace.

– Com licença, você tem *Óculos escuros*?

Grace sorriu gentilmente. Pelo menos era uma pergunta que ela saberia responder.

– Nós não vendemos óculos aqui, sinto muito.

A mulher arregalou os olhos azuis.

– É um livro. De John Dickson Carr. Acabei de ler *A dobradiça torta* ontem à noite e preciso achar o próximo livro da série com o Dr. Gideon Fell.

Se o chão se abrisse naquele instante e engolisse Grace, ela não ofereceria resistência.

Ela agora tinha o nome de dois livros e o de uma série com os quais trabalhar e não fazia a mínima ideia de por onde começar a procurá-los. Enquanto limpava, ela tentara, sem sucesso, encontrar alguma ordem na distribuição dos livros nas estantes.

– Sim, é claro – disse Grace.

Ela fez sinal para que a mulher a seguisse, na esperança de que pudesse ter a sorte inesperada de dar de cara com o livro. Ou de ser atingida por um raio no meio do caminho. Ela aceitaria qualquer opção naquele momento.

– A senhora gostou de ler *A dobradiça torta*? – perguntou Grace, em um esforço para descobrir que tipo de livro ela estava buscando.

A mulher pôs a palma da mão no peito e respondeu:

– Ah, foi o melhor livro de mistério que já li. Eu me tranquei no quarto para poder ler o último capítulo sem que meus filhos me interrompessem.

Ah, sim, um mistério. Talvez houvesse alguns localizados lá no fundo, para onde ela estava conduzindo a mulher.

– Acho que ele deve estar em algum lugar nesta prateleira.

Os olhos de Grace passaram rapidamente pelas lombadas de vários livros. Mas eles não seguiam qualquer ordem de colocação, nem por título, nem por nome do autor, nem pela cor da capa.

– Se me der licença... – disse uma voz masculina atrás de Grace.

Ela se sobressaltou e viu um homem alto, usando um paletó cinza feito sob medida, os cabelos pretos bem penteados para o lado. Ela já o havia notado mais cedo. Afinal, que mulher não notaria um sujeito assim, tão bonito? Mas isso fora há algum tempo e ela achou que ele já houvesse saído da loja.

– Acho que ele está naquela estante mais afastada – sugeriu ele, olhando para o lado oposto da livraria.

– Sim, obrigada. – O rosto de Grace ficou quente. Não, seu corpo inteiro ficou ardendo de constrangimento, o que fez com que o tal sujeito a encarasse ainda mais. Ela indicou que a mulher a seguisse de novo. – Por favor, venha comigo.

– Se não se importar, senhorita, eu preferiria que ele me mostrasse.

As sobrancelhas dele se arquearam com surpresa, e ele deu uma risada alta.

– Com o maior prazer.

Ele ofereceu o braço para a mulher mais velha, que o aceitou com um sorriso radiante.

Achando graça, Grace observou os dois, enquanto o homem pegava um livro preto com letras grandes e vermelhas na capa. A mulher agradeceu e encontrou Grace na caixa registradora sobre o desorganizado balcão.

– Que cavalheiro. – A mulher deu uns tapinhas nas próprias bochechas avermelhadas antes de tirar o dinheiro da bolsa. – Se eu fosse jovem e bonita como você, não o deixaria sair sem saber como ele se chama.

Grace lançou um olhar aflito para o homem, para ter certeza de que ele não tinha ouvido as palavras da mulher. Ele permanecia de frente para uma estante, vários passos adiante, aparentemente sem prestar atenção na conversa. Graças a Deus.

A tensão nos ombros de Grace diminuiu um pouco. Ela contou o troco da mulher, agradeceu e entregou a ela o livro comprado. A dona de casa deu uma piscadela rápida para Grace e saiu da livraria, fazendo o sino tocar.

Quando o badalar cessou, um silêncio pesado preencheu aquele espaço apertado. Embora mais cedo Grace não tivesse notado a persistente presença do rapaz dentro da livraria, agora ela estava perfeitamente consciente disso. Se fosse na loja de seu tio, em Drayton, ela poderia se oferecer para ajudá-lo, talvez dar algumas sugestões. No entanto, ele parecia conhecer a livraria melhor que ela.

Ela espanou discretamente o máximo de poeira do vestido e prometeu não usar nada branco de novo até que a loja estivesse cem por cento limpa. No final, optou por organizar a enorme quantidade de objetos espalhados pelo balcão enquanto esperava que ele fizesse suas escolhas. Grace encontrou uma xícara velha dentro de um dos armários abaixo, onde colocou os tocos de lápis, cada um usado até quase o fim. Em seguida, jogou fora uns papéis velhos, mas só depois de confirmar que não eram comprovantes de compras.

O cavalheiro estava de pé diante da área parcialmente limpa do balcão quando Grace olhou para cima. Ele sorriu e olhou para ela com seus marcantes olhos verdes. Tinha uma covinha no queixo bem definido que o tornava charmoso como um ator de cinema.

A mente de Grace fez malabarismos para encontrar algo fascinante para dizer, mas nada surgiu.

– Posso ajudá-lo?

Ele empurrou a pilha de livros na direção dela, livros que ela tinha estado perdida demais naqueles belos olhos para notar.

– Gostaria de comprar estes aqui, por favor. – Ele colocou as mãos casualmente nos bolsos. – Eu não sabia que o Sr. Evans tinha uma vendedora.

Grace apertou um botão na antiga caixa registradora, que fez um barulho que ressoou no vazio da loja.

– É o meu primeiro dia. – Ela lhe lançou um olhar tímido enquanto pegava o próximo livro. – Foi gentil da sua parte me ajudar com aquela senhora. Muito obrigada.

O sorriso dele se abriu, fazendo com que a pele lisa ao redor dos olhos formasse vincos nos cantos.

– Era o mínimo que eu poderia fazer. Venho aqui regularmente desde criança. Percebi que você limpou um pouco o lugar. É uma tarefa e tanto para se assumir.

– Estou animada com o desafio – respondeu Grace, percebendo a verdade por trás de suas palavras.

Colocar a loja em ordem pelo menos a ajudaria a preencher o tempo durante os próximos seis meses.

– Será mesmo um desafio. – O homem olhou para trás com uma careta exagerada. – Especialmente se você for amante dos livros. Mistérios podem facilmente virar suspenses, clássicos podem ser histórias de amor e por aí vai.

– Eu não sou – confessou ela. – Amante dos livros, quero dizer. Nunca tive muito tempo para ler.

Ele parou um pouco, quase como se estivesse ofendido por aquela admissão, embora mantivesse o sorriso.

– Bem, se você for começar com qualquer um deles, sugiro *O conde de Monte Cristo*. É um clássico de que sempre gostei. – Ele inclinou a cabeça. – Embora também possa ser uma história de amor.

– Vou levar isso em consideração. – Grace ergueu o último livro para registrar. – Obrigada pela indicação.

Ele pegou a carteira e pagou pelos livros.

– Posso ser um pouco ousado e perguntar o seu nome?

– Srta. Grace Bennett – respondeu ela.

– Srta. Bennett. – Ele assentiu educadamente. – Meu nome é George Anderson. Estou ansioso para ver o que você vai conseguir fazer com a livraria.

Ela assentiu em silêncio e o Sr. Anderson partiu, andando de costas para dirigir a ela um último sorriso devastador.

Céus!

Ela colocou a mão no peito, como se quisesse acalmar as batidas aceleradas do coração. No mesmo instante, o sino da porta tocou de novo e o Sr. Evans preencheu a loja com seu temperamento mal-humorado.

Seu olhar percorreu a bancada organizada e suas sobrancelhas peludas se contorceram com aparente consternação.

– O que diabos aconteceu aqui? Fomos assaltados?

– Dei uma arrumada – respondeu Grace.

O Sr. Evans fez uma cara feia e olhou ao redor.

– É por isso que está tão empoeirado aqui dentro.

Ele balançou a mão à sua frente com um jornal dobrado, como se o próprio ar fosse uma grande ofensa.

Grace ficou tensa, esperando por palavras mordazes, como as que o tio lhe dizia com grande frequência. Em todos os anos que trabalhara com ele, desde a última série na escola de Drayton até partir para Londres, ele havia apontado, com grandes detalhes, todos os seus incontáveis defeitos. A ética de trabalho dela não estava de acordo com o que ele esperava. Ela desperdiçava produtos que ainda poderiam ser usados. Poderia ter vendido mais itens dando sugestões se tivesse sido mais inteligente, mais intuitiva, mais dedicada. Menos incompetente.

Ela cerrou os punhos, preparando-se para os golpes emocionais sobre suas deficiências pessoais.

– Acho que precisava mesmo de uma boa limpeza – resmungou o Sr. Evans, relutante.

Os punhos dela relaxaram.

– O que o senhor disse?

– O lugar está um pouco empoeirado, e não tenho tempo para lidar com isso. – Ele bateu o jornal na bancada e pegou a pilha de recibos, ignorando vários que se soltaram. – Eu agradeceria se não ficasse espiando a minha contabilidade.

– Eu nunca me atreveria.

Grace se inclinou para recuperar os recibos e os entregou ao Sr. Evans, tomando o cuidado de não olhar o conteúdo.

Ele os enfiou na pilha de papéis e foi se enfurnar na salinha dos fundos. Levou algum tempo para retornar e, quando o fez, ficou lá atrás, vasculhando os livros, mais como um cliente do que como o proprietário.

Grace passou o resto da tarde terminando a limpeza, espanando e lustrando o balcão. Ele era até bonito sob aqueles anos de sujeira, com arabescos esculpidos nos cantos e um lindo tom de castanho. Felizmente, nenhum outro cliente procurou sua ajuda para encontrar os títulos, e sua única tarefa com eles foi recolher o pagamento.

Quando finalmente chegou a hora de ir embora, sua saudação de despedida foi recebida pelo Sr. Evans com um grunhido e nada mais. Pelo menos era melhor do que as tarefas intermináveis e infrutíferas que seu tio lhe delegava.

Embora suja, exausta e se sentindo como se não tivesse feito o suficiente, Grace foi correndo para casa, ansiosa por saber como tinha sido a entrevista de Viv.

Ela escancarou a porta ao chegar.

– Viv, você...?

O rádio estava no volume máximo e uma voz estalava por toda a sala, informando aos ouvintes que uma frota havia sido mobilizada.

Uma frota de quê?

A Sra. Weatherford e Viv estavam sentadas diante do rádio, ouvindo com toda a atenção. Viv lançou para Grace um olhar distraído e acenou.

Grace logo se sentou ao lado da amiga no sofá de lã azul.

– O que está acontecendo? – perguntou ela, sussurrando. – Por que estão transmitindo o noticiário agora? Ainda não são seis horas.

Viv a encarou com um olhar nervoso.

– As notícias chegaram esta tarde. Os reservistas foram chamados. Fomos informados mais cedo de que não devemos concluir que a guerra é inevitável. Mas, como não, quando eles estão nos dizendo que as frotas estão mobilizadas e todos os reservistas da Marinha e o pessoal da Força Aérea devem se apresentar para o serviço?

Atordoada, Grace desabou no sofá. Como ela não tinha ouvido nada sobre aquilo? Mas é claro: ela passara o dia em seu próprio mundo, ocupada com a limpeza, a mente voltada para a tarefa com determinação, e os clientes entrando e saindo de vez em quando.

A ansiedade que vibrava no ar agora zumbia nas veias de Grace. Chegara o momento.

Guerra.

A Sra. Weatherford não disse nada; seu rosto era uma máscara estoica. Ela se levantou de repente e desligou o rádio.

– Já chega por hoje. – Ela respirou fundo e se virou para Grace. – Foi tudo bem no seu primeiro dia?

– Foi, obrigada – respondeu Grace, suavemente.

– Ótimo. – A Sra. Weatherford assentiu de maneira superficial. – Se me derem licença, tenho uma torta de rim para preparar, ou não vamos ter nada para a janta.

Sem esperar por outra resposta, ela marchou para fora da sala, as costas exageradamente eretas.

Viv baixou a voz.

– Eles vão evacuar as crianças amanhã. Todas irão para o interior. Pelo menos aquelas que foram inscritas pelos pais.

A notícia atingiu Grace no peito. Viv estava certa; como não esperar a guerra quando medidas como aquela estavam sendo implementadas?

Grace pensou na dona de casa que estivera na loja mais cedo, selecionando um livro, sem saber que seus filhos partiriam no dia seguinte. Todas as mães de Londres ficariam sem seus filhos por conta da evacuação. E muitas delas também enviariam seus maridos para a guerra.

Se não houvesse um número suficiente de homens voluntários, eles poderiam ser recrutados. O estômago de Grace deu um nó.

Colin poderia ser convocado.

Não era de admirar que a Sra. Weatherford estivesse tão pouco inclinada a ouvir mais.

Com um ar solene, Viv olhou para o tapete. Grace sentiu o coração apertar e buscou um jeito de trazer alguma leveza, para que ambas não cedessem à desesperança.

– As crianças vão ficar bem, contanto que não acabem com meu tio e a família dele.

Viv deu um sorriso triste e entrou na brincadeira.

– Não que ele fosse oferecer às crianças algum lugar para ficar.

Foi então que Grace percebeu que Viv ainda estava usando seu elegante tailleur azul-marinho.

– Você fez a entrevista?

Viv assentiu antes de completar:

– Me ofereceram uma posição como vendedora. Começo amanhã, pelo tempo que durar.

– Vai durar bastante, tenho certeza. – Grace apertou a mão da amiga. – Todo mundo sempre precisa de um par de meias-calças ou de uma blusa nova para se sentir bem.

– Ou de um elefante? – disse Viv, inclinando a cabeça.

– Quem sabe um vombate?

Grace deu de ombros.

A boca de Viv expressou a sugestão de um sorriso.

– E por que não um guepardo?

– Não se esqueça da coleira – avisou Grace.

Viv ficou séria.

– Nós vamos sobreviver a tudo isso, Grace Bennett. Você vai ver.

Ela pôs a mão sobre a de Grace, um lembrete da amizade que tinham desde a infância. Aquela solidariedade as ajudara a sobreviver à dor da morte da mãe de Grace, à dureza da vida em Drayton, aos arrogantes pais de Viv e até às incessantes provocações de Geoffrey Simmons, o imbecil.

Juntas, elas seriam capazes de enfrentar qualquer coisa – fosse um dono de loja rabugento ou uma guerra prestes a começar.

4

A fila de crianças era tragicamente interminável.

Na verdade, Grace não tivera muita chance de pensar na evacuação. As atividades na noite anterior haviam sido intensas enquanto se preparavam para a primeira noite de blecaute obrigatório e Colin dava os retoques finais no abrigo antiaéreo no jardim arruinado da Sra. Weatherford.

Os canteiros de flores desmanchados foram mencionados várias vezes pela Sra. Weatherford, apesar de suas observações chorosas de que não se importava nem um pouco.

Em meio a tudo aquilo, Grace tinha vergonha de admitir que havia se esquecido das crianças. Não se lembrou delas quando saiu da Britton Street para se dirigir à Livraria Primrose Hill. Também não se lembrou quando avistou balões prateados no céu, tão grandes quanto uma casa, suspensos acima da cidade como peixes prateados inchados. Coisas estranhas que, sem dúvida, serviriam a algum propósito de guerra.

Enquanto virava na Albion Place, ela ficou olhando para um deles tão atentamente que quase colidiu com um homem em um uniforme de lã azul da Royal Air Force, a força aérea do Reino Unido, com sua mochila abarrotada pendurada no ombro.

– Desculpe – disse Grace. – Eu não…

O que quer que ela quisesse dizer morreu em sua garganta, pois foi nesse momento que avistou as crianças. A fila corria ao longo da rua, indo na direção da estação Farringdon.

O oficial da RAF disse algo, mas Grace não ouviu quando ele passou apressado. Ela não conseguia assimilar mais nada além do fluxo interminável de crianças, com suas pequenas máscaras de gás penduradas em cordões, as identificações presas no casaco e nas malas. Malas tão pequenas para o que poderia ser uma longa ausência. Pois quem saberia dizer quando voltariam?

Algumas estavam ansiosas, seus rostos brilhando de excitação pela aventura. Outras tinham lágrimas nos olhos enquanto se agarravam a suas mães. Quanto às mulheres que as acompanhavam, todas estavam pálidas, suas expressões endurecidas pela agonia daquela situação.

Nenhuma mãe deveria ser obrigada a fazer uma escolha como a delas: enviar os filhos para morar com estranhos no interior ou permitir que ficassem na cidade, onde o perigo era grande.

Apesar da dor da separação, o risco deveria ser bastante considerável, já que havia um esforço tão grande para remover tantas crianças. Certamente, era muito melhor do que mantê-las ali, onde estariam sob a constante ameaça de serem bombardeadas.

Embora não fosse mãe, Grace esperava se tornar um dia. E cada rosto amargurado imprimia em seu coração o sacrifício que aquelas mulheres estavam fazendo para garantir que seus filhos permanecessem seguros.

Enquanto caminhava em um estado de atordoamento, ela se deparou com uma massa de crianças reunida na entrada da estação Farringdon, para onde outro fluxo se encaminhava, vindo da direção oposta. Centenas, se não milhares, de pequeninos.

Muitas mães teriam os braços vazios naquela noite.

Um peso se alojou no peito de Grace por aquelas mulheres e os filhos que foram obrigadas a entregar aos cuidados de outra pessoa. Ela acelerou o passo, incapaz de suportar a visão por mais tempo.

Praticamente se jogou para dentro da livraria, recebendo um olhar atento do Sr. Evans quando chegou.

– A guerra já começou? – perguntou ele secamente, voltando o foco para o livro à sua frente.

– Pode muito bem ter começado. – Grace olhou para a rua enquanto uma mãe apressava seus dois filhos pequenos na direção da estação do metrô. – As crianças estão todas sendo levadas para longe.

Ele concordou com um resmungo, mas sem prestar muita atenção.

Ela olhou para o céu, procurando os grandes objetos prateados.

– E aqueles balões...
– Balões barragem.
Ela se virou para ele.
– Mas para que cargas-d'água eles servem?
O Sr. Evans suspirou sem paciência e largou o livro.
– Eles são presos por cabos de aço para impedir que as aeronaves voem muito baixo. Estão lá para nossa proteção.
– Então eles não podem nos bombardear? – perguntou Grace, esperançosa.
O Sr. Evans bufou.
– Ah, eles podem nos bombardear, sim. Os balões impediram isso na Grande Guerra, quando os aviões não conseguiam voar tão alto. Mas agora pelo menos eles são forçados a se colocar ao alcance dos canhões antiaéreos.

Grace sentiu calafrios. Ela queria fazer mais perguntas, mas ele já havia levantado o livro e retomado a leitura. Poucos clientes entraram na livraria naquele dia. Era fácil perceber a razão, quando crianças estavam sendo despachadas, homens estavam partindo para a guerra e todas as mães eram deixadas para trás, com sua imensa tristeza.

Grace havia pensado em tentar organizar os livros, mas não conseguia tirar da cabeça a imagem daquelas crianças. Não quando havia tantas delas. Não quando tantas mães tinham sido tão fortes diante do que deveriam fazer para proteger seus filhos.

Ela se lembrou da vez em que sua mãe tinha ido visitar a Sra. Weatherford quando ela era criança. Embora houvesse ficado com a família de Viv durante a semana, Grace ainda se lembrava da saudade que sentira e de quanto isso a deixara desolada. E fora apenas uma semana.

Aquelas pobres crianças.

No final, Grace dedicou-se a arrumar as fitas colocadas de qualquer jeito nas vitrines, primeiro descolando a fita antiga, depois limpando as manchas pegajosas de cola que permaneciam por todo o vidro. A tarefa não exigia muito da cabeça, o que lhe convinha bem, pois a dela já estava bastante cheia.

Quando restavam apenas duas tiras e ela ficou em dúvida se teria tempo para reaplicar mais fita com os cuidados adequados, o Sr. Evans se aproximou.

– Vá para casa, Srta. Bennett. Não há vendas suficientes para eu me dar ao trabalho de deixar a livraria aberta. Não hoje. Além disso, não tenho nada para cobrir as vitrines quando escurecer. – Ele cruzou os braços e sua inspiração assobiou pelas narinas enquanto olhava em volta da loja. – A guerra está chegando e não são livros que as pessoas vão querer comprar.

Grace juntou as fitas descartadas e se levantou.

– Mas com certeza vão precisar de alguma distração.

Ele assentiu e olhou para a vitrine.

– Vou trazer jornal amanhã.

Grace escondeu sua careta de desgosto ao pensar em cobrir as amplas vitrines com jornais.

– Posso fazer algumas cortinas. A senhora Weatherford tem um pouco de tecido sobrando.

De fato, a Sra. Weatherford ficara bastante eufórica ao cantar vitória por conseguir tantos metros de cetim preto pesado por apenas dois xelins o metro.

Grace não sabia por que estava se oferecendo para ajudar o Sr. Evans. Principalmente quando ele estava insinuando que em breve poderia não ter mais vendas suficientes para manter uma vendedora. Mas elas tinham tecido de sobra, e qualquer coisa que ela fizesse para ser útil funcionaria a seu favor para conseguir uma carta de recomendação.

Grace rapidamente pegou sua bolsa, chapéu e máscara de gás, ansiosa pela folga.

O Sr. Evans a encontrou na entrada e virou a placa de "aberto" para "fechado".

– Boa tarde, Srta. Bennett.

Ele fechou a porta e a trancou. Àquela altura, as crianças haviam desaparecido das ruas, quase como se sua partida organizada não tivesse acontecido. Em sua caminhada para casa, Grace afastou os pensamentos daquela lembrança dolorosa e, em vez disso, ficou imaginando como atrair mais clientes para a Livraria Primrose Hill.

Ela tinha feito isso com a loja do tio. Vários cartazes na vitrine e alguns itens colocados estrategicamente à mostra fizeram toda a diferença. Logo os clientes começaram a chegar com regularidade.

Claro, a Livraria Primrose Hill tinha menos clientes, e os que restaram estavam com os nervos em frangalhos. Mas os livros serviam a um propósito. As distrações sempre eram necessárias. Ainda mais em tempos de conflito.

Se ela tinha conseguido tornar uma loja bem-sucedida, por Deus, poderia fazê-lo de novo. E, dessa vez, ela se certificaria de receber uma brilhante recomendação por seus esforços.

Grace encontrou a Sra. Weatherford do lado de fora da casa, com os braços carregados de sacolas.

A Sra. Weatherford acenou para ela com meio dedo, que parecia o único apêndice livre que lhe restara.

– Você chegou na hora certa, Grace. Venha aqui, menina.

Grace correu e tirou várias sacolas do braço da Sra. Weatherford. Um peso inesperado puxou a mão de Grace com tanta força que ela quase deixou cair uma delas.

– O que tem aqui dentro? Sacos de areia?

A Sra. Weatherford lançou um olhar conspiratório ao redor antes de se inclinar e sussurrar:

– Chá. – Ela levantou um ombro para pegar outra sacola. – E açúcar. Vamos levar isso para dentro depressa.

Ela não abriu a boca até que as duas colocassem os pacotes dentro de casa em segurança. As pesadas cortinas escuras penduradas nas janelas da alegre cozinha eram um lembrete do blecaute que começaria naquela noite. Eles haviam feito vários testes no mês anterior, mas daquela vez seria para valer.

A Sra. Weatherford largou seu fardo com muito cuidado e emitiu um suspiro aliviado.

– Meu Deus, como estava pesado.

– Tudo isso é chá e açúcar? – indagou Grace, examinando as sacolas, que estavam cheias até a boca.

– Uma parte é farinha também. – A Sra. Weatherford balançou um dedo. – Não fique me olhando assim, Grace Bennett. A guerra está chegando e escreva o que eu digo: haverá racionamento. Tive que comprar esses itens antes dos acumuladores.

Grace examinou o acervo de produtos.

– Os acumuladores?

A Sra. Weatherford começou a desempacotar as compras.

– A Sra. Nesbitt tinha pelo menos o dobro, e ela é uma mulher sozinha.
– A Sra. Weatherford se inclinou sobre o balcão para reorganizar os itens no armário, abrindo espaço para suas novas aquisições. – Você a conhece, a proprietária da Nesbitt's Fine Reads, uma das muitas livrarias ilustres ao longo da Paternoster Row – explicou, olhando para Grace.

Grace assentiu.

A Sra. Weatherford franziu o cenho.

– Certamente o Sr. Evans já mencionou a Paternoster Row.

– Não, nunca – disse Grace.

Ela empilhou vários sacos de açúcar em uma parte do armário aberto.

A Sra. Weatherford afastou algumas caixas e colocou ali as latas de chá.

– Bem, essa é a rua para onde vai a maioria dos amantes de livros que têm dinheiro. Eu disse ao Sr. Evans uma dezena de vezes que ele deveria se mudar. – Ela deu um passo para trás e examinou o armário cheio, meneando a cabeça com satisfação. – Você devia ir lá um dia. Ver como é uma livraria de verdade. Eu posso lhe ensinar o caminho.

Uma livraria de verdade. Era exatamente o que Grace precisava estudar para descobrir como melhorar a Primrose Hill.

– Seria maravilhoso. Já que estamos falando no assunto, a senhora se importaria se eu pegasse um pouco do cetim preto para fazer cortinas para a livraria?

A Sra. Weatherford sorriu com orgulho para ela, um sorriso do tipo que sua própria mãe costumava dar. Isso tocou em um lugar ferido na alma de Grace, um lugar enterrado profundamente, e o confortou da maneira mais afetuosa.

– Claro que pode, querida. Lembre-se de fazer pelo menos três camadas, ou não bloqueará a luz. Tenho certeza de que ele vai ficar muito grato pelos seus esforços. – Ela encheu a chaleira com água da torneira. – Mesmo que não diga nada.

Colin entrou na cozinha com Malhado seguindo seus passos, miando insistentemente.

– Oi, Grace. – O rosto dele ficou ligeiramente corado, como sempre acontecia quando entrava em um cômodo onde Viv ou Grace estivessem. – Recebemos um filhote de guepardo hoje de manhã. Ele não tem nada de especial, apenas um pouco de penugem e uma personalidade feroz.

Ele fez o formato de uma bola com os dedos para indicar o tamanho do animal.

– Imagino que deva ser muito fofo.

– Vocês precisam ir vê-lo na próxima vez que estiverem na Harrods. – Ele olhou para a mãe. – Pode me dar uma lata de atum, mãe?

A boca da Sra. Weatherford se contraiu, mas ela lhe entregou a lata assim mesmo.

– Acho que Malhado está grande o suficiente para encontrar um lar. Em breve teremos problemas para nos alimentar, imagine com um gato.

Colin pegou a lata com um sorriso pesaroso.

– Vocês dois pensam que eu sou louca, mas me ouçam, tudo vai ser racionado.

A Sra. Weatherford dobrou as sacolas agora vazias e colocou a chaleira no fogão, enquanto Colin abria a lata com um abridor.

Um odor pungente de peixe encheu o espaço pequeno e deixou Malhado em um frenesi de miados insistentes. A Sra. Weatherford acenou com a mão.

– Fuja daqui, Grace. Ligue o rádio enquanto providencio o nosso chá.

Grace não precisou de uma segunda oferta e saiu correndo dali, onde o cheiro era forte. Entretanto, quando ela ligou o aparelho, a notícia que ouviu era muito pior que o fedor de peixe.

A voz forte de Lionel Marson emanava dos alto-falantes.

– A Alemanha invadiu a Polônia e bombardeou várias cidades....

Grace ficou imóvel, sua mão pairando sobre o botão de metal. O repórter prosseguiu, detalhando como a Polônia havia sido atacada naquela manhã, como as principais cidades polonesas haviam sido bombardeadas e como a França estava se mobilizando. Com o tratado de proteção assinado apenas alguns dias antes com a Polônia, não havia dúvidas: a Grã-Bretanha e a França teriam que intervir.

O resto da tarde e a noite foram passados na sala de estar, ouvindo cada novo boletim que ia ao ar, com todos empoleirados perto do rádio, na tentativa desesperada de obter mais informações. Muito do que era dito eles já sabiam, mas escutavam com atenção assim mesmo.

Em meio a tudo isso, Grace fez cortinas para a livraria com a ajuda de Viv, uma vez que sua amiga já voltara para casa depois de um primeiro dia bem-sucedido na Harrods. Com os nervos à flor da pele, em alerta máximo, elas mal conseguiram comer a torta que a Sra. Weatherford tinha feito e se prepararam para o blecaute antes do fim do crepúsculo.

Hitler poderia fazer com a Inglaterra o que fizera com a Polônia. Qualquer filete de luz em uma janela revelaria a seus aviões onde despejar suas bombas.

Um calafrio percorreu as costas de Grace. Ela vinha temendo o blecaute e suas regras rígidas. Agora, sentia-se aliviada pela iniciativa do governo de evitar que se tornassem um alvo visível na noite escura.

Da mesma forma, era grata ao abrigo antiaéreo no quintal. Saber que eles tinham uma proteção tão perto lhe proporcionava uma reconfortante sensação de segurança.

Em meio à pura escuridão de seu primeiro blecaute, Grace teve dificuldade em pegar no sono. Sobretudo quando sua mente estava cheia de conversas sobre a guerra e da lembrança das crianças daquela manhã.

Aparentemente, as cortinas pesadas fizeram bem o seu trabalho. Grace acabou adormecendo, mas, na manhã seguinte, acordou quase meia hora depois do que pretendia. Apesar de toda a pressa para se arrumar, ela chegou à livraria com vários minutos de atraso.

O Sr. Evans a olhou com uma expressão severa. Sem dúvida, uma repreensão estava a caminho.

Grace agarrou sua bolsa, com as cortinas de camada tripla guardadas lá dentro.

– E eu aqui pensando que você teria abandonado o posto por considerá-lo uma causa perdida. – Um sorriso se insinuou nos cantos da boca do Sr. Evans enquanto ele vagava de volta para os fundos da loja. – Eu não a condenaria.

– Desculpe o atraso – disse ela, quando ele já estava de costas, e exalou com alívio. – Eu trouxe as cortinas.

Ele olhou por cima do ombro para a bolsa de Grace e meneou a cabeça uma vez.

Era o nível de agradecimento que ela já esperava.

Primeiro, ela se pôs a arrumar a loja, organizando as pilhas de recibos e limpando o lixo que ele havia deixado no balcão. Embora soubesse pouco sobre livros, escolheu capas atraentes e as exibiu em um arranjo curvo nas grandes vitrines.

Pelo menos, era um começo.

Ela tinha acabado de encontrar uma escada pequena e estava se preparando para pendurar as cortinas pesadas quando o sino anunciou um visitante. Um idoso entrou e a viu, lançando-lhe um olhar aguçado.

– Quem é você?

– Sou a Srta. Bennett. – Ela desceu da escada. – A nova vendedora.

Ao nível dos olhos, era impossível ignorar como o homem parecia um pássaro visto contra o vento cortante em um dia frio. Sua cabeça branca estava enfiada no meio dos ombros encolhidos e curvados e as pernas finas projetavam-se de seu paletó escuro. Ele olhou para as cortinas que esperavam para ser penduradas e fez uma expressão de reprovação.

– Não há necessidade de cortinas quando o alcatrão funciona tão bem.

Grace quase se encolheu diante da ideia de espalhar alcatrão sobre o vidro.

– Como posso ajudá-lo?

– Onde está o Evans?

– Pritchard, é você?

O Sr. Evans emergiu da floresta de estantes, um livro sempre presente nas mãos, acima da protuberância da barriga. Ele o fechou e empurrou os óculos mais para cima no nariz.

– Você contratou uma vendedora? – perguntou o idoso, olhando ao redor da loja, com seu nariz fino apenas exacerbando a aparência de pássaro. – Está indo tão bem assim?

– Nunca se sabe do que se vai precisar quando uma guerra está acontecendo – comentou o Sr. Evans com ironia. – Comparando de novo as nossas livrarias, Pritchard?

O homem estalou a língua.

– Ora, a guerra ainda nem foi declarada. E, se essa confusão com a Polônia nos empurrar para ela, enfrentaremos Hitler e seus nazistas idiotas em uma batalha que vai despachá-los de volta para a Alemanha. Ouça bem o que estou dizendo: até o Natal tudo isso terá acabado.

– Mesmo assim, vou colocar minhas cortinas. – O Sr. Evans acenou para Grace, liberando-a da necessidade de ser parte da conversa. – No mínimo isso vai impedir o maldito vigilante do blecaute de bater à minha porta.

Grace pegou o tecido escorregadio nos braços, subiu na escada e começou a pendurar as cortinas, enquanto os homens discutiam sobre vendas de livros e política.

– Como diabos você mantém os ratos fora da sua loja? – perguntou o Sr. Pritchard abruptamente, quando Grace terminou sua tarefa. – Eu tenho problemas com esses infelizes desde o início.

– Isso nunca foi um problema aqui – declarou o Sr. Evans.

O tom de sua voz estava se tornando distraído, uma indicação clara de que não queria mais conversar. E uma deixa que o Sr. Pritchard não conseguiu captar.

O homem enfiou a cabeça mais fundo nos ombros e fez uma careta.

– Provavelmente porque você não está tão perto do Tâmisa aqui. Não como eu, na Paternoster Row.

– O senhor precisa de um gato – observou Grace, enquanto descia da escada e examinava sua obra. – O filho da Sra. Weatherford tem um gato malhado que precisa de um lar.

O Sr. Pritchard bufou antes de comentar:

– Aquela mulher intrometida?

Grace se ocupou dobrando a escada para esconder sua careta diante da cruel avaliação da mulher que tinha feito tanto por ela.

– Um gato deve ajudar com os ratos. Sei que a Sra. Weatherford não tem planos esta manhã e provavelmente apreciaria a sua visita.

Pelo menos para encontrar um novo lar para Malhado.

O Sr. Pritchard assentiu lentamente para si mesmo.

– Entendo. Bem, parece mesmo que eu preciso de um gato. Bom dia para você, Evans.

O Sr. Evans murmurou alguma forma de despedida e o Sr. Pritchard saiu da loja. Com as cortinas penduradas e os livros arrumados de maneira decente na vitrine, Grace virou-se para seu próximo projeto: encontrar lugares para realocar as pilhas de livros espalhadas pelo chão.

A tarefa era muito maior do que ela havia previsto. Qualquer que fosse o sistema de organização dos livros nas estantes utilizado um dia pelo

Sr. Evans, agora ele era quase inexistente, o que significava que Grace precisaria criar um. Mais tarde. Por enquanto, simplesmente ia procurar lugares para colocar os livros descartados.

Ela ficou tão absorta em sua tarefa que o Sr. Evans teve que lembrá-la, em várias ocasiões, que estava trabalhando além do horário combinado. A cada vez, ela o dispensava dizendo que estava tudo quase pronto. E, a cada vez que pensava que estava, descobria mais pilhas de livros.

Um estrondo baixo de trovão chamou sua atenção, e o Sr. Evans apareceu diante dela carregando um guarda-chuva.

– Srta. Bennett, vá para casa. A livraria está fechando e começou a chover.

Ela desviou o olhar de uma série de lombadas tão apertada que nenhum livro poderia caber ali, apesar dos cerca de vinte que ainda precisava guardar. Eles não estavam em nenhuma ordem específica. Ainda. Mas pelo menos não estavam mais no chão.

Deu uma olhada na janela e viu que as cortinas estavam fechadas. O blecaute estava de fato em vigor.

Será que era realmente tão tarde?

– Fique em casa amanhã – disse o Sr. Evans. – Trabalhou muito por um dia.

– Mas ontem...

– Deveria ter saído de tarde, e agora já é noite. – O Sr. Evans inclinou o guarda-chuva na direção dela mais uma vez. – Se a Sra. Weatherford ligar mais uma vez atrás de você, vai querer me matar.

Ah, então era isso. A Sra. Weatherford. Sem dúvida, o atraso de Grace a havia preocupado.

Grace aceitou o guarda-chuva e rapidamente pegou suas coisas. O Sr. Evans a seguiu até a frente e abriu a porta.

A escuridão a encontrou do outro lado, tão intensa quanto profunda – um mar sem fim de nada.

Grace piscou para clarear a visão, mas não adiantou muito naquele breu. Ela não tinha se dado conta de que o blecaute seria tão arrebatador.

– Eu deveria levá-la até em casa – comentou o Sr. Evans, mais para si mesmo que para ela.

– Nem pense nisso.

Grace empinou ligeiramente o queixo, do jeito que Viv fazia para exibir um pouco de autoconfiança. Embora, no caso de Grace, fosse mera bravata.

– Vou levar menos de dez minutos. Não é preciso ambos terminarem o dia encharcados.

Ele franziu a testa e abriu a boca para dizer algo quando um assobio agudo perfurou o ar.

– Apague essa luz – gritou alguém de longe.

O tom de voz autoritário e cheio de presunção sugeria que era um vigilante da ARP, a unidade de precauções contra ataques aéreos, um serviço voluntário composto por vizinhos que monitoravam o cumprimento do blecaute.

– Boa noite, Sr. Evans.

Grace saiu da loja e abriu o guarda-chuva.

Ainda assim, o Sr. Evans esperou, segurando a porta aberta para ela poder enxergar alguma coisa.

– Apague isso, Sr. Evans – gritou o vigilante de novo, dessa vez mais de perto.

Finalmente, ele fechou a porta e um grosso cobertor de escuridão caiu sobre Grace. Ele parecia pressionar seus olhos, fazendo-a se esforçar para enxergar alguma coisa – qualquer coisa – e falhando miseravelmente.

Em geral, havia pessoas por perto, carros com faróis acesos atravessando o negrume e os postes que derramavam algum raio de luz. Mas naquele momento, não. Não durante um blecaute.

Ela hesitou, tentando acostumar os olhos, mas sem conseguir. A água tamborilava em seu guarda-chuva enquanto ela permanecia no mesmo lugar.

Na ausência da visão, teria que se movimentar com base na memória. Era fascinante como em apenas uma semana em Londres ela já era capaz de traçar o caminho para a Britton Street com tanta facilidade. Exceto que isso só funcionava quando ela podia distinguir corretamente os arredores.

Grace deu um passo cauteloso para a frente, raspando os sapatos no chão, fazendo barulho na rua deserta. Meio que esperava alguma obstrução que a fizesse tropeçar. Mas não aconteceu. E o passo seguinte também não foi impactado, nem o próximo. Ela continuou com o estranho e hesitante arrastar dos pés na calçada.

Quantos passos a fariam chegar lá? Seu ritmo vacilou e ela se viu esticando a mão livre à sua frente, dando tapinhas no ar.

Talvez ela devesse voltar, aceitar a gentileza do Sr. Evans e permitir que ele a levasse até em casa. Mas, depois, como ele voltaria para a livraria?

Seus nervos cediam um pouco a cada passo cego, os sentidos em constante alerta. Um estrondo encheu o silêncio da noite. Ele veio tão de repente que ela recuou depressa e tropeçou. Um carro com os faróis apagados passou veloz, arrastando sua saia em uma rajada de vento, jogando sobre ela o que devia corresponder a um balde de água.

O vestido ficou colado ao corpo, gelado e encharcado de água suja. Ela envolveu o corpo com os braços enquanto segurava com força o cabo do guarda-chuva, não que fizesse alguma diferença se a chuva caísse sobre ela agora.

Um relâmpago cintilou no céu, lançando luz sobre os arredores. Foi o suficiente para ela descobrir em que direção precisava ir, bem como confirmar que não havia mais carros vindo em sua direção.

Ensopada, cega e congelada, Grace cambaleou até a Britton Street, um passo cuidadoso e um relâmpago de cada vez. O trajeto habitual de dez minutos levou uma eternidade. Quem poderia dizer quanto tempo ela havia perdido passando repetidamente pela casa da Sra. Weatherford, em uma tentativa infrutífera de identificar a porta certa?

Finalmente, ela conseguiu verificar qual era de fato a casa correta e, com cuidado, subiu as escadas. Seus sapatos estavam tão encharcados que pareciam pesar vários quilos, fazendo barulho a cada passo com a água acumulada ao redor dos dedos. Com a mão livre, deu um tapinha na porta para achar a maçaneta. Sentiu o metal frio, envolveu-o com os dedos e o movimentou. A porta se abriu, destrancada, e ela entrou depressa.

A luz interior foi como uma explosão contra seus olhos, quase tão ofuscante quanto a escuridão completa. Ela cambaleou para dentro, quase desmaiando.

– Grace! – exclamou na sala de estar a Sra. Weatherford. – Meu Deus, menina, o que aconteceu com você? Nós ficamos preocupados com a sua demora.

Era em tempos extremos como aquele que a autoridade natural da Sra. Weatherford trazia grandes benefícios. Em menos de uma hora, Grace estava seca, usando uma nova muda de roupa, com uma xícara de chá quente na mão, pronta para se deitar.

Seca e aquecida sob as cobertas, Grace se aconchegou profundamente e fez amizade com a escuridão mais uma vez, enquanto ela a arrastava para o sono. Porém, antes de adormecer, ela fez planos de visitar a Paternoster Row no dia seguinte, quando não precisaria ir à livraria. Se pudesse ver como eram as vitrines e como os livros eram dispostos nas estantes, teria uma ideia melhor de como direcionar adequadamente os seus esforços.

Infelizmente, seus planos tão bem elaborados se dissolveram com a notícia que ela ouviu no dia seguinte.

5

A Grã-Bretanha havia oficialmente declarado guerra à Alemanha.

O primeiro-ministro fez uma transmissão especial às 11h15 daquela manhã, antes que Grace saísse de casa.

Ela estava no sofá com Viv enquanto a voz de Chamberlain enchia a pequena sala. Colin não estava mais no chão, pois Malhado agora morava com o Sr. Pritchard. Em vez disso, o jovem empoleirava-se no braço da poltrona de madeira onde a mãe estava sentada.

Uma bandeja de chá fora colocada na mesinha de centro, intocada, ao lado de um vaso de dálias.

O primeiro-ministro disse que a Alemanha ignorara os pedidos para libertar a Polônia. Grace prendeu a respiração e rezou silenciosamente para que Chamberlain não anunciasse a notícia que tanto temiam.

Mas nem todos os ouvintes em Londres prendendo a respiração conseguiriam impedir suas próximas palavras: "... consequentemente, este país está em guerra com a Alemanha."

Mesmo que já fosse esperada, a declaração atingiu Grace como um soco. Como poderia algo tão esperado carregar um impacto tão visceral?

Ela não estava sozinha.

Viv enxugou os olhos com um lindo lenço de renda que havia costurado antes de deixarem Drayton, e a Sra. Weatherford inspirou fundo. Colin imediatamente pegou a mão dela.

Eles estavam em guerra.

Mas o que isso significava? Eles seriam bombardeados? Os homens seriam recrutados? A comida seria racionada?

Grace lembrou-se das histórias de sua mãe sobre a Grande Guerra e de como tudo tinha sido difícil. Mas aquelas eram simplesmente histórias para Grace, fora de contexto, sobre uma vida que ela nem poderia imaginar. E agora aquele mundo inimaginável estava prestes a se tornar a sua nova realidade.

Um lamento estridente cortou o ar: a sirene avisando sobre ataques aéreos. O sangue congelou nas veias de Grace. Ela não conseguia respirar. Não conseguia se mover.

Eles seriam bombardeados. Como a Polônia. Dominados pelos alemães.

– Grace. – A Sra. Weatherford disse seu nome com uma insistência que rompeu a névoa do medo. –Vá encher a banheira e as pias com água. Viv, abra todas as janelas. Vou pegar nossas máscaras e suprimentos enquanto Colin fecha o registro do gás encanado.

– M-mas as bombas – gaguejou Viv, parecendo mais aterrorizada que nunca.

– Eles acabaram de avistar o avião. – A Sra. Weatherford se levantou e desligou o rádio. – Temos pelo menos cinco minutos para chegar ao abrigo, talvez mais.

Enquanto ela falava, havia uma calma autoridade em seu tom que levou cada um deles a cumprir a tarefa que lhe fora designada. Embora não soubesse por que ela tinha sido instruída a encher a banheira e as pias, Grace obedeceu, deixando o jorro de água acompanhar o gemido da sirene.

A água das torneiras nunca correra tão devagar.

No momento em que a última pia encheu, ela correu para o abrigo, as pernas ameaçando ceder. O abrigo era simples, apenas uma curva de metal enterrada sob um pouco de terra para formar um U de cabeça para baixo submerso. Como uma geringonça daquelas poderia mantê-los protegidos de um bombardeio estava além da compreensão de Grace, uma ideia que não havia passado por sua cabeça até aquele momento.

Ela desceu espremida pela pequena entrada do abrigo, que cheirava a terra e metal úmidos, e apagava o sol acima, deixando o interior escuro. Viv já estava lá, sentada na penumbra, em um dos banquinhos que Colin tinha colocado em ambos os lados do espaço estreito. Seus braços envolviam o próprio tronco e ela olhou para cima, com seus olhos castanhos de cílios longos arregalados de preocupação.

A sirene parou. Um silêncio sinistro substituiu seu grito.

Grace sentou-se ao lado de Viv e pegou a mão da amiga. Mas ela não podia oferecer palavras de conforto. Não quando cada músculo de seu próprio corpo estava tenso como se fosse explodir.

Então era isso. Como a Polônia. Eles seriam bombardeados da mesma forma que acontecera com Varsóvia.

Ela não sabia qual seria o barulho de uma bomba, ou mesmo o que esperar. Muito menos o que fazer se fossem atingidos em seu abrigo de lata.

Colin juntou-se a elas no abrigo e dobrou seu corpo alto, sentando-se no banco em frente às duas. Sua cabeça se inclinou um pouco para a frente para se acomodar ao teto baixo e arqueado. A Sra. Weatherford entrou no abrigo por último, com quatro máscaras antigás penduradas no ombro e uma caixa grande entre as mãos. O barulho de seus movimentos ecoou contra a estrutura de aço e reverberou nos ouvidos de todos.

Imediatamente, Colin estendeu a mão para pegar a caixa. Ela sorriu com gratidão para ele e entregou a todos suas respectivas máscaras.

Grace pegou a dela com as mãos tremendo.

– Devemos colocá-las?

– Só se vocês ouvirem um chocalho de madeira lá fora. – A Sra. Weatherford estava sentada no banco ao lado de Colin. – Os vigilantes da ARP são todos equipados com um para esse fim. E eu comprei uma pomada antigás na farmácia. Temos aproximadamente um minuto para espalhá-la em nossa pele exposta, o que é muito tempo. Então, vejam, não há nada com que se preocupar.

Ela levantou a tampa da caixa simples, revelando uma variedade de suprimentos. Uma lata com tampa amarela de Pomada Antigás N° 2, uma lata de batatas chips Smiths, duas garrafas do que parecia ser limonada e um pouco de lã e agulhas de tricô.

– Você desligou o gás, Colin? – indagou a Sra. Weatherford, a voz suave e calma, como se não estivessem todos sentados esperando para morrer.

Ele assentiu.

– E as pias e a banheira? – continuou ela, agora olhando para Grace.

Grace também assentiu. Ao lado dela, Viv fez o mesmo antes que a Sra. Weatherford perguntasse se ela havia completado sua tarefa.

– Excelente. – A Sra. Weatherford aproximou a caixa de Grace e Viv. – Querem batatinhas?

A boca de Grace estava seca demais para engolir a própria saliva, quanto mais qualquer alimento. Não que o nó em seu estômago fosse tolerar alguma coisa. Ela olhou para a lata de batatas chips e balançou a cabeça.

– Devemos colocar a porta no lugar? – perguntou Viv, indicando a porta de aço apoiada ao lado da entrada escancarada.

A Sra. Weatherford nem se deu ao trabalho de olhar para trás.

– Se ouvirmos aviões, vamos fechar. Caso contrário, aqui dentro vai ficar escuro como o blecaute.

– Como a senhora consegue ficar tão calma? – perguntou Grace.

– Esta não é a primeira vez que Londres é bombardeada, minha querida. – A Sra. Weatherford estendeu a lata para Viv e recebeu outro não silencioso. – Ter conhecimento é a melhor forma de combater o medo. Passei um bom tempo conversando com o Sr. Stokes sobre como me preparar adequadamente.

– O Sr. Stokes é o vigilante da ARP da nossa área – explicou Colin.

Ele abriu uma garrafa de limonada e entregou a Grace, que aceitou sem pensar muito. Ele fez o mesmo com Viv e a mãe antes de finalmente tomar um pouco.

A Sra. Weatherford recolocou a tampa na caixa e bebeu um gole de sua garrafa.

– Nós enchemos as banheiras e pias para ter uma forma de apagar um incêndio se o abastecimento de água estiver comprometido. As janelas são abertas para garantir que quaisquer incêndios sejam vistos, na esperança de que possam ser controlados pelas equipes de salvamento. O registro do gás, bem, tenho certeza de que esse caso é autoexplicativo.

Um pouco da tensão de Grace se dissipou com o comportamento despreocupado da Sra. Weatherford. Grace não sabia se um dia seria capaz de se manter tão imperturbável diante das bombas quanto a amiga de sua mãe, mas pelo menos aquela abordagem sensata a acalmou.

A garrafa de limonada ainda estava fria na mão de Grace, tendo sido tirada havia pouco da pequena geladeira. Ela levou o copo aos lábios e inclinou a cabeça. O sabor ao mesmo tempo doce e azedo da bebida encheu sua boca com uma acidez rascante. Ela não tinha percebido como estava com sede até que o líquido refrescante descesse por sua garganta.

– Como foi a Grande Guerra? – perguntou Viv.

Todos olharam para a Sra. Weatherford, inclusive Colin. Grace conhecia as experiências de sua mãe, é claro, mas certamente a vida tinha sido muito diferente em Londres.

– Bem... – A Sra. Weatherford olhou para aqueles rostos. – Não foi nada agradável. Têm certeza de que querem saber, quando provavelmente estaremos enfrentando a mesma coisa em breve?

– Ter conhecimento é a melhor maneira de combater o medo. – Viv sorriu para ela. – Como a senhora disse.

– Como dizer não a uma resposta tão marota?

A Sra. Weatherford alisou a saia, respirou fundo e contou a eles como tinha sido tantos anos atrás. Como o racionamento de comida era tão cuidadosamente monitorado que as pessoas podiam ser multadas até por simplesmente alimentar pombos no parque. Ela falou dos zepelins e de como as aeronaves leves sobrevoavam a cidade como balões antes de lançar bombas, em uma altura elevada demais para a RAF alcançá-las.

Mas ela também falou de vitória, de como os zepelins foram derrotados com novos aviões que conseguiam subir às alturas necessárias, como as mulheres foram aceitas em posições de trabalho e autorizadas a votar, e como o povo britânico superou os tempos difíceis com uma camaradagem mútua.

– Qual foi a pior parte de tudo isso? – perguntou Viv, e lançou um olhar nervoso para Grace. – Para estarmos preparados.

A Sra. Weatherford olhou para Colin com uma rara solenidade antes de desviar o olhar para o vazio.

– Os homens que não voltaram – disse ela, em voz baixa.

O gemido estridente da sirene perfurou o ar mais uma vez, assustando-os com sua imprevisibilidade.

Mesmo com todo o nervosismo, Grace notou que o toque da sirene agora era diferente do primeiro, com uma nota mais longa, em vez de oscilar para cima e para baixo.

– Este é o sinal de que está tudo liberado. – A Sra. Weatherford bebeu o último gole de sua limonada e colocou a garrafa vazia na caixa. – Vocês todos acabam de sobreviver ao seu primeiro aviso de ataque aéreo. Que não haja mais nenhum depois desse.

Ela recolheu as máscaras de gás enquanto Colin pegava a caixa, e todos se retiraram daquele abrigo sombrio e apertado.

Mais tarde, naquela mesma noite, foi anunciado no rádio que o aviso de ataque aéreo tinha sido um alarme falso.

Mas e se o próximo não fosse?

Tais preocupações vieram à tona na mente de Grace enquanto ela tentava dormir, o silêncio atraindo o medo escondido nos cantos mais escuros.

A sequência interminável de notícias no rádio no dia seguinte não ofereceu mais nenhuma informação até a hora em que Grace saiu para ir à livraria.

O dono da loja não levantou a cabeça quando ela entrou. Ela já o conhecia bem para não esperar nada diferente. Restos de coisas se amontoavam na bancada, as cortinas estavam fechadas impedindo a entrada da luz do dia e várias novas pilhas de livros tinham brotado, como ervas daninhas, sobre as tábuas sujas do assoalho.

– Parece que estamos em guerra – disse Grace, em voz baixa.

O Sr. Evans olhou para cima e suas sobrancelhas se elevaram.

– Deve acabar antes do Natal, de acordo com o Sr. Pritchard.

– O que o senhor acha? – questionou Grace.

– A guerra é imprevisível, Srta. Bennett.

O Sr. Evans aninhou uma tira de papel entre as páginas de seu livro-caixa e o fechou, deixando outro pedaço de papel para trás.

Ela pegou o papel errante para devolvê-lo.

O Sr. Evans levantou a mão para detê-la.

– Estes são alguns dos títulos vendidos aqui e como eles podem ser classificados de acordo com o assunto.

Ela deu um pequeno arquejo de empolgação e se concentrou na lista. Era uma fileira de títulos manuscritos, com categorias ao lado de cada um.

– Onde posso encontrar esses livros?

Ele deu de ombros.

– Mas, assim que os localizar, será um bom começo para dar um jeito nessa bagunça, não é? – Com isso, ele se virou para os fundos da loja. – Certifique-se de sair às duas horas – disse ele por cima do ombro, enquanto se afastava. – Não vou permitir que fique de novo até de noite e vá para casa no escuro. E certamente não quero receber outra ligação da Sra. Weatherford sobre o assunto.

Grace estremeceu. Ela só podia imaginar como a conversa tinha transcorrido. Em vez de refletir sobre isso e sentir-se mal pelo Sr. Evans, ela focou a atenção na lista.

Havia 25 títulos rotulados como ficção clássica no alto, seguidos por grupos de história, filosofia e mistério. À tarde, ela conseguira localizar apenas quatro de ficção clássica. O toque do sino indicou um cliente. Ela deixou uma estante que estava examinando e levou sua lista até a frente da loja, para estar perto do cliente.

Entretanto, não era qualquer cliente, mas o Sr. George Anderson, que a cumprimentou com um belo sorriso.

– Boa tarde, Srta. Bennett.

A pulsação de Grace se acelerou.

– Boa tarde, Sr. Anderson. Posso ajudá-lo? – Ela quase riu de sua oferta, pensando em como tinha se saído da última vez. – Ou pelo menos lhe fazer companhia enquanto tento localizar alguns livros?

– Está procurando por alguma coisa específica? – perguntou ele, olhando para a lista nas mãos dela.

Ela enfiou o papel atrás do corpo, percebendo que ele queria ajudá-la, e balançou a cabeça.

– Não é nada.

Aqueles olhos verdes se estreitaram com uma suspeita brincalhona e um sorriso surgiu em seu rosto.

– Nada? Não sei, não.

Ela abriu a boca para protestar, mas qual era o sentido disso, quando ele conhecia a livraria melhor que ela? Lentamente, ela trouxe a lista para a frente.

– Estou tentando organizar a livraria e recebi estes títulos para começar.

Ele pegou a lista e a estudou. Com seu terno de três peças cinza bem cortado e os cabelos escuros impecavelmente penteados, ele parecia um advogado lendo um caso importante, e não um cliente ajudando a vendedora de uma livraria com uma lista de itens perdidos.

Qual seria a profissão dele?

Grace apertou os lábios para não perguntar.

– Encontrei *O morro dos ventos uivantes*, *Razão e sensibilidade*, *Um conto de duas cidades* e *Frankenstein* – disse ela em vez disso, aproximando-se dele para apontar para os títulos.

Ele tinha um cheiro de limpeza, como o de sabonete de barbear, e de algo picante que ela não conseguia identificar. Era um odor muito atraente.

– É um bom começo. – Ele deu uma piscadinha para Grace. – Vamos ver o que mais podemos localizar.

Os dois examinaram as estantes juntos. Enquanto o faziam, ela confessou sua intenção de ir à Paternoster Row para descobrir a melhor forma de promover a Livraria Primrose Hill.

– A Paternoster Row é um local de prestígio para publicações. – Os cílios dele abaixaram um pouco enquanto seu olhar percorria a fileira de livros diante deles. – Há gráficas, encadernadores e várias editoras. Algumas têm uma inclinação religiosa, por causa da história da rua.

– Que história?

– A catedral de São Paulo fica lá. – Seu dedo indicador percorreu uma série de lombadas multicoloridas. – Dizem que há muito tempo os clérigos saíam em procissão pela rua enquanto ofereciam a Oração do Senhor, daí o nome. – Ele fez uma pausa sobre um livro com encadernação marrom e letras douradas na parte superior. – *Razão e sensibilidade*. E, se me permite a ousadia, uma excelente história. Um clássico.

– Mas também uma história de amor? – perguntou Grace, e então pegou o livro e o acrescentou à pilha pateticamente pequena que ela havia conseguido formar.

Ele deu aquela risada amigável que ela descobriu lhe agradar muito.

– Você não vai transformar esta livraria em um local tão pretensioso quanto algumas das outras, vai? – indagou ele, e fez uma careta.

– Ainda não as conheci – admitiu Grace. – Mas não acho que seja possível. Eu gostaria de pelo menos fazer este lugar parecer mais acolhedor.

– Há uma atmosfera antiquada aqui que eu sempre apreciei. – Ele deu de ombros. – Seria uma pena que fosse como outra Nesbitt's Fine Reads, cheia de modernices e sem qualquer personalidade.

– Vou acreditar em suas palavras até que eu veja por mim mesma. Pretendo fazer o possível para aumentar o apelo da Livraria Primrose Hill. Atrair mais clientes.

– É bom que você se importe tanto.

– Minhas intenções não são totalmente altruístas – reconheceu Grace.

Ela falou sobre a necessidade de ter uma carta de recomendação e como ela passara anos aprimorando a loja do tio para no fim terminar em Londres sem nenhuma opção. Compartilhar sua história com os outros não era algo que ela costumava fazer, mas havia algo de bom no Sr. Anderson que a atraía e o fazia parecer confiável.

Ele ouviu com a testa levemente franzida, balançando a cabeça de vez em quando em compreensão.

– Lamento que isso tenha acontecido. Eu adoraria ser útil em sua missão de melhorar a livraria e obter a melhor carta de recomendação que já existiu.

O calor subiu ao rosto de Grace e, de repente, ela descobriu que não se importava com seus problemas com a mesma intensidade de antes.

– Você pode ser, na verdade.

Ele levantou a lista com a qual estavam trabalhando e arqueou uma única sobrancelha de um jeito jovial.

– Localizando tudo isso? – perguntou ele.

– Nem sei se tal façanha é possível.

Ela olhou para a frente da loja, para garantir que ninguém havia entrado. A conversa deles tinha sido tão envolvente que ela poderia não ter ouvido o toque do sino.

– Estava pensando se eu poderia lhe fazer algumas perguntas sobre leitura, para saber a melhor forma de anunciar.

– Ah, você deseja entrar na mente de um leitor. – Ele levantou o dedo indicador. – Uma ideia brilhante.

Outra onda de calor inundou o rosto de Grace.

– Do que você mais gosta na leitura?

Ele tamborilou os dedos enquanto pensava.

– É uma pergunta complexa. É como me pedir para descrever todas as cores em um caleidoscópio giratório.

– É realmente tão complicado?

Ela riu.

– Vou tentar – disse ele, inclinando a cabeça, e seu olhar se perdeu enquanto refletia sobre a resposta com aparente cuidado. – Ler é... – Suas sobrancelhas se uniram e então sua testa se suavizou enquanto as palavras certas pareciam surgir. – É ir a algum lugar sem precisar pegar um trem ou navio, desvendar mundos novos e incríveis. É viver uma vida que você não nasceu para viver e uma chance de ver algo colorido pela perspectiva de outra pessoa. É aprender sem ter que enfrentar as consequências dos fracassos, é aprender como ter sucesso da melhor maneira. – Ele hesitou. – Acredito que dentro de todos nós há um vazio, uma lacuna esperando para ser preenchida por algo. Para mim, esse algo são os livros e todas as experiências que eles oferecem.

O coração de Grace se derreteu com a afeição poética com que ele falava, sentindo inveja tanto dos livros quanto da plenitude que ele encontrava ao lê-los. Nada em toda a vida de Grace havia inspirado uma paixão assim.

– Entendo o que você quer dizer com tentar descrever todas as cores em um caleidoscópio giratório – disse ela. – Foi lindo.

Ele encontrou os olhos dela mais uma vez e deu um sorriso tímido.

– Bem, não sei se isso vai ajudá-la com a publicidade – comentou ele, limpando a garganta.

– Vai sim, com certeza. – Grace fez uma pausa enquanto organizava os pensamentos acelerados em sua mente. – Talvez algo sobre iluminar um blecaute com o prazer de ler, ou usar a leitura como forma de escapar da guerra através de uma nova aventura.

Ele abriu as mãos como se o que ela tivesse dito fosse uma obra-prima.

– Perfeito. Você vai fazer um trabalho maravilhoso.

– Obrigada.

O calor corou o rosto e o colo de Grace.

Ele olhou para o relógio de pulso.

– Perdoe-me, mas tenho um compromisso agora. Seria bom continuar nossa conversa sobre como posso ajudá-la em seus esforços. Gostaria de me encontrar para um chá algum dia desses?

O rosto dela estava tão quente que Grace teve vontade de pressioná-lo com as mãos geladas para buscar um pouco de alívio. Ela assentiu.

– Eu gostaria muito.

– Que tal na próxima quarta-feira ao meio-dia? – perguntou ele.

Grace estaria trabalhando naquele dia, mas o Sr. Evans lhe daria um tempo livre para o chá, se ela pedisse. Ou, pelo menos, ela esperava que desse.

– Será ótimo.
– O que acha da cafeteria da esquina, a P&V?
Ela assentiu.
– Estava mesmo com vontade de conhecê-la.
Ele sorriu.
– Esperarei ansioso por isso. – Ele fez uma leve reverência. – Tenha um bom dia, Srta. Bennett.

Somente depois que ele saiu é que ela se permitiu pressionar as mãos primeiro no peito, para acalmar o frenético batimento cardíaco, depois no rosto, para amenizar o calor.

– Você pode ir na quarta-feira – gritou o Sr. Evans de algum lugar da livraria.

Grace congelou, as mãos espalmadas nas bochechas, os olhos arregalados.

– Eu... o que o senhor disse? – gaguejou ela.

– Eu não tinha intenção de ouvir, mas vocês dois estavam falando bem alto.

O Sr. Evans surgiu do outro lado da loja, os braços cruzados sobre o peito do pulôver bege.

Ela se endireitou rapidamente, deixando cair os braços.

O Sr. Evans olhou para a pilha de livros que eles conseguiram formar.

– George Anderson não é uma má escolha. Ele é engenheiro, e provavelmente não será convocado para a guerra. Mas, por outro lado, ele também é o tipo de homem capaz de se voluntariar.

A lembrança da guerra apagou a chama de felicidade. Por aquele breve momento, ela havia se esquecido. Como se o mundo tivesse, num piscar de olhos, se tornado normal outra vez.

Mas não tinha. Havia balões barragem do lado de fora para afastar os bombardeiros e crianças tinham sido transportadas para o interior, para viver com desconhecidos. Os homens estavam partindo e poderiam nunca mais voltar e, a qualquer momento, Hitler poderia lançar suas bombas.

Foi como acordar de um sonho e perceber que estava no início de um pesadelo.

Em algum lugar lá fora, uma nuvem cobriu o sol e lançou uma sombra cinza sobre a livraria.

– Só espero que você não seja tola em relação a essa bobagem com o Sr. Anderson. – O Sr. Evans lançou para ela um olhar severo, do jeito que um pai faria. – Todas as garotas estão correndo para se casar antes que os homens sejam enviados para a guerra. – Sua boca se achatou em uma expressão de reprimenda. – Mantenha a sua cabeça no lugar.

Grace suprimiu a vontade de se contorcer ali mesmo. Estaria ele realmente lhe dando conselhos sobre relacionamentos?

– Não pretendo me casar tão cedo – respondeu ela.

Ele resmungou, embora ela não pudesse dizer se aquilo significava que ele acreditava nela ou não, e desapareceu pelo corredor. Ao longo da tarde, Grace encontrou apenas mais dois livros da lista, uma busca que foi decididamente menos agradável sem o Sr. Anderson.

Quando finalmente chegou a hora de ir embora, ela não se dirigiu para a Britton Street. Desta vez, estava determinada a visitar a Paternoster Row para ver como o resto de Londres promovia suas livrarias.

6

Por toda a Paternoster Row, amplas vitrines despontavam de várias livrarias, exibindo os livros que estavam sendo vendidos. Letras douradas adornavam o vidro com o nome dos estabelecimentos, enquanto cartazes pintados anunciavam os preços de venda, com o objetivo de atrair clientes com alguma pechincha. Os expositores da frente variavam entre os que eram organizados com um propósito e os que tinham livros empilhados sem nenhuma ordem específica, bloqueando o interior. Pelo menos estes não precisariam de cortinas de blecaute. Afinal, quem precisava de três camadas de tecido quando havia pilhas de livros tão altas?

Grace caminhou ao longo da calçada elevada da rua estreita, posicionando-se mais perto dos prédios altos para evitar os pilares baixos pintados de preto destinados a impedir que os veículos se aproximassem da calçada.

Entre as lojas, ambulantes se espalhavam com seus carrinhos oferecendo de tudo, de limonada a sanduíches, e o cheiro gorduroso de peixe e batatas fritas impregnava o ar.

Ela estava admirando a artística vitrine da F. G. Longman quando um rosto familiar chamou sua atenção. Parado na porta de uma livraria do outro lado da rua estava um homem de ombros largos, nariz pontudo, pernas magras e um gato malhado nos calcanhares.

O Sr. Pritchard.

Mas, antes que ela se preocupasse com a possibilidade de ser vista, ele se virou abruptamente e desapareceu dentro da loja, que Grace descobriu se chamar Pritchard & Potts, parando apenas para segurar a porta para

Malhado entrar logo atrás. O nome de seu estabelecimento havia sido pintado à mão na vitrine, que não tinha nada além de escuridão do outro lado.

Alcatrão.

De repente, Grace ficou grata pela superabundância de tecido escuro da Sra. Weatherford e as belas cortinas que ela conseguira fazer para a Livraria Primrose Hill.

Alinhadas na parte da frente da Pritchard & Potts havia grandes caixas cheias de livros jogados de qualquer maneira, sem sequer estarem empilhados direito. Grace imaginou que o interior da loja deveria ter o mesmo nível de arrumação

Talvez ainda pior que a livraria do Sr. Evans.

Ela reprimiu um estremecimento e continuou caminhando pela Paternoster Row. Uma loja em particular tinha a fachada pintada de um lindo e atraente tom de vermelho. Suas grandes vitrines exibiam um arranjo elegante de apenas alguns livros selecionados. O nome, Nesbitt's Fine Reads, estava orgulhosamente escrito com letras redondas douradas e brilhantes sobre um preto lustroso.

Embora a Livraria Primrose Hill talvez jamais pudesse atingir tal grandeza, Grace estava determinada a aprender tudo o que pudesse. Tendo em mente o que o Sr. Anderson havia lhe dito, é claro.

Ela entrou na livraria e imediatamente notou a facilidade com que a porta cedeu, com suas dobradiças bem lubrificadas. Um tilintar delicado acima de sua cabeça a acolheu.

Embora a Nesbitt's Fine Reads tivesse várias fileiras de prateleiras, havia muito mais espaço, assim como uma ordem evidente e bem sinalizada. As estantes mais altas ficavam no perímetro externo, com mesas no centro do salão, atraindo os leitores para livros de capas coloridas em pequenos estandes. Um segundo andar logo acima exibia paredes com estantes brancas embutidas, todas cheias de livros.

Para onde quer que Grace olhasse, a loja parecia limpa e nova. A madeira era elegante e lustrada, o vidro refletia a boa iluminação e não havia uma única partícula de poeira. Até as capas dos livros eram tão nítidas e limpas que eles pareciam ter sido retirados da caixa naquele instante.

A Nesbitt's Fine Reads era primorosa.

– Posso ajudá-la?

Grace se virou e viu uma mulher com um nariz afilado e cabelos grisalhos presos para trás em um coque bem-feito.

– Eu estava só olhando – respondeu Grace. – Obrigada.

A mulher não se mexeu. Seu tailleur cor de carvão a fazia parecer bastante esbelta, e seus olhos escuros se fixaram em Grace.

– Você é uma das novas inquilinas da casinha decadente da Sra. Weatherford, não é?

Ela enunciou as consoantes com firmeza, como se as estivesse mordendo junto com o insulto.

Grace tinha na ponta da língua a defesa da mulher que tão graciosamente a acolhera quando ela não tinha nenhum outro lugar aonde ir. Mas, embora tivesse acabado de pôr os olhos na Sra. Nesbitt, ela já conhecia aquele tipo da mulher. Era um tipo universal, fosse em uma pequena cidade rural ou em uma grande metrópole. Ela ouviria a corajosa defesa de Grace e riria dela mais tarde.

Em vez de ceder à necessidade de proteger a Sra. Weatherford, Grace ergueu o queixo um pouco mais e endireitou as costas.

– Sou – respondeu Grace. – Por quê?

Sua insolência se refletiu na expressão zangada da Sra. Nesbitt.

– Veio aqui para me espionar? – indagou a mulher. – Sei que trabalha naquela livraria miserável de propriedade de Percival Evans.

– Se a livraria é tão miserável, por que a senhora acha que a minha presença aqui é uma ameaça?

A audácia fez Grace sentir a adrenalina percorrer suas veias. Ela nunca fora de enfrentar os outros, mas algo sobre a maldade da Sra. Nesbitt a havia encorajado.

A Sra. Nesbitt fungou e balançou a cabeça de maneira dramática.

– Não venha aqui com a intenção de copiar a minha livraria.

– Não pretendo copiá-la – respondeu Grace, indignada. – Pretendo fazer coisa muito melhor.

Dito isso, ela saiu da loja.

Sentindo-se flutuar com a própria vitória e ansiosa para colocar algumas de suas ideias no papel, Grace voltou depressa para casa. Juntando o que tinha visto nas grandes vitrines da Paternoster Row com a organização da Nesbitt's Fine Reads e até mesmo os elaborados detalhes da mente de um leitor que o Sr. Anderson lhe havia oferecido, Grace sabia exatamente o que queria fazer.

Pensar em George Anderson a deixou entusiasmada. Viv iria morrer quando soubesse do encontro marcado.

Grace estava escrevendo uma meticulosa lista do que desejava implementar na Livraria Primrose Hill quando a porta do quarto que ela dividia com Viv se abriu e a amiga entrou, trazendo consigo uma nova fragrância floral.

Viv sempre fora sofisticada, mas sua noção de estilo atingira níveis mais altos com aquele breve período em Londres. Seu pulôver azul da Harrods combinava lindamente com a saia-lápis de tweed que ela havia costurado no dia anterior, e seus cachos estavam artisticamente arrumados para que ela parecesse uma mulher de capa de revista.

– Grace, querida. Eu esperava encontrar você aqui.

Uma sacola pequena balançava na dobra de seu cotovelo.

Grace se levantou de imediato.

– E eu estava doida para que você voltasse logo. Tenho novidades – disse ela, sorrindo para a amiga.

Viv esfregou as mãos, ansiosa.

– Então você fala primeiro.

Grace mexeu os ombros timidamente.

– Fui convidada para um encontro.

Viv deu um grito de prazer.

– Pelo rapaz da livraria?

Grace o havia mencionado de passagem para Viv em uma de suas inúmeras conversas noturnas, enquanto esperavam o sono chegar em suas pequenas camas. E Viv não se esquecera.

Grace assentiu, animada, e continuou contando como ele se oferecera para apresentar mais ideias para ela na cafeteria.

– E você disse sim? – inquiriu Viv, cruzando as mãos sobre o peito, fazendo a sacola em seu braço girar.

– Claro.

Viv bateu palmas, seu lindo rosto iluminado de alegria. Por mais que Grace estivesse ansiosa por seu encontro com George, ela agora estava duplamente ansiosa pela reação alegre de Viv.

– E eu tenho algo para você também.

Viv tirou uma caixinha de dentro da sacola.

Grace aceitou o pacote e o abriu, encontrando uma pulseira. Era simples, com uma corrente de metal e uma plaquinha oval branca no centro e um pequeno medalhão no lado oposto. O cartão anexado declarava que era uma pulseira de identificação da ARP.

– Eu também tenho uma. – Viv estendeu o pulso, exibindo orgulhosamente sua pulseira. Ela havia gravado seu nome e endereço nela e feito o mesmo com a de Grace. – Eu as comprei na Woolworths.

Grace olhou para sua pulseira mais uma vez e uma mortalha de pavor pairou sobre ela.

– Uma pulseira de identificação?

– No caso de sermos atingidas por uma bomba. – A boca de Viv se contorceu, e Grace sabia que ela estava mordendo o interior do lábio, um hábito que tinha desde menina. – São muito mais resistentes que nossas carteiras de identidade. Para que possam saber quem somos.

No ano anterior, o Registro Nacional havia emitido uma carteira de identidade para todos os cidadãos da Grã-Bretanha, para levarem consigo o tempo todo. Mas Viv estava certa; um pedaço de papel, por mais grosso que fosse, era sempre frágil.

– Viv...

Grace engoliu em seco, sem saber o que dizer.

– Se algo acontecer, não é melhor que a gente saiba? – Viv deixou a sacola na mesinha, ao lado de uma pilha de chiffon amarelo-claro que havia comprado no dia anterior. – Não consigo suportar a ideia de nunca saber o que aconteceu com você se você não voltar para casa. Na outra noite, quando você se perdeu no blecaute... – A testa lisa de Viv ficou franzida de preocupação. – Eu fiquei muito preocupada.

Grace se aproximou da amiga para abraçá-la, mas Viv levantou a mão.

– Não, você vai me fazer chorar se fizer isso, e minha maquiagem vai escorrer. – Ela pressionou o dedo indicador na parte inferior dos olhos para secar delicadamente qualquer umidade. – Sei que provavelmente pensa que isso é mórbido.

Grace comprimiu os lábios para abafar seu protesto. Depois de anos de amizade, elas se conheciam bem demais.

– É São Cristóvão no medalhão, o santo padroeiro das viagens seguras.
– Viv deu um tapinha no metal. – Você não precisa usar, mas eu vou. Estou em frangalhos com medo de ser bombardeada. Um ônibus deu partida hoje à tarde e metade das pessoas na rua tomou um susto, achando que era uma bomba. – Ela deu uma risada autodepreciativa. – Inclusive eu.

– Foi atencioso da sua parte comprar isto para mim.

A pulseira ficou pesada na mão de Grace, ainda mais pelo impacto de seu propósito: identificar alguém que foi ferido por uma bomba e nem pode mais ser reconhecido.

Um calafrio percorreu a espinha de Grace.

– Talvez eu a use depois – prometeu.

Viv assentiu com compreensão.

– Depois.

Grace colocou a pulseira na gaveta da mesinha ao lado de sua cama.

Viv detectou um aroma saboroso no ar e voou até a porta do quarto.

– Soube que a Sra. Weatherford está fazendo uma torta de linguiça. Com a receita da sua mãe. Será que já está pronta?

Quando Grace era criança, sua mãe fazia esse prato com tanta frequência que Grace enjoara. Era engraçado pensar que ela o desejasse tanto agora, depois de anos sem comê-lo, sabendo que sua mãe jamais voltaria a prepará-lo.

– Podemos descer e verificar. – Grace compartilhou a ansiedade da amiga. – Obrigada pela pulseira. E por pensar em mim.

Viv deu um abraço forte em Grace.

– Sempre, querida.

Seu estômago roncou e ela colocou a mão sobre a barriga, com uma risadinha.

Juntas, elas saíram do quarto e desceram as escadas, sentindo o cheiro da massa assando e da linguiça. No meio do caminho, o sussurro abafado da Sra. Weatherford encheu a escada.

– Boa noite, Sr. Simons, é a Sra. Weatherford.

Viv parou na frente de Grace e falou sem emitir som que era o chefe de Colin.

– Quero ter certeza de que o senhor conseguiu colocar Colin como um funcionário essencial – afirmou a Sra. Weatherford, a voz estranhamente baixa.

Era óbvio que ela não queria que Colin escutasse.

Aquela não era uma conversa que elas deveriam estar ouvindo.

Grace balançou a cabeça para Viv, indicando que precisavam continuar a descer. Mas Viv fez um gesto dispensando as preocupações de Grace e ficou parada.

– Em quanto tempo o senhor espera receber uma resposta? – A pergunta da Sra. Weatherford foi seguida por uma longa pausa. – Entendo – disse ela, finalmente. – Vou ligar de novo amanhã para ver se o senhor teve algum retorno. – Outra pausa, agora mais curta. – Sim, amanhã. Boa noite.

Um clique do aparelho de telefone sendo colocado em sua base indicou que a chamada havia terminado. Viv desceu as escadas como se nada tivesse acontecido.

– A torta está com um cheiro divino! – exclamou ela. – Já está na hora de comer?

– Já são sete da noite? – indagou a Sra. Weatherford.

Ela alisou o avental sobre o vestido lavanda, tão calma e controlada quanto Viv. A resposta irritadiça foi acompanhada de uma ruga de preocupação na testa. Dava para notar que ela estava com a cabeça cheia.

– Em ponto – respondeu Viv, animada.

– Então, sim, o jantar está pronto.

A Sra. Weatherford fez sinal para que a acompanhassem até a sala de jantar.

Grace não disse nada, sentindo-se mal.

– Com quem você estava no telefone, mãe? – perguntou Colin, enquanto colocava o último prato na mesa.

Havia tanta inocência em sua pergunta que Grace tinha certeza de que ele não suspeitava da natureza da chamada.

Quando viu Viv e Grace, ele ficou corado e lhes dirigiu um sorriso tímido. Era um rapaz quieto, dado muitas vezes à introspecção, o que fazia a pessoa se perguntar o que se passava por trás daqueles aguçados olhos azuis.

Conhecendo Colin, ele provavelmente estava imaginando uma nova maneira de alimentar um leão ou cuidar da asa quebrada de um pássaro.

– Ah, era só a Srta. Gibbons ligando para reclamar do dono da mercearia. – A Sra. Weatherford pegou uma faca comprida, deslizando-a pela torta. – Parece que quase não há açúcar. É como eu digo, essas pessoas saem comprando a loja inteira... – Ela fez um som de reprovação. – Deviam se envergonhar.

Ela colocou a faca de lado e sorriu alegremente para os três.

– Alguém quer molho de cebola?

Enquanto comiam, Grace analisou Colin mais uma vez. Ele era um homem bom, educado e verdadeiramente bondoso.

Executava todas as tarefas em torno da casa, desde a troca de lâmpadas até pequenos reparos. Além de cuidar dos animais da Harrods, sua principal preocupação era garantir que elas tivessem conforto e segurança.

Mas, se houvesse uma chance, será que ele desejaria ir para a guerra?

Parecia que a maioria dos homens sim.

Ela não conseguia entender por que alguém se colocaria prontamente em uma zona de guerra, onde poderia ser baleado. Mas ela nunca fora corajosa. Não como os homens dispostos a trocar a vida pela segurança dos cidadãos da Grã-Bretanha.

Pensamentos sobre tamanha coragem encheram sua mente enquanto ela se deitava na cama de metal naquela noite e puxava a coberta sobre os ombros em meio à escuridão do quarto. Em comparação a tal heroísmo, ela não passava de uma pessoa covarde.

Era uma deficiência que ela deveria encarar, como sua mãe sempre a encorajara a fazer, defendendo a si mesma, não permitindo que os outros a intimidassem. E Grace queria ser assim. Um dia.

Assim que colocasse a Livraria Primrose Hill em ordem.

Na manhã seguinte, ela chegou à livraria quase dez minutos mais cedo, com uma lista de ideias na mão. Entrou depressa pela porta da frente, e o sino a anunciou com seu grito estridente.

O Sr. Evans ergueu a cabeça e franziu o cenho.

Ela se retraiu.

– Desculpe. Não tive a intenção de abrir a porta tão abruptamente.

Ele continuou a franzir o cenho para ela.

– De verdade – continuou ela. – É que estou tão empolgada com as ideias que eu... tive...

Ele colocou a mão em um embrulho marrom com uma carta em cima e o deslizou em direção a ela.

– Isto é para você – declarou ele, solenemente.

Grace olhou para o envelope com "Srta. Bennett" escrito na superfície de cor creme.

– Sinto muito – disse ele.

O Sr. Evans se afastou do balcão, deixando para trás alguns pedaços de papel espalhados e um toco de lápis.

Por que ele sentia muito?

Grace abriu o envelope e pegou a carta que estava dentro. O papel fez um ruído suave no pesado silêncio da livraria quando ela o removeu. Olhou diretamente para a parte de baixo e viu que a carta tinha sido assinada por George. Não pelo Sr. Anderson, mas por George.

Sua pulsação disparou com a falta de formalidade. Pelo menos até ela ler a carta, em que ele confessava ter se voluntariado para a RAF. Ela ficou surpresa ao saber que ele não só era engenheiro, como também tinha uma considerável experiência de voo. Não esperava ser chamado tão rapidamente, mas recebera o aviso dois dias após se inscrever.

Além de lamentar por ter que cancelar o encontro, ele se desculpava por não estar disponível para ajudar a melhorar a loja, embora quisesse oferecer várias sugestões para slogans. E também deixava para ela outra coisa que esperava discutirem na próxima vez que a visse.

O coração de Grace se apertou com uma mistura de decepção e inquietação. Os aviões eram frequentemente abatidos na guerra. Se ele estava se alistando como piloto, sua vida estaria em perigo.

Ela fechou os olhos. Não, não pensaria nisso. Iria vê-lo novamente.

Mas quando?

Ela pôs a carta de lado e puxou o presente mais para perto. O pacote estava embrulhado em um papel pardo comum e era, obviamente, pelo formato e pelo peso, um livro. A bela letra de George assinalava no meio do papel:

Um clássico, mas também uma história de amor.

Ela abriu o embrulho, revelando um livro encadernado em couro. Pela superfície arranhada e o modo como os cantos estavam dobrados para dentro, tinha sido bastante manuseado. Ela o virou de lado para ler a lombada.

O título estava quase apagado, mas ainda estava lá, um sussurro em letras douradas. *O conde de Monte Cristo*, de Alexandre Dumas.

Ele não só lhe dera um livro que imaginou que ela pudesse apreciar, mas parecia que lhe enviara exatamente o mesmo que lera quando garoto. Repetidas vezes, ao que tudo indicava.

Ela passou os dedos sobre a capa gasta e imaginou George ainda criança, deixando sua mente levá-lo para um novo lugar. Agora, ela experimentaria a aventura que o conduzira a uma vida inteira de leituras. Esperava que aquelas páginas pudessem lhe oferecer uma paixão semelhante. E, ainda mais fervorosamente, esperava pela possibilidade de vê-lo de novo para devolver o livro e discutir o seu conteúdo.

Ainda assim, a livraria não seria a mesma sem a possibilidade de se deparar com seu belo sorriso.

– Eu disse a você que ele provavelmente iria se voluntariar – gritou o Sr. Evans de trás das estantes.

Grace fechou os olhos, lutando contra uma onda de preocupação. Manter-se atarefada iria ajudá-la com isso. Afinal, ela já havia trabalhado em meio a muitas preocupações e dores, quando a mãe adoecera. E mesmo depois de sua morte. As tarefas manteriam a sua mente ocupada. Ela piscou os olhos com força e abriu um grande sorriso para ninguém em particular.

– Eu sabia que deveria ter me casado com ele antes – disse Grace alto, com um forte toque dramático.

Então, ela esperou.

O Sr. Evans enfiou a cabeça entre as prateleiras e olhou para ela com suas sobrancelhas balançantes.

– Espero que tenha sido uma piada.

– Eu tinha que fazer alguma coisa para afastá-lo do seu trabalho. – Grace levantou a lista que havia elaborado. – Tenho algumas mudanças para a livraria que gostaria de discutir com o senhor.

– Não.

Ele se escondeu mais uma vez, como uma tartaruga que não se sentia pronta para enfrentar o mundo.

Com cuidado, ela dobrou a carta de George, colocou-a de volta no envelope, guardou-a na bolsa e pôs o livro no balcão.

– Vamos começar aos poucos – disse ela, para convencê-lo.

– Você já limpou o lugar e acabou com as minhas pilhas.

Ela seguiu a voz sem corpo.

– Dê uma olhada, pelo menos.

Ela espiou em torno de uma estante e o encontrou carrancudo, olhando para ela como uma criança mal-humorada.

Sem se importar com isso, ela empurrou a lista para ele e o deixou com o papel na mão enquanto guardava suas coisas na sala dos fundos. Quando voltou, ele a olhou com cautela.

Pôs a lista em cima de uma fileira de livros e disse:

– Você pode tirar as coisas do lugar para ajudar a organizar a livraria. Mas cuidado para não exagerar na publicidade. E eu não vou comprar livros de volta nem vender mercadorias usadas, como na Foyle's.

– Claro que não – prometeu Grace.

Ele emitiu um resmungo baixo, que poderia ter sido um sim.

– O que o senhor disse? – perguntou ela, de um jeito inocente. – Isso foi uma permissão para fazer alterações na Livraria Primrose Hill?

Ele suspirou.

– Sim.

Ela agarrou a lista de volta, já sabendo por onde começar.

– O senhor não vai se arrepender.

– Espero que esteja certa – murmurou ele, puxando um livro da estante.

Independentemente da apreensão do Sr. Evans, Grace estava certa de que ele ficaria feliz com o resultado. Com o tempo. Pois haveria uma quantidade considerável de trabalho a ser implementado nos próximos meses. Só torcia para que não levasse mais que o tempo combinado para sua estada na livraria, uma vez que não planejava ficar.

7

Os dois meses seguintes se arrastaram em Londres com a expectativa não realizada da guerra. Toda a preparação, toda a espera e os nervos à flor da pele tinham sido em vão. Não houve mais alertas de bombardeios, nenhum racionamento nem ataques com gás. E as notícias no rádio pareciam relatar sempre as mesmas coisas, em uma cansativa repetição.

Grace não recebera notícias de George. Como não tinha nenhum endereço para entrar em contato, esperava que ele enviasse alguma carta para a livraria.

No entanto, para Grace, aquele período foi vivido em um frenesi de organização de livros, rearranjo de prateleiras e mais limpeza do que ela jamais imaginara ser possível. O trabalho a manteve tão ocupada por tanto tempo que, um dia, ela percebeu que, de alguma forma, já era novembro.

A Livraria Primrose Hill estava longe de ser perfeita, mas Grace sentia o maior orgulho toda vez que entrava na loja. Suas realizações eram visíveis no espaço aberto e acolhedor que ela havia criado. Novas mesas foram colocadas no meio da loja, com os livros voltados para a entrada saudando os clientes, seus gêneros claramente sinalizados em letras pretas impressas sobre cartolina branca.

Na verdade, apenas cerca de um quarto dos livros da Livraria Primrose Hill estava em exibição, pois foi tudo o que ela conseguira classificar. Assim mesmo, era uma porção considerável à luz do enorme estoque do Sr. Evans. Os livros restantes estavam empilhados na sala dos fundos, tornando quase impossível mover-se no espaço já apertado, e ao longo do segundo andar, que havia sido bloqueado enquanto ela ia organizando a bagunça.

Em uma manhã fria, ela estava descendo a pequena escada em espiral carregando uma caixa quando o sino anunciou um novo cliente. Ela colocou a caixa de lado, em um nicho ao pé da escada, recolocou a placa "Não entre" no corrimão e foi para a frente da loja.

O Sr. Pritchard esgueirou-se pela entrada, a cabeça enfiada no casaco grande. Atrás dele, como agora se tornara habitual, vinha Malhado, trotando em seus calcanhares.

– Bom dia, Sr. Pritchard. – Grace sorriu para ele. – Se estiver procurando pelo Sr. Evans, ele está nos fundos, na seção de história.

O homem mais velho franziu o rosto enquanto lia os cartazes.

– Isso é novo.

– Coloquei algumas semanas atrás.

O Sr. Pritchard fez uma careta.

– Espero que funcione melhor para você do que esse gato funciona para mim. – Ele olhou de relance para Malhado, que estava limpando as patas com satisfação. – O gato prefere pegar no sono a pegar um rato.

Em reação àquelas palavras, Malhado esfregou uma pata na orelha e no focinho.

– Lamento saber disso – disse Grace. – Mas ele parece gostar bastante do senhor.

– Isso não ajuda no problema com os ratos – resmungou o Sr. Pritchard. – Parece que tem estado bastante ocupada, Srta. Bassett.

Ela não se deu ao trabalho de corrigi-lo enquanto ele olhava atentamente para um cartaz no balcão. Era uma das sugestões que ela fizera ao falar com George: "Ilumine o seu blecaute com um bom livro".

Grace pensava nele com frequência, geralmente com uma pontada de culpa por não ter avançado mais na leitura de *O conde de Monte Cristo*. Em todas as suas tentativas, ela estava distraída demais para se concentrar, cansada demais para ficar acordada, ou mesmo um pouco de ambos. E assim o livro permanecera em sua mesa de cabeceira, com apenas algumas páginas do primeiro capítulo lidas.

Só que ele ficava ao lado de uma lista de tarefas que aparentemente não tinha fim. Ou ela estava na loja trabalhando, ou estava em casa anotando ideias para a publicidade e a organização. E, quando finalmente tirava um tempo para recuperar o fôlego, pegava no sono e recomeçava tudo no dia seguinte.

– Ouvi dizer que os negócios melhoraram por aqui. – O Sr. Pritchard tirou os olhos do cartaz e olhou para ela, com seu nariz pontudo. – Acha que são esses slogans?

Ela deu de ombros, evasiva, sem saber se o Sr. Evans gostaria que alguma informação fosse compartilhada.

O Sr. Pritchard se aproximou, trazendo consigo um cheiro de hortelã e naftalina.

– Eu lhe pagarei um xelim a mais por hora se for para a Pritchard & Potts.

– Sr. Pritchard – interrompeu o Sr. Evans, aparecendo atrás deles.

Antes que Grace pudesse abrir a boca para protestar, dizendo que não trabalharia para o Sr. Pritchard nem vinte vezes esse valor por hora, o Sr. Evans continuou sem se alterar:

– Se quiser vir aqui para ver a minha livraria, é sempre bem-vindo. Sinta-se à vontade até para proclamar sua insatisfação com o mundo e fazer suas alegações radicais sobre a guerra. – Seus olhos azuis se estreitaram atrás do vidro grosso dos óculos. – Mas, se veio aqui para sondar a Srta. Bennett, pedirei que saia.

A euforia fez a pele de Grace pinicar. Seu tio nunca a teria protegido daquela maneira.

O Sr. Pritchard empertigou-se e estalou a língua em um som de aborrecimento, fazendo os tufos de cabelo branco no topo de sua cabeça tremerem.

– Ela seria mais bem aproveitada em uma livraria na Paternoster Row, um lugar muito mais prestigioso que a Hosier Lane.

Ele contorceu os lábios com a última palavra. Depois disso, saiu da loja com suas pernas finas e Malhado correndo atrás.

– Eu não iria aceitar – declarou Grace.

– Imagino que não. – O Sr. Evans abaixou a cabeça para olhar para ela por cima dos aros dos óculos. – Você já cumpriu mais de dois meses do tempo combinado.

Seu humor seco era uma das coisas que ela aprendera a apreciar nos últimos meses. Ela sorriu em resposta.

– Tem certeza de que não vai querer que eu fique por mais tempo?

Ele fez um gesto de desdém com a mão e se arrastou em direção ao balcão, onde passou a examinar o livro-caixa que ela organizara várias semanas antes, com acompanhamento de vendas e títulos populares. Ele costumava checá-lo com frequência e comentar sobre o comparativo das vendas diárias.

Mais tarde, naquela semana, quando o Sr. Evans pagou o salário de Grace, ela percebeu que ele havia acrescentado um xelim a mais por hora. Uma gentileza pela qual não aceitaria agradecimentos, mas que a lembrou de seu compromisso de seis meses. Ela sem dúvida sairia dali com uma brilhante carta de recomendação.

Viv também estava indo de vento em popa na Harrods, onde seu chefe elogiara sua capacidade de ajudar as mulheres a encontrar roupas que lhes servissem bem. Ela e Viv haviam caído em uma rotina ao voltar para casa do trabalho, ambas por volta das quatro da tarde, sentando-se na cozinha para o chá e comentando sobre o dia de cada uma, às vezes na companhia da Sra. Weatherford, quando ela não estava fora resolvendo suas coisas.

Uma tarde, enquanto a chuva tamborilava nas janelas e havia um silêncio confortável no ambiente, elas estavam sentadas juntas quando Viv deu um suspiro longo e inesperado.

– Isso não está simplesmente deixando você louca? – perguntou a amiga.

Grace ergueu os olhos, hipnotizada pelas gotas de chuva que se amalgamavam umas nas outras antes de escorrer pela janela.

– O que é que está me deixando louca?

Viv olhava para fora com nostalgia.

– O tédio.

Grace quase deu risada. Ela estava tudo, menos entediada com tanto o que fazer na livraria.

Viv revirou os olhos.

– Você não está entediada, eu sei, mas essa guerra parece interminável.

– Mas nada está acontecendo – protestou Grace.

Afinal, não houvera mais sirenes de bombardeios. Nem qualquer outro ataque ou racionamento. Havia rumores, é claro. Mas, até o momento, infundados.

– Exatamente. – Os olhos de Viv se arregalaram de exasperação. – Eu achava que a vida em Londres seria animada e glamourosa, com peças de teatro e bailes noite adentro.

– Poderíamos tentar ir ao cinema de novo – sugeriu Grace, hesitante.

Viv lhe dirigiu um olhar mal-humorado, sem dúvida lembrando-se do fracasso da última tentativa. O prédio estava escuro como o manto da morte, e elas quase caíram várias vezes, tropeçando na divisória que formava uma espécie de corredor que levava ao caixa. O breu era tão intenso que mal conseguiam ver as moedas que contavam. Então, a caminho de casa, elas quase foram atropeladas por um carro que estava claramente excedendo os limites de velocidade recém-estabelecidos.

A tentativa de ir a um teatro tinha sido igualmente frustrante. Elas esqueceram suas máscaras antigás, uma ocorrência comum, e foram impedidas de entrar. Embora o retorno à Britton Street tivesse acontecido com tranquilidade, elas foram obrigadas a ouvir um sermão da Sra. Weatherford sobre a importância das máscaras e por que elas não deveriam ter sido deixadas em casa, para início de conversa.

Além disso, Grace estava farta de se aventurar no meio do blecaute. Com sua terrível experiência na primeira semana, mais o fato de quase terem sido atropeladas depois do cinema e todos os relatos de roubos e agressões na cidade escurecida, elas haviam decidido não se arriscar a sair de noite.

Ainda assim, Grace odiava a ideia de Viv estar tão entediada.

– Eles pintaram o meio-fio com tinta branca. – Viv ajeitou a lapela de seu tailleur, mais uma roupa que ela mesma havia costurado. Havia pelo menos uma a cada duas semanas mais ou menos, não só para ela, mas também para Grace e a Sra. Weatherford. – E ouvi dizer que os vigilantes voluntários agora usam capas que brilham no escuro.

Grace mexeu seu chá, e o sedimento no fundo criou um pequeno redemoinho.

– É verdade. E, mesmo assim, mais de mil pessoas foram atropeladas por carros, e os estivadores estão caindo na água e se afogando.

O lampejo de um relâmpago brilhou do lado de fora. Dois meses antes, as duas teriam saltado com medo de que fosse uma bomba. Agora, permaneciam onde estavam, sem que seu coração acelerasse.

Viv tinha razão: não havia nada acontecendo na guerra.

– Eu acho... – Viv bateu uma unha vermelha brilhante contra a beirada de sua xícara de chá. – Estou pensando em ingressar no STA.

Grace deixou cair a colher, que bateu na lateral da xícara. O Serviço Territorial Auxiliar era um ramo feminino do Exército Britânico, que exigiria que Viv participasse de treinamentos e provavelmente a levaria para longe de Londres.

– Por que você faria isso?

– Por que não? – Viv deu de ombros. – As mulheres estão sendo alocadas como funcionárias administrativas e atendentes, pelo que ouvi. Eu estaria fazendo algo parecido com o que estou fazendo agora, mas pelo menos ajudaria a acabar com tudo isso. – Ela fez um aceno com as mãos no ar, para implicar a totalidade de sua situação atual. – Estou ansiosa para que a guerra acabe, para que possamos ir aos cinemas e bailes sem medo de sermos atropeladas a caminho de casa. E talvez para conhecermos um homem bem bonito quando todos eles voltarem da guerra, quem sabe até sairmos para um encontro. Quero parar de me preocupar com a ideia de que bombas podem cair, ou de que estaremos sujeitas a racionamento. Quero que a vida volte ao normal.

– Mas você ama a Harrods – protestou Grace.

– É empolgante. – Viv deixou cair as mãos no colo. – Ou pelo menos era, no começo. Tão poucas mulheres se preocupam com moda agora... As que ainda aparecem na loja estão todas muito ansiosas em relação aos seus homens, que foram enviados para a guerra, e com o fato de seus filhos estarem sendo criados por estranhos no interior. Algumas das cartas que elas recebem são terrivelmente tristes. Os pequeninos querendo voltar para casa, jurando que vão se comportar para não serem mandados embora novamente... – Ela olhou para as mãos no próprio colo. – Eu só quero que tudo isso termine.

O silêncio da casa em um dia chuvoso foi quebrado de repente por um grito sufocado.

Viv e Grace se assustaram, se entreolharam preocupadas e pularam da cadeira para investigar o que causara aquilo. A Sra. Weatherford estava na porta da frente com uma cascata de envelopes espalhados aos pés, os dedos pressionados contra a boca. Colin estava na frente dela, as mangas da camisa de colarinho branco dobradas até os antebraços, uma carta aberta nas mãos.

– O que foi? – indagou Viv.

– A senhora está bem? – disse Grace, correndo para a Sra. Weatherford.

Ela nem notou a presença de Grace enquanto continuava olhando para Colin com os olhos arregalados por trás dos óculos.

Grace olhou para Colin, que não corou com sua chegada pela primeira vez, sua expressão ferrenha ainda fixa na carta. Ele engoliu em seco, e seu pomo de adão balançou na garganta esguia.

– Finalmente aconteceu – disse.

Ele virou o papel para elas, mostrando a fonte em negrito na parte superior, onde se lia "Ato do Serviço Nacional (Forças Armadas), 1939", do Ministério do Trabalho e Serviço Militar. A data, sábado, 11 de novembro, estava carimbada com tinta azul, e indicava quando ele deveria se reportar ao Conselho Médico, para avaliação.

– Achei que sua ocupação seria considerada uma atividade essencial – comentou a Sra. Weatherford.

Ela abaixou as mãos e balançou a cabeça, os olhos caindo sobre as ordens com aparente descrença.

– Eles só disseram que iriam tentar, mãe – respondeu Colin, paciente. – Nunca houve garantias. Não posso ficar aqui enquanto os outros homens estão lutando.

Os olhos da Sra. Weatherford se aguçaram.

– Você se voluntariou?

– Não. – Ele virou a carta para si mesmo mais uma vez e cerrou o maxilar. – Sei que não quer que eu vá, mãe. E sei que estava tentando me manter aqui. Mas não posso ignorar isto. Não vou ignorar.

Grace estudou Colin enquanto ele e a mãe falavam, a carta em suas mãos grandes e gentis tremendo levemente, apesar de ele ter endireitado os ombros, determinado a fazer o que era certo. E o coração dela se partiu.

Homens como Colin não eram feitos para a guerra.

– Eles estão convocando você no Dia do Armistício – disse a Sra. Weatherford.

Ela alisou com as mãos o vestido azul florido que Viv tinha costurado para ela. Era um movimento que Grace já havia visto antes, quando a Sra. Weatherford lutava para controlar as emoções.

– Seu pai morreu para tornar esse dia possível – prosseguiu ela. – Como puderam convocar você justo nesse dia?

A voz dela ficou aguda com o medo e a mágoa.

Grace estendeu a mão para a Sra. Weatherford novamente, mas a mulher mais velha a ignorou.

– Preciso ligar para o Sr. Simons. Ele me disse que apresentou um pedido para que você seja considerado um empregado indispensável. Ele vai conseguir...

Colin deu um passo em direção à mãe e estendeu a mão para impedi-la. A Sra. Weatherford finalmente parou e olhou para ele, com os olhos arregalados e úmidos.

– Eu farei a minha parte, mãe. – Ele estufou o peito magro. – Nosso país precisa de mim.

A emoção queimava na garganta de Grace. Aquele jovem, que era tão terno e gentil, que ainda carregava traços da adolescência em sua doçura ingênua, estava exibindo enorme bravura.

Ela não conseguia imaginar a casa sem ele, assim como não podia imaginar a Sra. Weatherford existindo sem o filho. Ela, que tanto o adorava, que o fitava com olhos que brilhavam de orgulho e amor.

O queixo da Sra. Weatherford tremeu. Ela apertou os lábios, mas não conseguiu evitar que continuassem a tremer ou que seus olhos piscassem aceleradamente.

– Me deem licença, por favor – disse ela, a voz embargada. – Eu...

E subiu rapidamente as escadas.

A porta do quarto dela, no segundo andar, se fechou um instante depois, e um gemido cortou o silêncio, com uma dor perfurante.

Colin baixou a cabeça, escondendo a expressão do rosto.

Grace colocou a mão no algodão macio da manga da camisa dele.

– Vá ficar com ela – sugeriu. – Vou colocar água para ferver.

Ele assentiu sem olhar para ela e subiu as escadas com passos lentos e pesados enquanto Grace levava Viv de volta para a cozinha. Assim que ficaram a sós, Grace apertou as mãos no peito, onde uma dor incômoda havia surgido.

Colin. Na guerra.

Primeiro, George. Agora, Colin.

Todos os homens em Londres iriam embora em breve?

Ela olhou para Viv e o peso da tristeza se instalou em seu coração. Viv logo iria embora também.

Como se ouvisse seus pensamentos, Viv balançou a cabeça enfaticamente, fazendo os cachos ruivos balançarem ao redor do rosto.

– Eu não deveria ter dito o que disse, Grace. – Ela inspirou com força – Não vou me juntar ao STA. Não com Colin ausente.

Os braços de Viv a envolveram, e o doce aroma floral do perfume mais novo de Viv, It's You, se juntou ao abraço.

– Não vou embora – prometeu Viv. – A Sra. Weatherford vai precisar de nós duas agora.

Grace assentiu e colocou a cabeça no ombro da amiga, agradecida por não perder Viv junto com George e Colin. Seria demais para ela suportar.

Nos dias que se seguiram, Colin continuou ocupado em seus esforços para garantir que a casa estivesse pronta antes de sua partida. Ele imediatamente notificou seu trabalho no Pet Kingdom e passou seu tempo consertando cada degrau ou dobradiça rangente. Chegou ao ponto de mostrar a Grace e Viv como realizar pequenos reparos em sua ausência, caso uma torneira vazasse ou a geladeira começasse a chacoalhar.

Grace voltou para casa um dia e o encontrou agachado ao lado de uma janela na sala, aplicando meticulosamente uma fita, em um padrão artístico, para garantir que uma explosão de bomba não fizesse o vidro se estilhaçar. Não que parecesse haver mais muita probabilidade de bombardeios.

Viv tinha avisado a Grace que ela se atrasaria naquele dia, pois tinha um assunto para resolver, então Grace deixou de lado a lista de slogans que vinha criando para a livraria e se ajoelhou ao lado de Colin. Ela não perguntou se poderia ajudar, sabendo que ele recusaria. Em vez disso, cortou uma tira de fita, umedeceu uma parte com cola e a pressionou no vidro, seguindo o mesmo padrão cuidadoso.

Ele a olhou e a estudou por um momento com seus meigos olhos azuis, então deu um sorriso agradecido.

– Achei que sua mãe não suportasse janelas com fitas – comentou Grace, cortando outro pedaço.

– Isso garantirá que todas permaneçam seguras. – Colin alisou sua mão grande sobre a peça que Grace havia fixado, pressionando todas as bolhas de ar. – Você deveria ver o que eu fiz com as flores dela.

Grace ficou de queixo caído.

– Não está me dizendo que... fez uma Horta da Vitória?

Desde outubro, o governo vinha anunciando a necessidade de que os canteiros de flores fossem arrancados e substituídos por hortas. Embora o racionamento que a Sra. Weatherford jurava que viria ainda não tivesse sido implementado, o apelo para uma abundância de vegetais cultivados em casa era um indicativo de seu anúncio iminente.

Isso não significava que a Sra. Weatherford estivesse pronta para ver suas rosas e jacintos serem arrancados de seu amado jardim.

Colin assentiu lentamente, seu olhar analisando o trabalho feito.

– Tenho certeza de que errei em alguma coisa, mas li o manual e fiz o melhor que pude – explicou ele, dando de ombros com impotência.

– Você poderia ter perguntado a Viv – disse Grace. – Ela morava em uma fazenda antes de vir para cá.

– Foi por isso mesmo que fiz isso quando ela não estava aqui. – Colin levantou-se e começou a forrar a parte superior da janela. – Ela está sempre muito arrumada. Eu não poderia pedir que ficasse no quintal cavando a terra e estragando as unhas.

Grace se levantou do chão ao lado de Colin. Sua cabeça batia no peito dele e por isso ela era baixa demais para alcançar as janelas que se estendiam até o alto da parede.

– E você sabe que ela é teimosa demais para aceitar um não como resposta – completou Grace.

Em vez de tentar colar um pedaço ela mesma, Grace cortou e umedeceu uma tira e a entregou a Colin.

Colin sorriu ao pegar a fita.

– Foi você quem disse isso, não eu.

– Sua mãe já viu o jardim?

Grace desenrolou outro pedaço da fita de papel.

Ele balançou a cabeça.

– Ela se juntou ao SVM local, o Serviço Voluntário de Mulheres, e foi à sua primeira reunião. Sem dúvida, saberemos quando ela o vir.

Ele olhou pela janela, observando a rua abaixo, e a alegria desapareceu de sua expressão.

– Ela vai precisar de ajuda enquanto eu estiver fora, Grace.

– Estarei aqui – prometeu ela.

Ele baixou a cabeça.

– Odeio ter que deixá-la. E se a Alemanha bombardear Londres? Vocês três não estarão seguras.

Ele não conseguiria impedir que as bombas caíssem do céu, mas Grace não disse isso.

– Nós temos o abrigo que você enterrou no quintal para nos proteger, assim como as janelas com fita. Você até nos garantiu uma horta. E sabe que sua mãe está bem abastecida de mantimentos.

Ele levantou a cabeça e deu uma pequena risada.

– Ah, sim. Para não deixar os acumuladores comprarem tudo primeiro – comentou ele, piscando para Grace.

– Exatamente. – Grace o encarou. – Nós vamos ficar bem aqui, Colin. Cuide-se direitinho que faremos a maior festa de boas-vindas que você já viu quando voltar.

Seu sorriso de resposta foi tão doce que fez Grace perder o fôlego.

– Seria legal – respondeu ele.

A porta da frente se abriu e se fechou, seguida do barulho de sapatos sendo descalçados e uma bolsa e a máscara antigás sendo penduradas.

Colin fez uma careta.

– É sua mãe? – perguntou Grace, apenas mexendo os lábios.

Colin assentiu se encolhendo.

– Devemos contar a ela? – indagou Grace.

Ele balançou a cabeça tão vigorosamente que Grace teve que cobrir a boca com as mãos para não rir.

Uma porta se abriu e se fechou, e ambos perceberam que não havia necessidade de contar à Sra. Weatherford sobre o sacrifício de seus canteiros de flores. A descoberta foi anunciada sob a forma de um grito estridente.

A devastação dos canteiros de flores da Sra. Weatherford e as janelas com fita, que ela considerava "desagradáveis aos olhos", não eram sua maior perda. Essa veio na forma da partida de Colin.

Na manhã do Dia do Armistício, Colin saiu para o exame médico. Dois dias depois, recebeu ordens para se apresentar.

Tudo passou rápido demais, e elas se viram acordando para o dia da partida de Colin em um choque atordoado.

Ele aceitou primeiro um abraço de Viv, que mal conseguiu esboçar um sorriso.

Em seguida, abraçou Grace.

– Por favor, cuide da mamãe – sussurrou ele.

Grace assentiu contra seu peito.

– Eu prometo.

Quando finalmente se despediu da Sra. Weatherford, seus olhos estavam cheios de lágrimas. Ele piscou e fungou forte e saiu de casa depressa, com as costas anormalmente eretas. Sua mãe quisera acompanhá-lo, é claro, mas, no final, Colin disse a ela que precisava fazer aquilo sozinho.

A porta se fechou atrás dele e a casa caiu em um silêncio estranho, como se também lamentasse a perda de sua presença. A Sra. Weatherford foi até a janela da sala e o observou enquanto ele descia a rua.

Ela não saiu daquele local pelo resto do dia, como se ainda pudesse vê-lo indo embora, continuando a se despedir dele.

Apenas alguns dias antes, a guerra era um verdadeiro tédio – uma preparação para nada. E agora a realidade os atingia onde causava a maior dor.

O sacrifício já fora grande. No entanto, era apenas o começo de muito mais que ainda estava por vir.

8

Apesar de mais jovens rapazes desaparecerem das ruas de Londres, os clientes continuaram a frequentar a Livraria Primrose Hill. Donas de casa em busca de um novo romance, homens idosos que analisavam as fileiras de livros sobre política com expressões sagazes, homens e mulheres jovens demais para a guerra e velhos demais para serem enviados para o interior por segurança, todos ocupavam a loja, e Grace ficava muito feliz em se perder no meio deles, auxiliando em suas seleções. Além disso, ela descobriu que os clientes que chegavam à loja recém-organizada passavam duas vezes mais tempo e compravam três vezes mais livros que antes.

Que diferença fazia o fato de poderem encontrar o que estavam procurando! Menos para um professor aposentado, que reclamou das estantes excessivamente limpas, comentando que faltava a autenticidade do caos aleatório do sistema de classificação anterior. Sua óbvia apreciação pelo antigo estado da loja trouxe um sorriso aos lábios de Grace ao fazê-la se lembrar da afeição de George pela loja velha e empoeirada.

Ela até conseguiu convencer o Sr. Evans a aderir ao Sistema Nacional de Cartões de Presente. Era uma excelente oportunidade de propaganda, que propiciava a compra de um cartão da loja como um presente, permitindo ao destinatário trocá-lo por qualquer livro de sua escolha. Grace tinha aprendido sobre o engenhoso sistema quando foi até a Foyle's, a livraria de seis andares que também vendia livros usados e fazia eventos notáveis com convidados famosos. Quando ela viu os cartões lá, percebeu que estavam em toda parte, o que colocava a livraria do Sr. Evans em séria desvantagem.

Com o Natal chegando, eles venderam várias dezenas no primeiro dia

em que Grace posicionou o cartaz anunciando que agora vendiam cartões-
-presentes.

– Sou obrigado a admitir, Srta. Bennett – disse o Sr. Evans, em um tom de má vontade, depois que um cliente foi embora. – Foi muito boa essa sua ideia de vender esses tíquetes de livros.

Ela reprimiu um sorriso diante do hábito do Sr. Evans de chamá-los de "tíquetes de livros".

– Fico feliz que tenham funcionado tão bem – declarou ela.

Grace amarrou um barbante em torno de um pedaço de papel de seda prateado dobrado várias vezes e o separou, criando uma bola decorativa. Perfeito para o novo cenário de inverno que pretendia montar na vitrine.

– Dezembro está quase acabando – comentou o Sr. Evans.

Ele fez uma anotação no pequeno livro-caixa que Grace mantinha ao lado da caixa registradora, marcando as vendas com a mesma eficiência com que ela havia começado. Quando terminou, ele colocou o lápis – um de tamanho adequado, que ele não precisava apertar com a ponta dos dedos – cuidadosamente de lado e jogou um pedaço de papel rasgado na lixeira perto do balcão.

– Espero que 1940 nos traga o fim da guerra – desejou Grace, amarrando outro pedaço de papel prateado.

Mais um e ela teria tudo de que precisava.

– Você está a dois terços de completar seus seis meses aqui – afirmou ele, estudando o livro-caixa antes de guardá-lo.

– É verdade.

Ela o analisou e viu que seu rosto era impassível.

Ele abriu a boca como se quisesse dizer algo, mas um homem alto e esbelto, de bigode grosso, entrou na livraria e fez soar o pequeno sino. O Sr. Evans exalou o ar profundamente.

– Boa tarde, Sr. Stokes. Cometemos alguma infração?

O nome do homem era familiar, mas Grace não conseguia se lembrar.

– Não estou de serviço – respondeu ele.

Havia uma autoridade em seu tom de voz que puxou com mais força a memória de Grace, e então ela se lembrou.

O Sr. Stokes era o vigilante da ARP local.

– Confesso que tem sido um pouco monótono ultimamente. – O Sr.

Stokes examinou as fileiras de livros, a testa franzida. Rugas vincavam a sua testa, indicando que aquela era uma expressão que fazia com frequência.
– Eu gostaria de um livro para me ajudar a passar a noite. Meu parceiro é muito jovem e não é de conversar muito. Com as festividades de Natal, imaginei que haveria mais luzes, porém... nada.

O canto de seu lábio curvou-se para baixo, em uma aparente decepção por não ter mais oportunidades de repreender as pessoas.

– Talvez um bom mistério, hein? – sugeriu o Sr. Evans, fazendo um sinal para que o outro homem o seguisse.

Era nesse ponto que o Sr. Evans se destacava. E que Grace deixava a desejar. Ela se concentrara tanto na organização da livraria que não tivera tempo de ler, especialmente não a ponto de poder recomendar um livro. Seria isso que o Sr. Evans tinha planejado dizer a ela quando mencionou que seu tempo na Livraria Primrose Hill logo chegaria ao fim?

Ela nunca teria a oportunidade de descobrir. O restante daquela tarde tornou-se incrivelmente movimentado, e o Sr. Evans não voltou a mencionar o assunto. Com o ano-novo se aproximando, ela havia decidido que tiraria um tempo para ler os livros que vendiam. Então talvez pudesse finalmente oferecer recomendações, em vez de meramente sugerir livros baseados na aparente popularidade.

O Natal foi um acontecimento austero sem Colin. A Sra. Weatherford preparara um banquete em meio a rumores de que o racionamento começaria em janeiro. Havia encontrado um peru gordo para assar para o jantar, junto com nabos, batatas e couves-de-bruxelas. Elas trocaram presentes, numa tentativa de aliviar o clima pesado, embora pouco tivesse ajudado. A casa não era a mesma sem a bondade de Colin para fazê-la brilhar de tanto afeto.

Grace deu cartões-presentes de livros para a Sra. Weatherford – eles eram realmente práticos – e um novo chapéu da moda para Viv, que costurou vestidos novos para a Sra. Weatherford e para Grace. A Sra. Weatherford comprou para as duas moças uma bolsa própria para guardar máscaras antigás.

Era uma peça curiosa, com um fundo arredondado para encaixar a parte cilíndrica e um bolso para caber o volume da máscara. As bolsas eram modernas, de couro preto com acabamentos dourados no topo. Certamente um acessório que qualquer mulher carregaria com orgulho.

– Para que vocês não se esqueçam das máscaras quando saírem – explicou a Sra. Weatherford, em um tom determinado dando a entender que agora as duas não teriam mais desculpas.

A passagem do Natal, além de não pôr fim à guerra, como muitos haviam previsto com otimismo, ainda trouxe a implementação do temido racionamento. O limite para bacon, manteiga e açúcar só serviu para tornar ainda mais amargo um dos invernos mais frios de Londres.

Cada pessoa na Inglaterra, incluindo o rei e a rainha, receberam um pequeno livro de selos para limitar a quantidade de bens racionados que poderiam comprar. De alguma forma, mesmo com o estoque da Sra. Weatherford, que ela mantivera trancado à chave nos meses anteriores, Grace e Viv muitas vezes encontravam o pote de açúcar quase vazio.

Foi nesse mundo cinzento e monótono que Grace descobriu um raio de sol inesperado.

Certa tarde, em um dia particularmente gelado, depois de ter tido permissão para sair mais cedo da livraria, ela se viu na situação muito peculiar de ter algum tempo livre. E ela sabia exatamente como gastá-lo. Preparou uma xícara de chá, aconchegou-se na poltrona com um cobertor grosso sobre as pernas e colocou *O conde de Monte Cristo* no colo.

Ela passou os dedos sobre a capa gasta e pensou em George Anderson. Não só nele, mas em todos os homens que haviam sido recrutados.

Onde estariam? Seria tão monótono para eles também?

Ela realmente esperava que sim. Melhor ficar entediado do que em perigo.

Lentamente, ela abriu o livro, notando que a velha lombada não rachara, como se tivesse sido lubrificada pela idade, e começou a ler.

O que ela encontrou ali era completamente diferente dos textos que lera na escola, que ofereciam áridas contas de matemática, ou sentenças separadas em suas estruturas e formação de palavras. Não, aquele livro de alguma forma ficou preso em suas mãos e ela não o soltou uma única vez.

O que começou como uma acusação no início se tornou uma espiral de traições, antes de culminar na maior delas. Palavra após palavra, página após página, ela foi puxada cada vez mais para um lugar onde nunca estivera, seguindo os passos de uma pessoa que ela nunca seria.

Ela foi ficando emocionalmente envolvida na história, seus olhos correndo cada vez mais rápido pelas páginas, para devorar cada palavra, desesperados para saber o que seria de Edmond...

– Grace?

A voz da Sra. Weatherford interrompeu a história, estilhaçando a cena que se desenrolava em sua mente.

Ela se assustou e olhou para a Sra. Weatherford.

– O jantar está quase pronto. – A mulher mais velha olhou em volta e fez um som de reprovação antes de correr para a janela. – Você não fechou as cortinas. Tenho certeza de que o Sr. Stokes vai reclamar disso mais tarde.

Grace olhou em volta, em um estado momentâneo de confusão. Tinha escurecido bastante. Ela se lembrava de ter percebido isso brevemente e pensado em acender uma luz, mas foi bem na hora da festa de noivado de Mercedes e Edmond e a nefasta conspiração tinha realmente começado a se desenrolar.

Uma luz se acendeu, um flash que fez a página ficar branca diante dos olhos de Grace, tornando as letras pretas muito mais fáceis de enxergar.

– O que está lendo? – perguntou a Sra. Weatherford, inclinando o rosto para ver a capa quando se aproximou.

– *O conde de Monte Cristo.* – O rosto de Grace ficou quente. – É o livro que o Sr. Anderson deixou para mim antes de ser convocado.

Os olhos da Sra. Weatherford ficaram tristes.

– Este sempre foi um dos livros favoritos de Colin também.

– A senhora teve notícias dele?

A Sra. Weatherford perambulava sem rumo pela sala, endireitando uma pilha imaculada de revistas e batendo em almofadas que não poderiam ficar mais afofadas.

– Não, embora eu espere ter em breve – respondeu ela. – Você sabe como eles treinam aqueles garotos tão exaustivamente antes de...

Sua voz falhou.

Antes de serem enviados para a batalha.

As palavras não ditas pairaram no ar, assim como a implicação dos riscos.

– Se a senhora quiser ler quando eu terminar, pode pegar emprestado – ofereceu Grace, tentando mudar de assunto.

– Obrigada, mas tenho um adorável romance de Jane Austen que adquiri com um dos cartões-presentes que você me deu. Não terminei *Emma* ainda. – Ela mexeu na cortina blecaute, certificando-se de que estava vedando tudo. – E fico bastante ocupada com as outras mulheres do SVM, é claro. Agora venha, antes que o jantar esfrie.

Na ausência de Colin, o Serviço Voluntário de Mulheres havia feito muito bem à Sra. Weatherford. Não só a mantinha ocupada para que não esfregasse o chão da casa até a exaustão, como ainda lhe conferia a companhia de outras mães em situação semelhante, cujos filhos também estavam na guerra.

Obedientemente, Grace deixou o livro de lado e foi para a cozinha, onde elas haviam passado a fazer as refeições. A sala de jantar formal parecia grande demais sem Colin sentado em frente à mãe.

Viv deu um sorriso largo para Grace.

– Imaginei que fosse querer pular nosso chá hoje, considerando como estava envolvida com o livro de George.

Era como se Grace tivesse mergulhado de cabeça em outro mundo e agora estivesse voltando à realidade. Ela riu, sentindo-se um pouco tola.

– Sinto muito por não ter ouvido você entrar. Não percebi nem que a sala estava escura.

No entanto, mesmo enquanto conversava durante o jantar e comia o frango tenro que a Sra. Weatherford assara para a refeição, Grace via seus pensamentos se voltarem para Edmond Dantés. Mais do que isso, ela se lembrava das experiências dele com tanta intensidade que era como se ela mesma as tivesse vivido no lugar do personagem do livro.

Isso era claramente o que George quisera dizer quando descreveu como ele se sentia em relação à leitura. Agora ela entendia.

Naquela noite, ela ficou acordada, cobrindo a cabeça com um cobertor, uma lanterna iluminando as páginas, enquanto mergulhava de volta na história de Edmond. Depois de cada capítulo, ela jurava a si mesma que seria o último, até que seus olhos finalmente se fecharam, misturando as imagens em sua mente com as de seus sonhos.

Na manhã seguinte, ela acordou assustada, com os olhos turvos e quase atrasada. Depois de uma xícara de chá sem açúcar e uma torrada com apenas um pouquinho de manteiga, Grace se vestiu para o frio de rachar que enfrentaria na caminhada até a Livraria Primrose Hill.

A caminhada rápida, que parecia tão breve e agradável no verão e no outono, tornara-se extenuante no inverno. O vento a empurrava, fazendo com que fosse ainda mais difícil avançar conforme um frio intenso e úmido penetrava seus ossos.

Ela estava quase na estação Farringdon, perdida nas lembranças do que lera em O conde de Monte Cristo, quando uma explosão de riso atraiu sua atenção para uma rua lateral. Duas crianças bem agasalhadas corriam para a frente e para trás, no que parecia ser um jogo de pega-pega, suas bochechas vermelhas pelo frio cortante, as risadas criando nuvens de vapor na frente da boca.

Antigamente aquelas risadas eram onipresentes, misturando-se ao ruído do trânsito e às conversas dos pedestres. De repente, Grace se deu conta de que o barulho feito pelas crianças havia se tornado algo raro.

Nem todas as mães tinham mandado os filhos para o interior, é claro, mas, com tantas que o haviam feito, poucas ficavam à vista.

E, no entanto, as crianças que brincavam não foram as únicas que ela avistou naquela manhã. Enquanto prosseguia em direção à livraria, ela se deparou com várias meninas cochichando juntas, com um carrinho de brinquedo levando suas bonecas.

Será que as crianças estariam retornando?

Impulsionada pela possibilidade de que isso pudesse significar o fim da guerra, Grace entrou na loja e imediatamente abordou o Sr. Evans.

– O senhor viu as crianças? Parece que elas estão voltando.

O Sr. Evans acenou enfaticamente, quase derrubando um pote de lápis apontados.

– Feche a porta, Srta. Bennett. Está um frio de bater o queixo lá fora.

Grace fez o que ele pediu, empurrando a porta contra uma rajada de vento congelante. Uma vez que o frio foi completamente bloqueado, a quentura da loja formigou no rosto e nas mãos de Grace, deixando-a quase com calor sob suas várias camadas de roupas de inverno.

– As crianças estão voltando desde o Natal. – O Sr. Evans olhou para algo no livro-caixa. – O que está escrito aqui? – indagou ele, virando o livro para ela.

Ela estudou a escrita irregular do homem e ignorou a dor latejante em sua cabeça pela falta de sono.

– Aqui diz cinco exemplares – respondeu.

Ele murmurou qualquer coisa e escreveu algo ao lado da anotação.

– Não sei como você consegue a ler a minha letra melhor que eu.

– Acho que devemos encomendar livros infantis e formar uma nova seção – sugeriu ela.

Grace colocou sua bolsa no balcão, fazendo um barulho por causa do peso considerável, com a combinação da máscara antigás e do livro.

– Aposto que todas serão enviadas de volta, agora que o Natal passou – observou ele.

O Sr. Evans ergueu as sobrancelhas grossas enquanto escrevia, como se isso facilitasse a leitura.

– Uma pequena seção, então – continuou Grace.

Ela desabotoou o casaco e tirou o cachecol do pescoço enquanto examinava a loja, imaginando onde poderia criar um espaço para livros infantis.

Uma mesa de centro havia sido preparada para o livro mais popular do momento, *What Hitler Wants*. A chamativa capa com faixas em cor laranja prometia ir além do dossiê de Hitler, *Mein Kampf*, oferecendo uma visão sobre o que havia motivado suas decisões e o que ele poderia estar inclinado a fazer dali em diante. Era uma publicação abominável na visão de Grace, mas o público tinha outra opinião e queria saber mais.

Talvez houvesse algo de verdade na afirmação da Sra. Weatherford, de que ter conhecimento realmente era a melhor maneira de combater o medo.

Grace indicou a mesa reservada para o livro sobre Hitler.

– Aqui.

O espaço seria mais bem aproveitado para uma seção infantil.

O Sr. Evans grunhiu, algo que ela aprendera a entender como uma forma de consentimento. Ou, pelo menos, nunca era um não.

Ela pôs mãos à obra naquela tarde, montando uma lista de livros para encomendar na Simpkin Marshalls naquela semana. A distribuidora atacadista de livros ficava localizada na Paternoster Row e tinha uma capacidade incrível de fazer entregas rápidas a partir de seus depósitos fortemente abastecidos.

No entanto, apesar de tudo aquilo, ela não conseguia tirar *O conde de Monte Cristo* da cabeça. Edmond tinha acabado de rastejar pelo túnel em direção à cela do abade.

O que ele encontraria lá? E se fosse apanhado? Só de pensar nisso o coração dela acelerava.

Depois de encomendar vários livros infantis, ela tirou o livro grosso da bolsa e se esgueirou entre duas grandes estantes perto dos fundos da loja. Imediatamente, perdeu-se na história, e a névoa de exaustão em seu cérebro se dissipou.

– Srta. Bennett.

A voz do Sr. Evans atravessou a parede de pedra da cela da masmorra e a jogou de volta no meio da livraria.

Ela se sobressaltou e fechou o livro, arrependendo-se imediatamente de não ter anotado o número da página antes. Em todo o tempo que passara na loja do tio, ela jamais havia tirado um minuto de suas tarefas para si mesma daquele jeito. Então olhou lentamente para o Sr. Evans, tensa e sentindo culpa.

As sobrancelhas pesadas dele se juntaram enquanto ele se inclinava para ler o título na lombada.

– Você está lendo *O conde de Monte Cristo*?

Ela assentiu.

– Sim, eu... – Uma justificativa estava na ponta da língua, mas ela se conteve. Nada poderia desculpar o que havia feito. – Me desculpe.

Os cantos da boca do homem se ergueram.

– Vejo que aceitou o conselho do Sr. Anderson. – Ele acenou para o livro. – Continue, Srta. Bennett. Imagino que, já que o livro a cativou tão completamente, possamos contar com a venda de vários exemplares com base em sua recomendação.

O alívio amenizou a tensão dos ombros dela.

– Vou encomendar mais da Simpkin Marshalls.

– Faça isso. – Ele tirou um fiapo amarelo de seu casaco de tweed. – E você pode querer considerar Jane Austen para sua próxima leitura. As mulheres parecem gostar de suas protagonistas.

Com a curiosidade aguçada, ela fez uma nota mental para comprar um dos livros da Srta. Austen. Talvez *Emma*. A Sra. Weatherford parecia estar gostando muito da obra.

– Fico feliz que tenha se tornado uma leitora em seu tempo aqui. – O Sr. Evans tirou os óculos para examiná-los. Sem o efeito de aumento da lente, seus olhos pareciam bem pequenos. – Mesmo que tenha apenas mais um mês de trabalho, segundo o nosso acordo.

Faltava realmente apenas mais um mês? Como era possível que até mesmo um período natalino tão triste passasse com tanta rapidez?

Grace assentiu, sem saber o que dizer, e percebeu tardiamente que, de onde estava, ele não podia vê-la.

Ele tirou um lenço, limpou as lentes, depois recolocou os óculos no rosto e piscou para ela feito uma coruja.

– Você não se apegou à Livraria Primrose Hill, não é?

A pergunta a surpreendeu, mas não tanto quanto sua consciência imediata de que, de fato, ela havia se apegado.

Ela gostava de como os clientes podiam encontrar facilmente seus livros na loja recém-organizada, admirava a capa dos livros e a criatividade de alguns editores com seus designs. Agradava-a até mesmo o cheiro empoeirado que permanecia na loja, não importava quantas vezes ela a limpasse, e passara a apreciar o Sr. Evans, com seu senso de humor seco e tudo o mais.

Antes que pudesse formular uma resposta, o sino da porta tocou anunciando a chegada de um cliente.

– Evans? – A voz do Sr. Pritchard chiou da frente da loja. – Você está aí?

O Sr. Evans revirou os olhos e se arrastou para cumprimentar o homem que Grace nunca conseguia identificar se era um amigo ou um inimigo.

– Boa tarde, Pritchard.

– Você comeu o peixe com batata frita no Warrington's recentemente? – perguntou o Sr. Pritchard. – Acabei de comer lá, e estava horrível. É lamentável o que aconteceu com Londres, quando não se pode encontrar nem mesmo uma refeição decente de peixe e batata frita. Sei que eles não têm a mesma quantidade de gordura para fritá-los, mas depois da fila que enfrentei e do preço que paguei...

Os homens continuaram discutindo sobre como o racionamento havia afetado o prazer de comer e como a margarina jamais poderia substituir totalmente a manteiga. Enquanto isso, Grace lutava com a triste percepção de que em breve não seria mais funcionária da livraria.

Depois de sonhar tantas vezes em estar ao lado de Viv na Harrods, em meio às roupas coloridas e estilosas e o ar carregado do aroma de perfumes caros, ela nunca havia pensado em quanto gostava, genuinamente, de seu emprego atual.

Sentiu um nó no estômago e agarrou o livro de George mais firmemente nas mãos, como se isso pudesse, de alguma forma, ajudar a acalmar seu turbilhão de emoções.

Em apenas um mês, ela teria sua carta de recomendação, e seu tempo na Livraria Primrose Hill teria acabado.

O Sr. Evans tinha dito a ela desde o início para não se apegar. Contra a vontade de Grace, foi exatamente o que aconteceu.

E agora ela não queria que terminasse.

9

Grace não conseguia se livrar da desolação diante da ideia de não trabalhar mais na Livraria Primrose Hill. Ainda assim, nas três semanas que se seguiram, não teve coragem de conversar com o Sr. Evans sobre a possibilidade de ficar. Não quando ele insistira tanto para que ela não se apegasse.

Mas ela terminou de ler *O conde de Monte Cristo* e gostou tanto que não podia deixar de recomendá-lo para os clientes. Como resultado, teve que encomendar mais exemplares para repor o que tinham em estoque, algo sobre o qual o Sr. Evans comentou com entusiasmo.

Ela mal podia esperar para chegar à última página e descobrir se Edmond conseguira sua vingança e se sua vida finalmente se transformara em felicidade. Entretanto, por mais que tivesse adorado ler a história, ninguém a havia preparado para um final tão agridoce. Ninguém havia avisado que terminar o livro a deixaria tão desolada. Foi como se ela estivesse se despedindo para sempre de um amigo próximo.

Quando mencionou isso para o Sr. Evans, ele simplesmente sorriu e recomendou que ela experimentasse outro livro. E, assim, ela consolou a si mesma com *Emma*, que se mostrou uma distração maravilhosa.

No meio disso tudo, no entanto, Grace não pôde deixar de notar o humor distraído de Viv, que se tornou mais evidente durante um de seus chás da tarde, na ensolarada cozinha amarela e branca da casa. Primeiro, Viv se esqueceu de ligar o fogão, deixando a chaleira fria lá em cima. Depois, ela levou o chá sem nenhuma xícara para servi-lo.

Tudo isso era muito diferente do comportamento habitual de Viv, que adorava trazer pompa a qualquer evento, mesmo algo tão comum quanto o chá da tarde.

Grace rapidamente pegou duas xícaras e estudou a amiga, que despejava o líquido fumegante da chaleira no bule.

– Tem alguma coisa incomodando você – disse Grace. – O que é?

Viv afundou na cadeira oposta e suspirou. Seu olhar vagou para o jardim estéril do lado de fora, onde os esforços de plantio de Colin para a Horta da Vitória haviam sido congelados pela brutalidade do inverno. Um monte se erguia no meio dos canteiros de flores secas, onde o abrigo estava enterrado. Normalmente, uma horta teria ficado adormecida sob o frio do inverno, mas ali havia apenas terra nua, totalmente desolada.

– Você alguma vez já sentiu que não faz o suficiente? – perguntou Viv, tomando um gole do chá e deixando uma meia-lua de batom vermelho na borda da xícara.

Grace envolveu as mãos ao redor do calor da xícara de chá. A última semana tinha sido fria a ponto de deixar uma mistura de neve e gelo na rua. Embora a cozinha fosse o cômodo mais quente da casa, as mãos de Grace nunca pareciam estar completamente quentes.

– Essa guerra vai continuar até que façamos alguma coisa – comentou Viv, com apreensão nos grandes olhos castanhos.

O que quer que tivesse a dizer, ela sabia que Grace não iria gostar.

O nervosismo apertou o estômago de Grace.

– O que você está querendo dizer? – indagou.

A boca de Viv se retorceu um pouco, indicando que ela mordia o lábio, uma confirmação de que estava realmente ansiosa.

– Não posso fazer mais isso. Você sabe que nunca fui de ficar sentada, esperando as coisas acontecerem.

Grace deixou de lado a xícara de chá. Ela sabia. Viv sempre mergulhava de cabeça na vida, pronta para o que quer que tivesse que enfrentar.

– O STA? – supôs Grace.

Viv assentiu.

– Os uniformes são medonhos, eu sei, mas o serviço combina com os meus talentos. E é muito melhor do que me tornar uma Garota da Terra.

As Garotas da Terra faziam parte do Exército Feminino da Terra, um grupo de mulheres que ajudava nas plantações. Embora o serviço fosse voluntário, isso não significava que as pessoas não pressionariam Viv a participar se soubessem de sua experiência na fazenda dos pais.

Ela só tivera notícias dos pais uma vez desde que chegaram a Londres. Na carta, a mãe expressou seu descontentamento com sua partida abrupta e disse a Viv que não se desse ao trabalho de voltar. Viv fingiu que não se importou, mas Grace sabia que isso a magoara profundamente.

– Você daria uma ótima Garota da Terra – protestou Grace, enquanto segurava um sorriso.

Viv deixou o queixo cair, ofendida.

– Você é tão perversa, Grace Bennett. – Ela cutucou o dedo do pé de Grace, simulando um chute. – Poderia vir comigo. – As sobrancelhas ruivas de Viv eram sempre cuidadosamente arqueadas, retocadas todos os dias com perfeição. Naquele instante, elas se levantaram. – Imagine só, nós duas no STA, nos lamentando naqueles uniformes marrons horrorosos que fazem nossos bumbuns parecerem longos e retangulares, sacrificando a juventude e a moda para fazer a nossa parte a fim de manter a Inglaterra em segurança.

– Bem, quando você fala desse jeito...

Grace riu, mas, apesar do tom brincalhão, ela sabia que precisava fazer alguma coisa pelo seu país. Os homens estavam sendo convocados, as mães haviam se sacrificado mandando seus filhos ao interior para permanecerem seguros, estranhos estavam cuidando dessas crianças, as mulheres estavam se voluntariando. E ela, o que estava fazendo?

Nada.

– Venha comigo, Patinha. – Viv deu uma piscadela, usando o efeito máximo de seu charme. – Podemos fazer isso juntas.

Grace sentiu um aperto no peito ao pensar nas implicações de se juntar ao STA, além de ajudar seu país, é claro. Ela estaria deixando para trás a Livraria Primrose Hill e o desgosto de não trabalhar mais lá. Não teria que trabalhar na Harrods sem Viv. O melhor de tudo: continuaria ao lado da amiga, do jeito que sempre estiveram desde que eram crianças.

Mas também significaria deixar a Sra. Weatherford sozinha.

O SVM oferecia à amiga de sua mãe apenas uma breve trégua, e os fios da vida da Sra. Weatherford estavam começando a se desfazer. Ela preferia ficar no comando, mas teve que ceder à mulher que chefiava o SVM local, que não tinha intenção de renunciar ao seu papel de liderança. Com isso, a Sra. Weatherford transferiu sua necessidade de controle para a casa.

O odor de alcatrão do sabão carbólico permeava a casa, por conta da limpeza diária de quase todas as superfícies. Toalhas eram guardadas com perfeição no centro exato das prateleiras, as latas de alimentos eram colocadas com os rótulos voltados para fora, como fileiras de soldados, e até as xícaras eram organizadas com as alças apontadas na mesma direção.

Grace havia prometido a Colin que cuidaria da Sra. Weatherford. Além do mais, se ela fosse embora, a mulher não teria ninguém.

Grace balançou a cabeça.

– Não posso.

– A Sra. Weatherford – adivinhou a amiga.

Grace olhou para as profundezas de seu chá, distinguindo o fundo no líquido escuro.

– Não posso deixá-la aqui sozinha. E você sabe que nunca fui corajosa como você. Não fui feita para o STA nem para qualquer uma das outras linhas de serviço militar.

– Você é mais corajosa do que pensa – discordou Viv, levando a xícara de chá aos lábios e tomando um pequeno gole.

Lá estava ela de novo – a pontada de culpa.

Não que Viv pretendesse causar tal reação, mas Grace sabia que não estava fazendo o suficiente para o esforço de guerra. E, quanto mais todos ajudassem, mais cedo tudo acabaria.

Uma onda de vapor subiu na frente de Viv quando ela baixou a xícara.

– Eu entendo, Grace. Além disso, imagine ter nosso quarto só para você, podendo manter a luz acesa para ler à noite, em vez de ter que comprar constantemente novas lanternas.

Grace teve que rir. As pilhas número oito eram quase impossíveis de se achar. Era muito mais fácil comprar uma lanterna nova do que encontrar as pilhas para colocar na antiga. Após a confissão de Viv de estar desesperadamente entediada, Grace passara a dedicar suas tardes e noites à amiga. Tomavam chá, iam ao cinema, a cafeterias e às compras durante o dia e ouviam programas no rádio à noite.

No entanto, mesmo enquanto ouvia as transmissões, a mente de Grace sempre voltava para qualquer história que estivesse lendo. Isso fazia com que ela passasse as noites enterrada sob as cobertas com seu livro da vez.

O Sr. Evans fora certeiro. Grace tinha amado Jane Austen e estava atualmente percorrendo toda a obra da autora.

– Não vai ser a mesma coisa aqui sem você – afirmou Grace.

Viv estendeu a mão sobre a mesa e pegou a de Grace.

– Virei sempre que estiver de folga.

– E seus pais?

– Eles vão desaprovar, tenho certeza. – Viv revirou os olhos e levou a mão de volta à xícara de chá. – Já me disseram que não preciso me dar ao trabalho de voltar para casa, e não vou voltar. Prefiro mil vezes vir aqui para ver você a ficar presa ouvindo um discurso eterno sobre as decepções que causei.

– O STA será ainda melhor por ter você. – Grace recostou-se na cadeira e olhou para a amiga com orgulho. – Você sempre foi muito destemida.

Viv zombou humildemente do elogio e tomou um gole de chá.

– Só lamento não podermos trabalhar juntas na Harrods. Mas vou deixar boas referências suas com eles antes de partir. Não seria maravilhoso se a colocassem no meu lugar?

Grace simplesmente assentiu e ofereceu o que esperava que fosse um sorriso convincente. Ela não queria trabalhar na Harrods. Muito menos sem Viv.

Mais do que nunca, Grace sabia, sem sombra de dúvida, que queria continuar em seu emprego na livraria. Agora, ela só precisava convencer o Sr. Evans.

Ao entrar na Livraria Primrose Hill na manhã seguinte, Grace encontrou uma grande caixa sobre o balcão. O Sr. Evans a cumprimentou enquanto tirava os livros lá de dentro e os colocava de lado, em uma pilha organizada.

No tempo que Grace levou para guardar seus pertences na sala dos fundos e voltar para a frente, ele já havia esvaziado a caixa quase inteira.

– É a nova entrega da Simpkin? – perguntou Grace, mantendo um tom de voz moderado, embora seus nervos a fizessem sentir como se estivesse chacoalhando por dentro.

Ele assentiu e retirou mais três livros da caixa.

Grace se sentia tão terrivelmente ansiosa que mal conseguia respirar.

– Falta menos de uma semana para terminar o meu período aqui.

– Já estou trabalhando em sua carta de recomendação – retrucou ele, rispidamente. – Não precisa se preocupar com isso.

A decepção foi um soco no estômago de Grace. O fato de ele estar preparando a carta tornava tudo muito mais sólido, mais real.

Real demais.

Antes que ela tentasse uma abordagem diferente, ele retirou da caixa um livro embrulhado em um pedaço de lona. Colocou-o sobre o balcão com reverência e retirou cuidadosamente o tecido.

O livro estava imundo. A sujeira deixara nódoas marrons por cima da capa dourada, e uma mancha cor de ferrugem vazava da capa desgastada para as páginas internas. Grace inclinou a cabeça para ler a lombada.

Quantentheorie des Einatomigen Idealen Gases, de Albert Einstein.

Ela se empertigou enquanto um calafrio percorria seu corpo.

– É aquele alemão?

– Sim. – Os lábios do Sr. Evans se juntaram, suas sobrancelhas se uniram. – Ele foi salvo da queima de livros que os nazistas fizeram cerca de sete anos atrás. Foyle está determinado a colocar as mãos em todos eles e até fez uma oferta ao próprio Hitler. Por que será? – O Sr. Evans pôs as mãos por cima da capa, mas pairando no ar, sem tocá-la. – Conhecendo Foyle, ele provavelmente quer enfiá-los nos sacos de areia em torno de sua loja como faz com o resto dos livros velhos, que usa de maneira tão insensível.

Grace tinha visto os sacos de areia quadrados na frente da Foyle's e se surpreendido com seu formato. Ela nunca iria supor que estivesse cheio de livros velhos. Seu olhar vagou pela mancha marrom-avermelhada na capa do tomo usado. Era fascinante e, ao mesmo tempo, desconcertante.

– O que é isto? – perguntou ela, indicando o livro.

O Sr. Evans inspirou profundamente e soltou o ar devagar.

– Sangue. – Ele retirou o livro da lona. – Sangue velho. Hitler não perdoava quando os livros que pretendia queimar eram escondidos.

Sua sugestão tácita caiu sobre ela com horror.

– Está dizendo que alguém pode ter morrido para salvar este livro?

Ela o seguiu até a sala dos fundos, onde ele passou ao redor de várias caixas até chegar a um cofre embutido na parede. Ela abriu e fechou os olhos, surpresa, pois nunca tinha notado a existência dele.

– Provavelmente – respondeu o Sr. Evans.

Ele girou o disco, ignorando o buraco da fechadura um centímetro abaixo, e a porta se abriu com um gemido metálico. Dentro havia mais de dez livros com títulos alemães na lombada. Embora não fossem novos, nenhum estava nas mesmas condições precárias que o de Albert Einstein.

– Há muitas vozes que Hitler gostaria de calar, especialmente as dos judeus. – Com reverência e cuidado, o Sr. Evans deslizou o novo livro ao lado dos outros. – É dever do resto do mundo garantir que eles nunca sejam silenciados. – Ele tocou em uma lombada amarela com o nome Almansor em dourado no topo. – "Onde eles queimam livros, acabarão queimando pessoas também." Heinrich Heine não é judeu, mas seus ideais são contrários às crenças de Hitler. – O Sr. Evans empurrou a porta do cofre com um estrondo sinistro. – Esta guerra é muito mais do que blecautes e racionamento de comida, Srta. Bennett.

Ela engoliu em seco.

Pessoas estavam morrendo para salvar livros, para evitar que ideias e pessoas fossem extintas.

Grace não estava fazendo o suficiente.

– Estou pensando em me juntar ao STA – disse ela, de repente.

Os grandes olhos do Sr. Evans piscaram por trás de seus óculos.

– Não acho que seja uma decisão sábia, Srta. Bennett. Por que não aderir à ARP como vigilante, em vez disso?

Grace franziu a testa diante da ideia de agir como o Sr. Stokes, vigiando cada fresta de luz que emanasse das casas e mandando que fossem apagadas.

O sino da porta tocou, anunciando um cliente. Sem dizer nada, Grace deixou o Sr. Evans com o cofre enquanto ia para a frente da loja. Não era nenhum cliente que a estava esperando, mas a Sra. Nesbitt.

Ela usava um casacão bege impermeável amarrado em sua cintura fina e um chapéu preto colocado com perfeição sobre os cabelos, que estavam puxados para trás tão severamente quanto da outra vez. Sua boca tinha um tom raivoso de vermelho nas feições rígidas.

– Você é exatamente a infeliz que eu vim ver – disse a Sra. Nesbitt, as palavras saindo com uma precisão arrogante.

A agressividade de seu comportamento foi como um tapa e deixou Grace momentaneamente sem palavras.

– Eu... o que foi que a senhora disse? – gaguejou.

– Não se faça de inocente comigo, sua atrevida. – A Sra. Nesbitt invadiu a loja, seus saltos duros e pretos batendo no chão como se fossem coturnos. – Veja como isto aqui está organizado. Como está limpo. Como está perfeitamente dividido em seções. – Ela esticou um dedo sobre uma placa que dizia "História" como exemplo. – E como os livros estão exibidos.

Ela olhou de relance para a mesa das crianças, arrumada artisticamente com uma colorida coleção de livros.

Não se preocupou em esconder a acusação sob palavras menos agressivas quando vociferou:

– É muito curioso que seus pedidos na Simpkin Marshalls estejam aumentando enquanto o resto de nós está lutando para atingir as vendas habituais.

A ousadia que Grace tivera anteriormente ao lidar com a mulher de língua afiada desapareceu, espantada pela hostilidade explícita e abafada pela necessidade de manter a educação no interior da Livraria Primrose Hill.

Grace usou todo o seu estoque de paciência e se controlou.

– Com todo o respeito, Sra. Nesbitt – respondeu ela, calmamente –, a sua loja não é a única a expor os livros dessa forma, nem a única a rotular as seções.

– A disposição dos livros na sua vitrine foi deliberadamente planejada – rebateu a Sra. Nesbitt.

Grace sabia que a exposição na vitrine era atrativa, uma mistura de mistérios populares com uma pitada de livros infantis, para atrair uma dona de casa com um filho a tiracolo e fazê-los entrar. Tinha sido deliberadamente planejada, como dissera a Sra. Nesbitt, mas muitas outras na Paternoster Row faziam o mesmo.

– Obrigado – respondeu o Sr. Evans. – Grace tem trabalhado com afinco nela, assim como no resto da loja.

A alta e magra Sra. Nesbitt virou-se e encarou o Sr. Evans, com sua estrutura baixa e atarracada.

– O que eu quero dizer é que se parece muito com a minha vitrine. Como você ousa?

Ele lhe dirigiu um olhar entediado.

– Não culpe a nossa prosperidade por suas vendas baixas.

– Como não culpar? – declarou a Sra. Nesbitt. – A que mais o senhor atribui o seu sucesso, além do fato de organizar a sua loja igual à minha?

– Competição – interrompeu-a Grace, impulsionada pelo apoio do Sr. Evans. – Vocês estão no meio de muitos outros livreiros na Paternoster Row, mas nós estamos sozinhos aqui na Hosier Lane.

– E um atendimento amigável. – O Sr. Evans deu o que parecia ser um sorriso gentil na direção de Grace. – Falando nisso, Sra. Nesbitt, eu gostaria que a senhora se retirasse para não assustar meus clientes.

A mulher abriu a boca, ofendida.

– Eu nunca...

– Ouviu nada do tipo? – As sobrancelhas do Sr. Evans se ergueram. – Bem, nunca é tarde demais para ouvir – acrescentou ele, indicando a saída.

A Sra. Nesbitt fungou, ergueu a cabeça tão alto que provavelmente não conseguia enxergar direito e saiu da livraria.

O Sr. Evans franziu a testa para Grace.

Ela se encolheu, antevendo uma repreensão por ter causado uma briga na loja, onde poderiam ter sido ouvidos pelos clientes.

– Não se junte ao STA, Srta. Bennett. Fique aqui.

– Em Londres?

– Na Livraria Primrose Hill. – Ele colocou as mãos nos bolsos e baixou a cabeça. – Sei que está decidida a trabalhar na Harrods, e não é justo da minha parte pedir. – Ele a encarou, a expressão no rosto hesitante. – Sou grato pelo que fez com a loja e gostaria que pelo menos considerasse a possibilidade de ficar.

Grace o encarou, incapaz de acreditar em seus ouvidos. Certamente ela estava sonhando.

– Com um aumento, é claro – completou ele.

Ela sorriu.

– Quem diria não a uma oferta dessas?

– Fico feliz em ouvir isso. – Ele assentiu, mais para si mesmo. – Muito feliz mesmo.

Naquela tarde, durante o chá com Viv, Grace contou alegremente que não precisaria de uma recomendação na Harrods. Com Viv tendo reunido todas as informações necessárias para iniciar sua inscrição no STA, as duas tinham muito a comemorar.

Como depois elas viriam a descobrir, as mulheres que se voluntariavam para servir não eram enviadas para o treinamento básico com a mesma velocidade que os homens. Entre o tempo que Viv levou para finalmente preencher o formulário, completar os exames médicos e esperar pela papelada informando onde ela iria se apresentar, janeiro transformou-se em final de fevereiro, e o frio gelado no ar amoleceu o solo o suficiente para propiciar uma nova época de plantio.

Era uma manhã de quarta-feira quando a Sra. Weatherford apareceu na cozinha ensolarada vestindo calças largas marrons presas com um cinto, com as bainhas enroladas várias vezes para cair sobre os tornozelos. Usava também um velho pulôver verde-musgo, cuja gola começava a se desfazer.

O traje era desleixado e grande, claramente pertencia a Colin. Era bem diferente das peças usualmente elegantes da Sra. Weatherford, compostas por estampas florais em tons pastel.

Tanto Grace quanto Viv interromperam o café da manhã de torradas e margarina gordurosa, com a qual nunca conseguiam se acostumar, e ficaram boquiabertas com a Sra. Weatherford.

– Colin arrancou minhas flores para cultivar a horta, e estou decidida a fazer com que as plantas cresçam. – Ela meneou a cabeça em direção à janela, onde a terra do lado de fora ainda estava vazia e nua. – Pretendo plantar meus próprios legumes e verduras, já que os que ele semeou congelaram com esse frio insuportável.

– A senhora sabe plantar? – indagou Grace.

– Eu entendo de flores. – A Sra. Weatherford puxou as calças um pouco mais para cima, com um ar confiante. – E Colin sempre fez o plantio. Mas não pode ser tão difícil assim.

Viv se engasgou com o chá.

A Sra. Weatherford estendeu um folheto com imagens de plantas de cores vivas ao lado do que parecia ser um gráfico.

– De acordo com isto, eu deveria plantar cebola, nabo e feijão em fevereiro.

– Os nabos-redondos não – disse Viv, com relutância. – Eles crescem melhor quando plantados no verão. E, para ser sincera, a senhora deveria esperar até março.

A Sra. Weatherford virou o folheto de volta para si e apertou os olhos para as letras pequenas.

Grace ergueu as sobrancelhas para Viv, curiosa para ver se a amiga ajudaria a Sra. Weatherford. Viv balançou a cabeça com firmeza uma vez. Não.

– Ah, sim, está certa sobre os nabos-redondos. – A Sra. Weatherford deixou o papel de lado e colocou um chapéu de palha murcho na cabeça. – Bem, então vou plantar. Do jeito certo desta vez. Ou o melhor que conseguir.

Ela marchou para fora com a determinação de um soldado.

– Vai mesmo deixá-la fazer isso sozinha? – repreendeu Grace.

O rosto de Viv se contorceu em um beicinho petulante.

– Você sabe que já estou farta de mexer com terra.

Ela olhou para fora da janela, onde a Sra. Weatherford separava uma pilha de materiais para o plantio antes de começar sua empreitada.

A mulher mais velha se colocou no meio do quintal e cavou um buraco com um dedo enluvado.

– Acha que ela sabe o que está fazendo? – indagou Grace.

Viv tomou um gole de chá, com o olhar fixo na Sra. Weatherford, que agora estava fazendo buracos em um padrão circular.

– Não sabe.

Grace inclinou a cabeça, implorando a Viv.

A amiga recostou-se na cadeira, a xícara de chá teimosamente apertada entre as mãos.

– Eu não vou ajudar.

Do lado de fora, a Sra. Weatherford inspecionou três sacos de sementes antes de colocar um pouco de cada na terra esburacada.

– Ela está plantando tudo junto? – perguntou Grace, inclinando-se para ter uma visão melhor.

– Eu não vou até lá – declarou Viv, cruzando as pernas e bebendo seu chá.

A Sra. Weatherford jogou a terra de volta sobre os buracos onde as sementes haviam sido depositadas e chegou um pouco para o lado. Enfiou o dedo na terra e começou com uma segunda espiral.

Grace franziu a testa.

– Ela nem identificou as plantas – comentou.

Viv colocou a xícara na mesa com tanta firmeza que algumas gotas de chá caíram sobre a borda.

– Não aguento ver isso. Vou subir e vestir umas roupas velhas para ajudá-la.

Grace escondeu o sorriso e pegou o chá.

– Vou tirar a mesa e depois colocar calças compridas para me juntar a vocês.

Elas levaram a maior parte da manhã separando uma área para plantio, assegurando-se de deixar algum espaço para sementes que poderiam ser plantadas nos meses mais quentes.

– Acho que você é melhor nisso do que o Colin – observou a Sra. Weatherford para Viv quando terminaram. – Sei que está ansiosa para se juntar ao STA, mas ouso dizer que você seria uma excelente Garota da Terra.

Viv simplesmente abriu um sorriso tenso diante do elogio.

Embora tivesse sido árduo e terrivelmente confuso, o trabalho fora agradável, com as mulheres conversando enquanto plantavam. Mal sabiam que era a última vez que tal alegria seria compartilhada entre as três, pois, naquela mesma tarde, a convocação de Viv chegou pelo correio e ela teria que partir no dia seguinte para um centro de treinamento em Devon.

Pela primeira vez na vida, Grace estaria sem sua amiga mais querida para enfrentar a desconhecida e assustadora realidade de uma Londres em guerra.

10

A vida sem Viv era solitária. Além de não ter mais a companhia de sua melhor amiga, Grace sentia como se estivesse ficando de fora de algo maior do que ela mesma por recusar se juntar ao STA.

Em vez de se inscrever como vigilante na ARP, Grace se deixou convencer pela Sra. Weatherford a participar de vários encontros do SVM.

Grace se viu entre donas de casa, algumas mais velhas do que ela, mas muitas de sua idade, só que com marido e filhos. Ela as ajudou a enrolar bandagens enquanto lamentavam as labutas das fraldas sujas, o atraso excruciante do correio por conta da guerra e as dificuldades de sobreviver por conta própria. Mesmo assim, elas ofereciam incentivos e trocavam receitas para enfrentar o racionamento da melhor maneira possível. Principalmente depois que a carne foi adicionada às restrições, em março. Afinal, havia um limite para o que era possível fazer com apenas 100 gramas de carne.

Viv sempre fora a extrovertida e despreocupada das duas. Grace nunca havia se incomodado por ser mais reservada. Pelo menos até não ter mais Viv por perto e se ver em uma sala cheia de estranhas que permaneciam como tal semana após semana.

E, assim, abril chegou, e Grace começou a dar desculpas para não comparecer às reuniões do SVM – contra as quais a Sra. Weatherford felizmente nunca protestou – e, em vez disso, ficava encolhida em sua cama com um livro nas mãos.

Quando não estava ajudando a Sra. Weatherford em sua incipiente horta, Grace devorava o que faltava das obras de Jane Austen, para então passar para vários romances de Charles Dickens. Depois, veio *Frankenstein*, de Mary Shelley, e finalmente algo mais atual, de Daphne du Maurier.

Depois de ler e gostar tanto de cada um dos livros, ela os recomendava apaixonadamente aos clientes da Livraria Primrose Hill. O aumento nas vendas foi impressionante. Tanto que o Sr. Evans começou a emprestar livros a Grace para ela ler. No início, ela resistiu à sugestão, até que percebeu o impacto financeiro de seu recém-adquirido hábito de leitura e aceitou com gratidão a generosa oferta do Sr. Evans.

Ela tinha acabado de recomendar *Rebecca*, a última obra de Daphne du Maurier que acabara de ler, para uma mulher que reconheceu do SVM quando o Sr. Stokes entrou. O Sr. Evans não se preocupava mais com as infrações de blecaute quando via o homem de meia-idade com a testa perpetuamente franzida, não quando ele se tornara uma presença regular na loja e tinha uma propensão a ler livros quase tão rapidamente quanto Grace.

– Não vemos o senhor aqui há quase três dias – comentou Grace, depois de registrar a venda do livro que ela recomendara à mulher do SVM. – Suponho que *O conde de Monte Cristo* levou um tempo para ser lido.

Ela não se deu ao trabalho de esconder o sorriso. Ele havia pedido um livro que durasse mais de uma noite. As olheiras em seu rosto indicavam que ele provavelmente tentara ler o livro enorme com muita pressa.

Ela sabia o que estava fazendo quando recomendou o livro ao Sr. Stokes. Sem dúvida, George também sabia o que estava fazendo quando deu a ela seu velho exemplar de *O conde de Monte Cristo*. De repente, sentiu um forte desejo de ter outra conversa com ele. Queria muito compartilhar como aquele presente havia impactado sua vida. Gostaria que tivesse pelo menos o endereço dele, para escrever um agradecimento pelo livro.

– Você tinha razão sobre o livro ocupar uma boa parte do meu tempo. – O Sr. Stokes esfregou a nuca. – Demorei muito mais a ler que meus outros livros, e foi igualmente fascinante. – Ele suspirou. – O rapaz com quem eu estava trabalhando foi recrutado, então estou fazendo o serviço de dois homens na ausência dele. Por acaso conhece alguém interessado em se juntar à ARP como vigilante?

– Grace estava pensando nisso – comentou o Sr. Evans de algum lugar na seção de história.

Agora que a loja estava devidamente organizada, era mais fácil ver os tipos de livro que atraíam o dono da loja. História e filosofia. A maior parte do dia do Sr. Evans era gasta vasculhando o próprio estoque, garantindo que não houvesse irregularidades na impressão, como ele dizia.

Grace fez uma careta por ele a ter voluntariado e se ocupou do balcão, organizando a superfície limpa com um esforço tão desnecessário que a fez se lembrar um pouco da Sra. Weatherford. Ainda assim, era melhor do que olhar na cara do Sr. Stokes e encorajar sua súplica para que ela se juntasse a ele.

Afinal, sua tentativa de ajudar no SVM parecera inútil. Pior que inútil, ela se sentia constrangida e socialmente deslocada no meio daquelas mulheres. Ajudar como vigilante da ARP seria melhor? Os ataques aéreos ainda aconteciam de vez em quando, resultando apenas em algumas horas em lugares abafados e sem janelas, até que tudo estivesse liberado. As pessoas agora raramente se preocupavam em procurar abrigo.

Ela havia recebido duas cartas de Viv desde que a amiga tinha ido embora. Como Viv estava servindo na Inglaterra, as cartas vinham com mais frequência que as de Colin, cujo posto era no exterior. No entanto, levando-se em consideração o serviço dos correios, isso não significasse muito. Pelo menos Grace sabia que Viv estava se ajustando alegremente às novas tarefas. Certamente com mais facilidade do que Grace no Serviço Voluntário das Mulheres.

– Srta. Bennett, é verdade que deseja se juntar a nós como vigilante da ARP? – perguntou o Sr. Stokes.

Grace endireitou uma cópia do *Bobby Bear's Annual*, um livro infantil que ficava exposto junto ao caixa com o objetivo de atrair as donas de casa para uma última compra por impulso.

– Eu tinha pensado nisso – respondeu ela.

O bigode do Sr. Stokes se mexeu.

– Mas você é mulher.

Grace ficou rígida, ofendida pelo descaramento daquela pressuposição humilhante.

– Se está querendo dizer que ela não é capaz de fazer isso, você é um tolo.

– O Sr. Evans emergiu do corredor de história, lançando um olhar para o Sr. Stokes por cima de seus óculos de lentes grossas. – A Srta. Bennett pode fazer o trabalho de qualquer homem, e muito melhor.

O Sr. Stokes fez um som de zombaria.

Sua reação hesitante, tanto quanto o elogio do Sr. Evans sobre suas habilidades, fez Grace levantar o queixo ainda mais alto.

– E eu farei.

As rugas da testa do Sr. Stokes se aprofundaram.

– Você fará?

– Não aja como se houvesse muita competição pelo cargo, Sr. Stokes – avisou o Sr. Evans, sorrindo para Grace e voltando para seus livros.

– Muito bem – disse o Sr. Stokes. – Vá até o posto dos vigilantes esta tarde e se informe lá. – Ele limpou a garganta. – E eu gostaria de outro livro, se puder me recomendar um.

Mais tarde naquele dia, depois que seu turno terminou, Grace seguiu a orientação do Sr. Stokes orientou e foi se informar no posto. Vários dias depois, ela recebeu um chapéu de metal com um W branco pintado para indicar seu papel como vigilante (*warden*), um apito, um chocalho para alertar o povo no caso de um ataque com gás, uma cópia do Manual de Treinamento da ARP, bem como uma máscara antigás. Foi o último item o que mais a desanimou, pois era uma máscara de nível profissional, muito maior do que a que ela já possuía, com grandes olhos de vidro e um filtro feito para acomodar um microfone. Como aquela monstruosidade poderia caber em sua bolsa?

E então, quatro noites mais tarde, ela foi fazer seu primeiro turno ao lado do Sr. Stokes, com a máscara pendurada no ombro em uma caixa desengonçada, em vez de usar a bolsa elegante que ganhara de presente. Ela usava um casaco leve contra o frio de abril, e a maldita corda se recusava a permanecer sobre seu ombro. Pelo menos o distintivo de metal da ARP, que ela prendeu à lapela, ajudou a manter a corda no lugar.

Quando eles saíram do interior imaculado do escritório dos vigilantes, o blecaute estava em pleno vigor. A lua estava quase completamente escondida, e qualquer luz que ela pudesse oferecer era bloqueada por um véu de nuvens pesadas.

Estava escuro demais para enxergar qualquer coisa.

As palmas das mãos de Grace suavam, apesar do frio da noite.

– Vamos lá – chamou o Sr. Stokes, caminhando confiante à frente.

Grace avançou com cautela.

– Srta. Bennett, não podemos ficar parados na frente do posto a noite inteira.

A impaciência se fez presente no tom do Sr. Stokes.

Grace sentiu uma pontada de arrependimento. Ela jamais deveria ter se oferecido para trabalhar na unidade de precauções contra ataques aéreos. Como conseguiria enfrentar tantas noites na escuridão?

Ela tentava seguir o som da voz do Sr. Stokes.

A risada dele ecoou.

– Vocês, vigilantes novatos, são todos iguais, cegos feito toupeiras à luz do dia. Encontre as linhas brancas no meio-fio, Srta. Bennett. Seus olhos se ajustarão a elas e você poderá segui-las com facilidade.

A orientação foi dada em um tom mais condescendente que instrutivo, mas, mesmo assim, Grace fez o que ele sugeriu. Como ele tinha dito, sua visão se ajustou e ela conseguiu identificar as linhas.

Ela e o vigilante veterano caminharam cuidadosamente pelas ruas enegrecidas do setor em que foram alocados, que era tão familiar de dia e completamente irreconhecível no escuro. Enquanto o faziam, ele ia mostrando a ela onde os abrigos estavam localizados, assim como as áreas que podiam causar problemas públicos se fossem bombardeadas.

Ao passarem pelas casas das pessoas, ele dizia seus nomes. No caso de um bombardeio, precisariam tomar nota de todos conforme entrassem nos abrigos.

Entre nomes e locais, o Sr. Stokes reiterou todos os detalhes que já haviam sido apresentados a Grace no manual da ARP, embora as passagens sobre os efeitos do gás não fossem tão vívidas, assim como a descrição dos ferimentos.

Se o Sr. Stokes pudesse ver o rosto dela, saberia que suas palavras a deixavam enojada. Mas talvez fosse esse o objetivo. Ela não permitiria que ele a encorajasse a desistir.

– Os Taylors – murmurou ele, com hostilidade na voz. – Está vendo? – perguntou ele, mais alto desta vez, claramente incomodado.

Grace procurou na escuridão à frente deles, tentando ignorar como o peso do negrume parecia pressionar seus olhos. Ali, ao longe, um brilho de luz dourada emoldurou o quadrado de uma janela distante.

Grace quase riu. A luz era pouco visível.

– Certamente aquilo não pode ser visto pelos aviões alemães – comentou ela.

Os passos do Sr. Stokes recomeçaram em um novo ritmo.

– A RAF já testou infrações como esta e confirmou que podem, de fato, ser vistas do céu à noite – contestou ele. – Os alemães invadiram a Noruega e a Dinamarca ainda ontem. Nós podemos ser os próximos. Quer ter a sua casa bombardeada porque os Taylors não cobriram suas janelas adequadamente?

A pergunta abalou Grace.

– É claro que não.

– Perdeu a chance – resmungou Stokes, referindo-se às declarações recentes de Chamberlain. – Se não vencermos esta guerra, é porque nosso governo demorou muito para agir.

Grace também tinha escutado a transmissão de rádio na qual Chamberlain afirmou que Hitler "perdera a chance", pois deveria ter atacado no início da guerra, quando ele estava preparado e a Grã-Bretanha, não. A bravata mostrou-se inoportuna porque, dias depois, Hitler atacou a Noruega e a Dinamarca. Esta última caiu em questão de horas.

Toda a Inglaterra se ressentia da resposta de Chamberlain à guerra.

O Sr. Stokes disparou pelas escadas da frente em um ritmo ao qual Grace duvidava que seria capaz de se acostumar naquela escuridão.

– Sr. Taylor, apague essa luz. Eu já lhe disse que cobraria uma multa na próxima vez...

Grace tentou fazer o possível para se esconder nas sombras. Certamente elas pareciam grandes o suficiente para engoli-la. Ela estaria pronta caso fossem atacados pela Alemanha, mas recusava-se a ter tanto prazer em multar o povo de Londres por não fechar bem as cortinas.

No mês seguinte, Grace vestiu seu chapéu de vigilante três noites por semana para acompanhar, de má vontade, o Sr. Stokes enquanto ele aterrorizava os cidadãos bem-intencionados de Londres, cujos esforços no blecaute nunca eram suficientes.

Naquela época, a Sra. Weatherford recebeu notícias de Colin, que garantiu estar indo bem e tendo sucesso em seu treinamento. Grace também recebeu outra carta de Viv. A exuberância de sua amiga se derramava da página com tanta vivacidade que Grace teve a reconfortante sensação de ouvir a voz dela enquanto lia.

O que quer que fosse que Viv tinha sido designada para fazer estava oculto na carta com uma grossa faixa preta, marcada pelo censor. Afora isso, tudo estava bem com Viv, o que deixou Grace incrivelmente aliviada.

Quando lia as cartas que recebia de Viv, Grace não podia deixar de pensar em George Anderson. Na verdade, esperava que ele também lhe enviasse alguma mensagem e se sentia um pouco decepcionada quando nada chegava. Mesmo assim, nunca deixava de examinar a correspondência que era entregue na Livraria Primrose Hill.

Ela estava analisando a mais recente entrega do correio quando o Sr. Pritchard entrou na loja com um jornal nas mãos ossudas. Malhado fazia círculos ansiosos em torno de seus tornozelos enquanto o homem gritava suas notícias lá dentro.

– Evans! Os nazistas estão na França. E também na Holanda e na Bélgica. Mas, na França, Evans... Na França!

O medo fez Grace estremecer. Hitler ainda não tivera a ousadia de atacar a França, mas agora estava em todos os países que formavam uma barreira para a Inglaterra. Se a França capitulasse, não haveria nada além do canal da Mancha para manter Hitler longe.

Os pensamentos de Grace foram de imediato para seus amigos servindo na guerra. Só mais tarde ela percebeu que deveria estar igualmente aterrorizada por si mesma e por todos os outros em Londres.

O Sr. Evans foi para a frente da loja com a maior pressa que Grace já tinha visto. Não se preocupou em marcar a página do livro enquanto o fechava e o colocava de lado no balcão.

– Chamberlain já renunciou?

O Sr. Pritchard balançou a cabeça.

– Não sei – respondeu ele, olhando impotente para o jornal, que só tinha metade das páginas em comparação com o ano anterior, outra indicação do racionamento de papel.

– Que Deus nos ajude se ele não renunciou.

O Sr. Evans tirou os óculos e beliscou a ponte do nariz, onde o peso dos óculos deixaram marcas permanentes em sua pele envelhecida.

A porta soou o festivo anúncio de um novo visitante, um som estridente e excessivamente alegre no silêncio sinistro que havia tomado o lugar. Um jovem entregador da Simpkin Marshalls entrou, segurando uma caixa grande em seus braços magros.

Era a encomenda de *Pigeon Pie*, uma sátira política sobre a "guerra enfadonha", de Nancy Mitford.

Grace teve vontade de gemer.

Aquele livro seria de péssimo gosto naquele momento.

Ela pedira ao Sr. Evans para encomendar o livro havia vários dias, antes de seu lançamento, mas ele hesitou, afirmando que era mais um vendedor de livros clássicos que um seguidor de tendências. Finalmente ele cedeu, e agora o erro estava prestes a explodir no rosto de Grace.

O estado de guerra aumentou nos dias seguintes e, como esperado, o livro foi um fracasso. As vendas caíram quando as pessoas se descobriram em casa, grudadas em seus sofás e diante de seus rádios, desesperadas por qualquer notícia.

E poucas eram as notícias boas.

O único ponto positivo foi quando Chamberlain deixou o cargo de primeiro-ministro, com suas táticas defensivas tendo se tornado cansativas e, agora, perigosas, e o primeiro lorde do almirantado, Winston Churchill, assumiu seu lugar. Para grande alívio de toda a Grã-Bretanha.

A guerra estava na boca de todos, pesando em suas mentes, consumindo conversas e ocupando todos os aspectos de suas vidas. Os detalhes contidos nas discussões eram horríveis. O pior deles era o bombardeio de Roterdã, na Holanda, que, segundo rumores, teria resultado na morte de mais de 30 mil pessoas.

O Sr. Stokes tinha informado Grace daquele número terrível com um traço de alegria na voz. Algo estava finalmente acontecendo, depois de um tempo interminável de uma guerra sem ação, e isso acendera um fogo dentro dele. Sua abordagem aos delitos das pessoas tornou-se praticamente militante, e ele lembrava o tempo todo a Grace seus deveres caso fossem bombardeados.

O curioso de tudo isso, no entanto, era como o clima estava agradável. Era uma coisa estranha de se notar, é claro, mas Grace nunca tinha visto um mês de maio tão bonito. O sol brilhava, o céu estava claro e muito azul, os brotos das plantas cresciam e se desenvolviam em folhas largas e saudáveis, com flores que prometiam legumes para breve.

Os sacos de areia bloqueando abrigos públicos e os anúncios de convocação tinham desaparecido no fundo de sua consciência. Agora, existiam apenas o canto dos pássaros e os dias ensolarados. Era surreal imaginar que países aliados próximos estivessem sob ataque, com vidas sendo perdidas diariamente para bombas e batalhas.

Mas aquele lindo mês de maio era uma miragem, uma linda e frágil estrutura à espera de estilhaçar a realidade de seu mundo. As tropas de Hitler haviam atravessado a França e estavam posicionadas no lado oposto do Canal.

A Grã-Bretanha era a próxima.

Já circulavam rumores de evacuações no litoral, quando as crianças de Londres foram, mais uma vez, removidas para o interior.

Enquanto o lançamento de *Pigeon Pie* na Livraria Primrose Hill foi um enorme fracasso, cópias de *What Hitler Wants* não paravam nas prateleiras. Mas pessoas desesperadas por informações sobre a lógica de Hitler não eram os únicos clientes que ainda conseguiam passar pela porta da loja. As donas de casa também apareciam de vez em quando, ansiosas por seus maridos estarem lutando na França e melancólicas por terem que mandar os filhos para longe mais uma vez. Eram mulheres desesperadas por distração, por uma maneira de ocupar a mente para que pudessem sossegar seu pesado coração.

Um dia, uma mulher em particular, uma jovem de cabelos escuros com idade próxima à de Grace, permaneceu na livraria por mais de uma hora. Inicialmente, ela recusou ajuda, porém, quando parou em um canto perto da seção de ficção clássica por um tempo considerável, Grace se sentiu compelida a ir até ela mais uma vez.

– Tem certeza de que não há nada que eu possa fazer para ajudá-la? – perguntou Grace.

A mulher se assustou e fungou com força, virando a cabeça para o outro lado.

– Eu sinto muito. Eu... eu não deveria...

A mulher soluçou, um som abrupto e inesperado.

O Sr. Evans, que estava no corredor ao lado, correu rapidamente para o lado oposto da loja, deixando Grace com a cliente em prantos.

A maioria das donas de casa que entravam na loja de Evans procurando livros se comportava de forma impassível, escondendo sua dor atrás de uma máscara de decoro. Nenhuma delas havia mostrado seus sentimentos tão abertamente.

Era uma cena dolorosa de ver, que mexia em um lugar profundo no coração de Grace.

– Não se preocupe. – Grace enfiou a mão no bolso e pegou um lenço, que ofereceu à mulher. – São tempos difíceis para todos nós.

A mulher aceitou o lenço com um sorriso de desculpas, o rubor de seu rosto quase tão vermelho quanto seu batom.

– Me perdoe. – Ela enxugou os olhos. – Meu marido está na França e eu... – Ela engoliu em seco e apertou os lábios, num aparente esforço para reprimir uma nova onda de desespero. – Eu mandei minha filha para o interior há dois dias. – Seus grandes olhos castanhos encontraram os de Grace, os cílios espetados de lágrimas. – Você tem filhos?

– Não – respondeu Grace, com suavidade.

A mulher olhou com tristeza para o lenço, agora manchado de rímel, batom e a umidade de sua dor.

– Eu não a mandei embora na primeira leva. Fui egoísta, eu sei, não aceitava a ideia. Mas com o que está acontecendo na França... e Hitler tão perto...

Ela colocou as mãos sobre o peito e seu rosto se contraiu.

– Não consigo suportar a dor que sinto pela saudade dela. Fico esperando ouvir sua vozinha me chamando, ou cantando as músicas bobas que ela inventa. Lavei roupa hoje e cometi o erro de cheirar seu travesseiro. – Lágrimas brotaram em seus olhos. – Ela estava sempre com esse cheirinho de talco e mel. E ele cheirava exatamente assim. Tinha o cheiro dela.

A mulher baixou o rosto, cobriu-o com as mãos com as quais segurava o lenço amassado e chorou.

A garganta de Grace se apertou com a força das próprias emoções. Ela não era mãe, mas conhecia a perda, sabia quão poderosa e visceral podia ser. Sem dizer nada, abraçou a desconhecida.

– Eu sinto tanto a falta dela – disse a mulher, soluçando.

– Eu sei. – Grace segurou-a delicadamente, enquanto a mulher cedia à própria tristeza. – Isso vai melhorar. Você fez o que era melhor para manter a sua filha segura.

A moça assentiu e se endireitou, enquanto secava o rosto e borrava a maquiagem.

– Eu não deveria ter saído neste estado. Por favor, me perdoe. – Ela fungou e enxugou debaixo dos olhos, onde a pele tinha ficado cinzenta com o rímel escorrido. – Uma amiga recomendou que eu pegasse um livro para me distrair. Achei que poderia encontrar algum, mas mal consigo me concentrar para decidir.

Grace exalou discretamente uma respiração aliviada. Essa era a sua especialidade.

– Então deixe-me ajudá-la. – Ela a conduziu a uma estante e retirou *Emma*, cujo humor o tornara um dos livros favoritos de Grace. – Este aqui vai fazer você rir num minuto e então suspirar melancolicamente no outro.

A mão da mulher se fechou em torno do volume.

– É uma ficção clássica?

– E também uma história de amor.

Assim que as palavras saíram da boca de Grace, George surgiu em seus pensamentos.

Os agradecimentos da dona de casa e o pedido de desculpas foram abundantes, enquanto ela pagava pelo livro e partia rapidamente, segurando-o com força, como um bem precioso.

Vários dias depois, Grace notou um envelope amassado endereçado a ela no topo de uma pilha de correspondências na beira do balcão. Seu coração quase parou.

Certamente não poderia ser de George. Ela não ousaria esperar isso depois de tanto tempo. No entanto, sua mão tremia quando ela pegou a carta e leu o endereço de retorno com "Tenente-aviador George Anderson" escrito com uma letra elegante.

Ela respirou fundo e abriu o envelope, tentando não rasgá-lo com a pressa.

George tinha escrito para ela.

Depois de todo aquele tempo, ele havia lhe enviado uma carta. Será que estava na França? Estava seguro? Quando voltaria para casa?

Ela desdobrou a correspondência e parou. Lacunas na página mostravam os locais em que algumas partes haviam sido cortadas. O que restou foi apenas uma mensagem devastada, com quase metade do texto removido. A data no topo indica que a carta havia sido redigida em fevereiro.

Mal dava para segurar aquela carta depois de ter tido seu conteúdo tão podado. Grace colocou o papel frágil sobre a superfície lisa do balcão para mantê-lo intacto e poder ler.

George se desculpava pela demora em escrever para ela por um motivo que ela não podia ler. Esperava que ela tivesse gostado de *O conde de Monte Cristo* e lamentou sua falta de acesso a livros no lugar onde estava. Ele tinha uma cópia de algo que disse que leu muitas e muitas vezes, embora o nome tivesse sido cortado do papel. Imaginava estar de volta a Londres em algum momento naquele ano, e perguntou se ela ainda estaria livre para um encontro.

Grace sentiu uma felicidade enorme ao ler a última parte. Ele nem tinha se preocupado em esconder o convite atrás de uma sugestão de estar disponível para ajudá-la na promoção da loja.

Um encontro.

Grace tinha tido alguns quando morava em Drayton, mas nenhum deles terminara bem. Tom Fisher era o tédio em pessoa, Simon Jones tentou beijá-la à força e Harry Hull só queria se aproximar de Viv.

E nenhum deles fizera seu coração pular como George Anderson.

Ela se sentiu nas nuvens pelo resto do dia, pensando naquela carta cheia de lacunas. O sorriso ainda pairava em seus lábios quando entrou em casa e encontrou a Sra. Weatherford na sala de estar em meio a bandagens enroladas e embaladas.

– Eles estão voltando para casa – disse ela, animada, do lugar onde estava sentada no chão, diante da caixa de bandagens.

Grace levantou uma tira de linho e começou a enrolar, do jeito que havia feito com inúmeros outros curativos nas reuniões da SFM.

– Quem está voltando para casa?

– Nossos homens. – O sorriso da Sra. Weatherford era tão brilhante que nem o Sr. Stokes seria capaz de diminuir tamanha luz. – A Força Expedicionária Britânica está voltando da França para casa, e nós do SVM fomos informadas para nos prepararmos para a chegada deles. Vamos oferecer ajuda onde pudermos e proporcionar descanso e conforto. – Ela bufou como se estivesse tentando recuperar o fôlego. – Grace, Colin vai voltar para casa.

Se a Força Expedicionária Britânica já estava voltando da França, isso só poderia indicar duas coisas: ou a França fora vitoriosa e expulsara os alemães, ou a França caíra e os britânicos estavam fugindo. Por todos os relatórios oficiais que Grace tinha escutado, assim como todos os rumores não oficiais, estava mais inclinada a acreditar na segunda hipótese.

Ela escondeu sua angústia com a notícia, pois um incômodo que corroía suas entranhas lhe dizia que o retorno da força não era um bom sinal. Se os homens voltavam para solo inglês era porque estavam recuando do inimigo e Hitler estava vencendo.

Mas o que isso significaria para a Grã-Bretanha?

11

A confirmação das suspeitas de Grace foi tão rápida quanto amarga. Mas não veio da BBC nem de um jornal. Veio da mais triste de todas as fontes: a Sra. Weatherford.

As cortinas de blecaute estavam fechadas antes que a mulher mais velha finalmente chegasse em casa, depois de sua primeira noite de ajuda aos homens que voltavam de Dunquerque. Grace desejou ter se juntado às senhoras do SVM pelo menos desta vez na assistência aos soldados que retornavam, mas apenas os membros tinham autorização para ajudar os homens. Em vez disso, ela esperou na sala, com um exemplar de *Pigeon Pie* aninhado no colo. A história tinha humor, se fosse levado em consideração que fora escrita antes do ataque de Hitler à França.

Jamais um livro chegara em um momento tão inadequado.

O clique da porta da frente alertou Grace sobre o retorno da Sra. Weatherford. Ela quase pulou da cadeira, correndo para o hall de entrada.

O olhar da Sra. Weatherford estava fixo em algum ponto invisível, suas mãos tateando o batente da porta, onde ela se apoiou quando descalçou os sapatos de saltos baixos.

– Sra. Weatherford?

Grace estendeu a mão para a mulher mais velha.

Para sua surpresa, a Sra. Weatherford não protestou quando a mão de Grace se fechou em torno de seu antebraço macio. Na verdade, ela não ofereceu nenhuma reação.

– Sra. Weatherford? – disse Grace outra vez, agora ligeiramente mais alto. – Como foi?

Mas, mesmo enquanto fazia a pergunta, a tensão que apertou o peito de Grace lhe disse que ela não gostaria de ouvir a resposta.

– Hein? – respondeu a Sra. Weatherford, as sobrancelhas se erguendo com exagero.

– A senhora viu os homens? – perguntou Grace, incapaz de se conter. – Da Força Expedicionária?

A Sra. Weatherford assentiu lentamente.

– Vi. – Ela inspirou fundo e levantou a cabeça, sua visão focando em algum ponto distante mais uma vez. – Foi... foi... foi... – Ela engoliu em seco. – Foi terrível. Aqueles homens pareciam à beira da morte – prosseguiu ela, com a voz trêmula. – Os olhos deles estavam cheios de horror, e todos estavam tão cansados que adormeciam enquanto mastigavam os ovos cozidos e as maçãs que levamos. Nunca, em toda a minha vida, vi tamanha derrota.

Grace já esperava más notícias, mas os detalhes a atingiram duramente. Colin estava posicionado na França. Teria ele estado em Dunquerque também?

Mas ela não expressou aquelas preocupações, não quando elas contribuiriam para a inquietação gravada no rosto da mãe do rapaz.

Todos os dias a partir de então, a Sra. Weatherford ia com as outras senhoras do SVM para ajudar os soldados da Força Expedicionária que retornavam a Londres, e todas as noites ela voltava esgotada, no corpo e no espírito.

Nos poucos momentos em que ela estava em casa, o telefone tocava sem parar enquanto mulheres com filhos e maridos da divisão de Colin na França compartilhavam histórias pavorosas e boatos sobre alguns dos poucos homens que haviam retornado. Os relatos eram horrendos, com soldados abandonados na praia sem cobertura enquanto aviões nazistas atiravam. Homens nadavam quilômetros até barcos, apenas para encontrá-los bombardeados e sua salvação perdida. Eles estavam fugindo em retirada – ou, como disse o Sr. Stokes, em um banho de sangue.

No entanto, apesar de tudo, a Sra. Weatherford se agarrava à esperança com toda a força.

Apesar do comportamento forçadamente animador da outra mulher, Grace podia apenas imaginar o que a Sra. Weatherford estava enfrentando, pois ela própria não conseguia parar de pensar em seu amigo Colin em meio a um caos tão violento.

O gentil Colin, que só queria ajudar os animais, que tinha um coração tão puro. Se acontecesse de ele ter que matar alguém para se salvar, ele acabaria levando o tiro. E, se um homem precisasse de ajuda, Colin jamais o abandonaria.

A guerra não era feita para almas delicadas.

Por toda a Grã-Bretanha, os telegramas estavam sendo entregues nas casas, portando mensagens dolorosas de homens que tinham sido mortos ou capturados.

Enquanto cada vez mais soldados chegavam a Londres nos trens, nenhum telegrama foi apresentado à porta da casa na Britton Street. O silêncio era uma bênção, mas aumentava as expectativas das duas mulheres, tanto que cada estalo ou rangido da casa fazia Grace e a Sra. Weatherford se sobressaltarem.

Dois dias depois, Churchill falou sobre a enormidade da perda. Mais de 335 mil homens haviam sido salvos dos alemães, com baixas esperadas em torno dos 30 mil, incluindo os desaparecidos, mortos ou feridos. Um número alarmante para cada mãe, esposa e irmã que esperava ansiosamente por notícias de seu ente querido.

Mas a Grã-Bretanha não perdeu apenas homens. Equipamentos foram abandonados, entregues para poupar vidas. Um sacrifício digno, pensou Grace, mas ainda assim oneroso e arriscado.

Mesmo esses números sombrios, no entanto, eram recebidos sob uma perspectiva positiva pelos jornais e pelas rádios, pois os civis, com seus barcos de pesca e embarcações pessoais, ajudaram a trazer em segurança milhares de soldados pelo canal da Mancha e foram considerados heróis. Um gesto simbólico que revelava que a Grã-Bretanha jamais se renderia.

Enquanto Churchill falava, havia um poder em sua voz que fez a determinação latejar no peito de Grace e trouxe lágrimas aos olhos da Sra. Weatherford, enquanto ela assentia para as palavras do novo primeiro-ministro.

Sim, acontecera uma grande derrota, mas eles seguiriam em frente.

O espírito daquelas palavras carregou Londres de energia como se fosse um relâmpago.

Os dias continuaram a passar. Foi em uma rara tarde tranquila que a Sra. Weatherford apareceu na sala de estar onde Grace estava lendo seu último livro, *Servidão humana*, uma história incrível de um homem que crescera à mercê das piores crueldades da vida. Ele tocava em uma ferida de Grace que estava profundamente enterrada, um lugar que ela suspeitava que todos guardavam dentro de si, que permanecia frágil apesar das vitórias e lutas da vida.

Grace tirou os olhos do livro e viu a Sra. Weatherford usando as roupas velhas de Colin, agora manchadas por conta das suas muitas labutas na terra enquanto plantava a horta.

– Sabe onde estão as luvas?

– Estão no abrigo antiaéreo, com a espátula e o regador.

Elas não deveriam usar o abrigo como um galpão de jardinagem, mas colocar as ferramentas no banquinho lá dentro era bem prático, ainda mais quando o chão estava praticamente inundado pela chuva recente e não podia ser usado para mais nada naquele momento. E, com apenas as duas na casa, sobrava muito espaço para guardar algumas ferramentas lá dentro.

Na verdade, havia patrulhas aéreas de tempos em tempos, mas todas sem qualquer motivo importante. Uma aeronave amiga confundida com um avião alemão, ou algo do tipo. A maioria das pessoas nem ia mais para os abrigos. Não fazia sentido.

Grace tirou a coberta do colo, preparando-se para se juntar à mulher mais velha na horta.

– Vou trocar de roupa e ajudá-la.

– Não se incomode, meu bem. – A Sra. Weatherford fez um gesto com a mão, dispensando-a. – Você vem fazendo mais do que o necessário ultimamente, e eu só preciso arrancar umas ervas daninhas e regar um pouco.

Grace lhe deu um sorriso agradecido e colocou o cobertor de volta sobre as pernas, aninhando-se mais profundamente na parte acolchoada do sofá para retomar a leitura. No entanto, ela não foi longe na página seguinte, pois um grito horrendo veio do lado de fora. Do quintal.

Da Sra. Weatherford.

Grace disparou em meio ao emaranhado do cobertor, quase tropeçando no livro que deixara cair na pressa, e correu em direção à porta dos fundos da cozinha.

Os alemães teriam chegado?

Havia rumores de que paraquedistas haviam descido na Holanda disfarçados de freiras e policiais e atirado nos cidadãos, usando a confiança como sua maior arma. Tudo bem que o boato tinha sido contado pelo Sr. Stokes, mas Grace não iria correr o risco. Ela fez uma pausa na cozinha para pegar um facão.

A Sra. Weatherford estava a vários passos do canteiro de alfaces, com as mãos enluvadas encolhidas à frente do corpo, enquanto olhava para as plantas com pavor.

– O que aconteceu? – perguntou Grace, correndo para o lado dela, a lâmina estendida em direção à horta.

A Sra. Weatherford soltou um longo e lento suspiro, fechou os olhos e estremeceu.

– Lagartas.

– Lagartas? – repetiu Grace, incrédula.

Ela estava esperando nazistas no jardim, metralhadoras prontas para fazer o pior com os habitantes de Londres.

– Fui ver por que a alface estava murchando... – Um arrepio percorreu a Sra. Weatherford. – Vou buscar o folheto sobre pragas – disse ela em voz baixa, voltando para o abrigo, onde os informativos públicos para incentivar o cultivo das Hortas da Vitória estavam bem guardados em uma lata pintada de azul.

Com grande apreensão, Grace se deslocou devagar até a alface murcha mais próxima e levantou uma folha com a ponta da faca. Coisas grossas e marrons se contorciam e se enrolavam por entre o miolo da planta, como salsichas rechonchudas, quase explodindo de tanta comida. Uma delas, especialmente gorda, caiu da folha acima e aterrissou com um barulho na parte lisa da lâmina.

Grace arquejou horrorizada e saltou para trás, deixando cair a faca.

Que grande heroína ela era.

A Sra. Weatherford saiu do abrigo com um folheto na mão.

– Está bem aqui. Elas se chamam... – Ela apertou os olhos para ler melhor. – Lagartas-roscas. Céus, isso parece terrível.

O olhar da Sra. Weatherford disparou sobre a página. Enquanto ela lia, sua boca fazia uma expressão de nojo.

– O que foi? – Grace tentou espiar o folheto. – Como nos livramos delas?

A Sra. Weatherford fez uma cara feia.

– Precisamos cortá-las ao meio, esmagá-las ou rasgá-las.

Ambas fizeram uma careta de horror e se voltaram para a alface. A faca estava diante da planta que Grace inspecionava, sua lâmina brilhando ao sol.

– Talvez devêssemos plantar só feijão – sugeriu Grace.

– Nunca fui muito de comer alface – replicou a Sra. Weatherford. – Vou à farmácia para ver se alguém sugere alguma coisa para matar essas criaturas imundas e acabar com isso.

O farmacêutico realmente tinha algo, uma substância branca em pó que ele avisou que deveria ser lavada das folhas antes do consumo, isso se tivesse sobrado alguma coisa depois que as lagartas finalmente sucumbissem ao veneno.

Na segunda semana de junho, a Itália entrou na guerra em apoio à Alemanha, e a energia não consumida crepitando sobre Londres encontrou uma fonte para externar sua potência. Mais tarde, Grace e o Sr. Stokes estavam patrulhando as ruas escuras de Londres quando um som de passos foi ouvido do outro lado da rua, seguido por uma briga e um grito.

A adrenalina atravessou Grace e chamou sua atenção para a cena. Seus olhos procuraram na escuridão. Ela tirou a lanterna do bolso, um objeto em forma de sino que lançava uma luz suave no chão. Eles não a usavam com frequência, no entanto, pois o Sr. Stokes insistia em treinarem a visão noturna.

Infelizmente, o blecaute havia trazido à tona o pior das pessoas, apresentando muitas tentações para indivíduos mais sinistros praticarem roubos e agressões. O Sr. Stokes se colocou entre Grace e o som enquanto esperavam para ver se seriam obrigados a intervir com sua autoridade limitada e seus apitos agudos.

Durante o seu período na ARP, Grace aprendera a ler os movimentos na escuridão através das sombras sutis lançadas pela lua. Embora não fosse uma noite de lua cheia, ela conseguiu identificar dois policiais e um homem com uma mala ao lado de uma mulher.

Não era nenhum roubo, mas uma prisão.

As palavras do homem eram ditas rapidamente, não em inglês, mas no que parecia ser italiano.

– Não queremos usar a violência – declarou um dos oficiais em um tom indiferente. – Venha de uma vez.

O homem deu as costas para a mulher e se voltou para os policiais, como se planejasse ir com eles. Ela estendeu a mão para ele, soltando um soluço enfraquecido.

– O que aconteceu? – perguntou Grace.

– Não é da nossa conta – declarou o Sr. Stokes, indicando que deveriam seguir em frente.

Ela não obedeceu.

– Estão prendendo aquele homem?

– Claro que estão – respondeu o Sr. Stokes com impaciência. – Só os homens, pelo menos por enquanto. Estão levando todos os italianos imundos para fora da Inglaterra, para que eles não fiquem nos espionando para Hitler.

Um estrondo soou na rua, seguido pelo tilintar de vidro. Juntos, eles correram em direção ao som e encontraram um grupo de mais de vinte homens escalando a janela quebrada de uma cafeteria italiana, gritando insultos hostis contra seus proprietários por terem ficado do lado de Hitler.

Grace ficou congelada, em um estado de choque e atordoamento. Ela havia ido àquela cafeteria várias vezes com Viv. O proprietário e sua esposa sempre foram gentis, expressando seus próprios medos por Londres e oferecendo biscoitos extras para o chá, mesmo com o racionamento. E, naquele instante, o estabelecimento que os imigrantes tinham administrado por mais de vinte anos estava sendo saqueado.

Um homem saiu pela janela quebrada com uma cadeira nas mãos.

– Um roubo – disse ela, levando o apito aos lábios.

O Sr. Stokes colocou sua mão sobre a dela e tirou o apito de sua boca.

– Uma retaliação.

Grace fuzilou o homem com o olhar, distinguindo seus olhos brilhantes na penumbra.

– Como é que é?

– A Itália nos faltou com a lealdade – respondeu o Sr. Stokes secamente. – Não está nos apoiando.

Ela o encarou, horrorizada.

– Eles são cidadãos britânicos.

– Eles são italianos. – Ele levantou a cabeça mais alto quando outro homem saiu com um saco do que parecia ser farinha. – Provavelmente são espiões.

– São comerciantes que trabalharam duro para construir um negócio em Londres, que amam esta cidade tanto quanto nós.

A voz de Grace se elevou com veemência enquanto seus pensamentos giravam em meio à loucura do que estava acontecendo.

– Temos que acabar com isso – declarou ela.

Grace avançou, mas o Sr. Stokes pegou seu braço outra vez e, delicadamente, a puxou de volta.

– Srta. Bennett, seja sensata. Há mais do que uma dúzia de homens ali, e você é apenas uma vigilante.

Ela o olhou com lágrimas ardendo nos olhos.

– Só uma?

Ele desviou o olhar.

Outro estrondo soou da cafeteria, seguido por um brilho, e um incêndio irrompeu dentro do local.

– Parem com isso agora mesmo! – gritou ela para a escuridão.

Seu pedido foi recebido com risos e vaias.

– Cuidado para não ser vista como uma apoiadora dos nazistas – alertou-a o Sr. Stokes, em voz baixa, com prudência suficiente para fazê-la parar.

Ela cerrou os punhos enquanto lágrimas escorriam quentes pelo seu rosto, sentindo raiva da própria impotência paralisante. Então empurrou o Sr. Stokes para longe.

– Como o senhor consegue tolerar isso?

– Apaguem essa luz! – gritou o Sr. Stokes para os homens com uma voz sem emoção. – Vocês não vão querer que bombas sejam jogadas sobre nós.

Ele não a olhou novamente quando o fogo foi apagado e uma surpreendente escuridão substituiu aquelas chamas brilhantes alimentadas pelo ódio.

Depois que seu turno acabou, Grace não conseguiu dormir. Não apenas pela preocupação com Colin, de quem ainda não tinham notícias, mas por sua própria impotência.

Ela havia se juntado àquele grupo de voluntários para ajudar. Mas, naquela noite, não tinha ajudado. Por não ter sido capaz de impedir os homens de saquearem a cafeteria, ela se tornara parte do problema.

Grace tentou ler, mas descobriu que nem os livros eram capazes de aliviar o peso de sua alma.

No dia seguinte, ela estava de folga e viu que a Sra. Weatherford permanecera em casa, pois a Força Expedicionária não estava mais chegando de Dunquerque. Sua esperança começara a desaparecer diante do número de chegadas, especialmente quando percebeu como eram poucos os que tinham voltado da divisão de Colin.

Grace passou a maior parte da manhã na horta, arrancando ervas daninhas e inspecionando as plantas. Flores amarelas surgiram nos caules dos tomates, enquanto as abóboras começavam a inchar. Ela esperava que a jardinagem e o ar fresco afastassem a sua mente da realidade, mas se viu continuando a cutucar as feridas de seus pensamentos, deixando-as expostas e raivosas.

Ao completar sua tarefa, ela tirou as luvas e os tamancos antes de ir para a cozinha lavar os resíduos de terra das mãos. Estava quase terminando quando uma batida na porta soou mais alto do que o jorro da torneira. Seu sangue gelou.

Elas não esperavam visitas.

As correspondências eram empurradas através da caixa de correio na porta. Não haveria razão para alguém estar batendo, a menos que...

Grace sacudiu a água dos dedos e secou as mãos depressa. Seus ouvidos pulsavam, mas não alto o suficiente para silenciar o som dos passos hesitantes da Sra. Weatherford em direção à porta da frente. Grace atravessou a cozinha com pressa e viu quando a Sra. Weatherford recebeu algo de um entregador, em um envelope retangular alaranjado.

Um telegrama.

O ar fugiu dolorosamente dos pulmões de Grace.

Havia poucas razões pelas quais a Sra. Weatherford receberia um telegrama, e nenhuma delas era boa.

A Sra. Weatherford fechou a porta com um movimento automático, o olhar fixo no envelope alaranjado. Grace aproximou-se com cuidado, mas a mulher não notou sua presença.

Ambas esperaram um longo momento, em silêncio. Nenhuma das duas respirava, presas em um momento suspenso que poderia mudar o resto de suas existências.

Grace deveria se oferecer para lê-lo, mas havia uma parte dela que era covarde demais para ver as palavras escritas no telegrama.

A Sra. Weatherford respirou fundo e lentamente soltou o ar, fazendo o envelope chacoalhar nas mãos trêmulas. Uma sensação de culpa doeu em Grace, um sussurro comparado ao seu medo gritante, mas o suficiente para estimular sua reação. Afinal, esperar que a Sra. Weatherford enfrentasse aquela tarefa era muito cruel.

Grace se preparou para o que estava oferecendo e sussurrou:

– A senhora quer que eu abra?

A Sra. Weatherford balançou a cabeça.

– Eu deveria... – Sua voz se embargou. – Precisamos saber.

As mãos da Sra. Weatherford tremiam tanto que Grace se admirou por ela ser capaz de enfiar uma unha sob a aba e abrir o envelope. Sua respiração vinha em suspiros curtos, juntando-se à estranha cadência da respiração superficial de Grace. Antes mesmo que percebesse o que estava fazendo, Grace segurou o braço da Sra. Weatherford, agarrando-se a ele enquanto a mensagem avançava para revelar as palavras "Lamentamos profundamente informar...".

A Sra. Weatherford tomou fôlego e lentamente revelou o restante do telegrama.

A mensagem estava escrita em uma faixa branca, as letras todas maiúsculas formando palavras que mudariam suas vidas irremediavelmente.

"Lamentamos profundamente informar que seu filho, o soldado Colin Weatherford, perdeu a vida no ataque em Dunquerque..."

O envelope e o telegrama caíram da mão da Sra. Weatherford e foram rodopiando até o chão. Não importava. Grace não precisava ver mais nada.

Colin estava morto.

– Meu filho – sussurrou a Sra. Weatherford. – Meu filho. Meu filho. Meu doce e gentil menino.

Ela olhou para as próprias mãos trêmulas, agora vazias, como se não acreditasse que o telegrama estivera ali.

O nó dolorido no fundo da garganta de Grace se apertou, sufocando-a com lágrimas amargas.

A enormidade daquela perda se abriu como um abismo dentro dela. Raiva, tristeza e impotência, tudo isso tomou conta de seu ser. Colin não deveria ter morrido daquela maneira. Ele era extraordinário demais para ser apenas uma das 30 mil vidas perdidas.

Nunca mais ele traria para casa outro animal ferido para curar, nunca mais a saudaria com um rubor tímido. Aquele mundo extremamente escuro precisava de sua luz, e agora ela fora apagada para sempre.

Um lamento baixo encheu a sala quando a Sra. Weatherford caiu de joelhos, agarrando cegamente o envelope e amassando-o, como se pudesse de alguma forma impedir a terra de se abrir sob seus pés.

Por toda a Grã-Bretanha, milhares de mulheres estavam recebendo telegramas semelhantes, nos quais um punhado de palavras impressas rasgariam os lugares mais delicados de seus corações, alterando para sempre as suas vidas com uma perda irreparável.

Agora, mais do que nunca, Grace se viu desejando ter notícias de Viv e George, saber que estavam seguros diante de tanta incerteza e dor.

Grace era a única que se movia pela casa na manhã seguinte enquanto a Sra. Weatherford permanecia na cama. A xícara de chá recém-lavada da mulher mais velha estava ausente do escorredor, onde normalmente Grace a encontrava quando acordava. Depois que uma tentativa de levar o chá da Sra. Weatherford não obteve resposta, Grace deixou uma pequena bandeja à sua porta, na esperança de que lhe trouxesse algum conforto.

Talvez Grace devesse ter telefonado para o Sr. Evans e pedido licença do trabalho naquele dia, mas ela não queria ficar presa na casa sob a carga dos próprios pensamentos e da tristeza. Eles tinham sido uma péssima companhia durante a noite, ardendo em seu peito como o fogo na cafeteria italiana e oprimindo-o com o peso esmagador da morte de Colin.

Ela queria que seu dia fosse preenchido com encomendas de novos livros e conversas com os clientes da Livraria Primrose Hill. O dia já estava quente, o ar seco batendo contra seus olhos, que ainda pareciam avermelhados e inchados, apesar de um toque extra de rímel e um pouco mais de pó facial.

O Sr. Evans, curvado sobre o livro-caixa, olhou para cima quando ela entrou e imediatamente se endireitou.

– O que aconteceu? – indagou ele.

– Um telegrama.

E foi tudo o que Grace conseguiu dizer.

A boca do Sr. Evans se contraiu em uma linha dura.

– Colin?

Ela assentiu.

Os olhos do Sr. Evans se fecharam atrás dos óculos e permaneceram assim por um longo tempo antes que ele piscasse para abri-los.

– Ele era bom demais para essa guerra maldita – declarou.

A garganta de Grace se apertou com a dor familiar do luto.

– Vá para casa, Srta. Bennett. – A ponta de seu nariz tinha ficado rosada. – Não vou descontar o seu salário desta semana.

Ela balançou a cabeça com veemência.

– Eu gostaria de trabalhar. Por favor.

Até ela mesma podia ouvir o tremor desesperado em sua voz.

Ele a estudou por um longo instante e finalmente assentiu.

– Mas, se quiser ir, é só falar – insistiu ele.

Ela meneou a cabeça, grata pela chance de ter um alívio de seu pesar.

Como Grace descobriu, nada poderia fazê-la superar aquela tristeza. Ela a seguia como uma sombra, esgueirando-se por suas costas e rastejando através de seus pensamentos a cada momento em que sua mente não estava ocupada. Ela se lembrava de Colin, com suas mãos grandes e delicadas, embalando uma criatura ferida, lembrava-se das janelas estilhaçadas da cafeteria italiana explodindo no ar úmido da noite. Lembrava-se de novo e de novo de como ela não conseguira evitar nada daquilo, de como era total e irremediavelmente inútil.

Estava na pequena sala dos fundos, cedendo a uma vontade enorme de chorar, quando o Sr. Evans entrou. Ele parou abruptamente e a fitou, os olhos arregalados de incerteza. Grace virou o rosto, querendo que ele fosse embora, como havia feito no outro dia com a mãe que estava soluçando.

Em vez disso, seus passos se aproximaram e um lenço apareceu na frente dela. Ela aceitou, já tendo encharcado o que trouxera, e enxugou os olhos.

– Me desculpe.

– Não se desculpe pelos seus sentimentos. – Ele se inclinou contra uma pilha de livros mais perto dela. – Nunca se desculpe pelo que sente. Você quer... – ele abriu as mãos em um gesto hesitante – falar sobre isso?

Ela o estudou para avaliar sua sinceridade. Ele a observava sem piscar, a expressão grave. Estava falando sério.

Ela quase recusou. Afinal, nenhum desabafo poderia trazer Colin de volta. Na verdade, ela nem sabia se o aperto em torno de sua garganta poderia relaxar o suficiente para que expressasse tamanha agonia.

Então ela se lembrou da cafeteria italiana, de seu silêncio, e a culpa a açoitou como ferro quente em suas entranhas.

– O senhor já fez algo de que se envergonha?

As sobrancelhas fartas se ergueram, sugerindo que, de tudo o que ela poderia dizer, ele não esperava por isso.

– Já – respondeu ele, depois de um momento de reflexão. – Acho que a maioria das pessoas já fez. – Ele cruzou os braços sobre o peito. – Se isso se refere a Colin, sei que a teria perdoado. Ele era esse tipo de homem.

Aquela dor no fundo da garganta de Grace a incomodou de novo. Ela engoliu em seco e balançou a cabeça. Antes que pudesse se conter, Grace contou a ele sobre a noite da cafeteria italiana, os detalhes rasgando sua consciência e deixando-a em carne viva.

Ele permaneceu encostado na pilha de livros enquanto ela falava, os braços cruzados de maneira mais relaxada. Quando ela terminou, ele lentamente se empertigou, pegou uma grande caixa de livros que estava sobre a mesa e se sentou sobre ela para se colocar quase no mesmo nível de Grace.

Seus olhos eram claros e perspicazes, mais fixos nela do que nunca.

– Tem uma guerra acontecendo, Srta. Bennett. Você é apenas uma pessoa, então às vezes isso significa que uma cafeteria é saqueada, sim, mas que ela não pegou fogo. Você não pode salvar o mundo, mas continue tentando de qualquer maneira que puder, por menor que seja.

Sua boca se ergueu nos cantos em um quase sorriso envergonhado.

– Tal como um velho colecionando livros avariados e chamuscados para manter suas vozes vivas. – Ele colocou sua mão manchada pela idade sobre a dela, e seu calor foi reconfortante. – Ou encontrando uma história para ajudar uma jovem mãe a se esquecer da dor. – Ele tirou a mão e se endireitou. – Não importa como você lute, mas que nunca, nunca pare de lutar.

Grace assentiu.

– Não vou parar. – A determinação dentro dela enviou calafrios por toda a pele. – Nunca.

– Esta é a jovem que eu conheço. – Ele se levantou da caixa. – Por falar nisso, estou vencendo minha própria batalha com uma estratégia que peguei emprestada de você. Quer ver?

Curiosa, Grace enxugou os olhos para remover qualquer maquiagem que pudesse ter borrado e seguiu o Sr. Evans para fora da salinha.

– Você já deve ter visto – disse ele, indicando a mesinha com o livro *Pigeon Pie* no canto de trás.

Na verdade, ela tinha evitado a mesinha com o seu fracasso até aquele momento. Mas o que viu a deixou atordoada.

O que antes continha uma pilha arrumada de cem livros agora tinha apenas um punhado. A cartolina apoiada no centro da mesa proclamava: "Escrito enquanto Chamberlain ainda era primeiro-ministro."

O Sr. Evans sorriu para ela.

– Estão vendendo feito pão quente desde então.

Grace riu, apesar da tristeza.

– Isso foi genial de sua parte.

As bochechas do Sr. Evans ficaram vermelhas sob os óculos, enquanto ele inclinava a cabeça humildemente.

– Fiquei bastante orgulhoso disso. Mas a ideia foi sua. Eu só adicionei meu toque enfadonho.

Com o passar do tempo, eles venderam o restante do estoque do malfadado *Pigeon Pie*, e o conselho do Sr. Evans tornou-se ainda mais eloquente.

Pois as semanas seguintes trouxeram a queda da França. E, depois, tudo que mais temiam: o bombardeio da Grã-Bretanha.

12

Os bombardeiros alemães desceram primeiro sobre Cardiff e Plymouth, mirando nas docas e provocando batalhas aéreas com a RAF. Londres ainda não havia sido atingida, mas a expectativa de que isso pudesse acontecer dominava a mente de todos.

As transmissões da BBC eram ouvidas atentamente e ficavam presas em todas as bocas, com as pessoas repetindo o que ouviam para analisar o potencial de seu próprio bombardeio.

Embora Grace não soubesse onde George estava, tinha noção de que ser um piloto de caça o colocaria diretamente no meio do perigo.

Ela havia recebido outra carta dele, igualmente cortada pela censura como a anterior, deixando apenas metade da mensagem visível, mas o suficiente para ela ter certeza de que ele estava bem. As cartas de Viv só tinham um ou outro trecho coberto com um marcador preto, mas era fácil perceber que, independentemente de onde ela se encontrava, pelo menos parecia estar segura.

A pessoa com quem mais se preocupava, no entanto, era a Sra. Weatherford. Durante todo o tempo em que Grace a conhecia, ela tinha se mostrado sempre ativa, pronta para impelir o mundo inteiro a entrar em ação com sua energia incomensurável. Não havia uma solução que ela não encontrasse, um problema que não conseguisse resolver.

Naquele momento, porém, ela se arrastava pela casa com olhos vazios. Não era mais aquela pessoa brilhante e alegre, com conselhos para todos – solicitados ou não. Ela era uma sombra de si mesma, com os cabelos grisalhos caindo ao redor do rosto pálido. Sem vida.

A Sra. Weatherford não frequentava mais o SVF nem limpava meticulosamente a casa. Grace nunca pensou que veria o dia em que o hall de entrada perderia o cheiro residual de ácido carbólico. E, quando a Sra. Weatherford descobriu que o chá e a margarina haviam sido adicionados aos itens racionados, ela não exultou de alegria por seu tesouro acumulado; apenas respondeu com um aceno resignado.

O resto de Londres, no entanto, zumbia com energia na expectativa de uma guerra que, ao que tudo indicava, de fato atingiria o seu solo. Parecia estranho esperar por ação, mesmo depois de Dunquerque, mas a "guerra enfadonha" era como um relógio que acabara de receber corda mas não tinha ponteiros.

Agora, algo finalmente iria acontecer.

Era um sábado ensolarado quando Grace enfim decidiu remover o expositor de livros infantis da frente da livraria. Com tantos pequeninos transferidos mais uma vez para o interior, o ponto mais privilegiado da vitrine seria mais bem aproveitado com leituras atrativas para os adultos que permaneceram na cidade. Depois que saiu da loja naquela tarde, no entanto, ela não voltou para casa de imediato.

Em vez disso, foi se aquecer sob o sol brilhante e desfrutar de uma mesa do lado de fora de uma cafeteria, onde pediu um chá com bolo. Os restaurantes seguiam racionamentos diferentes dos impostos aos cidadãos da Grã-Bretanha e tinham permissão para adquirir um pouco mais dos produtos, o que significava que o chá era mais saboroso e doce, assim como o bolo, cujo sabor quase mascarava a margarina. Quase.

No entanto, a iniciativa não lhe proporcionou a alegria que ela esperava. Em vez disso, fez com que sentisse saudade de ter Viv na cadeira em frente, rindo e compartilhando as últimas fofocas da Harrods. E a fez sofrer pela Sra. Weatherford, que não conseguia aproveitar uma tarde tão bonita, sem falar nos outros prazeres da vida.

E como ela poderia, quando Colin estava morto?

Determinada a não cair na tristeza em um dia tão agradável, Grace foi parar em King Square Gardens. Os ambulantes estavam posicionados com seus carrinhos, todos eles pintados em cores fortes para atrair clientes; e os frequentadores do parque descansavam em banquinhos e cadeiras de lona ao lado da grama verde-esmeralda.

Por todo o parque havia trechos cultivados como parte da campanha da Horta da Vitória, trepadeiras de ervilhas-de-cheiro substituindo os jasmins, repolhos onde antes as rosas floresciam.

Grace se acomodou em uma cadeira de jardim disponível, o tecido grosso aquecido pelo sol, e inclinou a cabeça para trás com satisfação. O ar tinha um cheiro doce de grama misturado com o tempero da linguiça de um vendedor próximo; o arrastar de passos e as conversas leves se embaralhavam ao fundo, em uma atmosfera relaxante.

De repente, o silêncio pacífico foi interrompido pelo lamento irritante da sirene de ataque aéreo.

Ela permaneceu onde estava, conformada e pronta para suportar aquele som estridente, tão comum quanto sacos de areia naquele momento.

No início da guerra, a sirene fazia seu coração quase sair pela boca. Agora, era apenas um incômodo.

Várias pessoas se levantaram de suas cadeiras a contragosto para procurar abrigo, embora fossem de fato a minoria. A maioria permaneceu onde estava, deleitando-se ao sol.

Depois de tantos ataques aéreos falsos, o aviso se tornara o menino gritando que havia um lobo.

O som parou depois de algum tempo, deixando um zumbido preguiçoso em segundo plano na consciência de Grace, como uma abelha bêbada de tanto néctar balançando no ar. Exceto que o zumbido parecia ficar mais alto, mais insistente.

Ela espiou com um olho aberto, franzindo o rosto para o céu e suas nuvens de algodão branco.

– O que é aquilo? – perguntou alguém ao lado dela, esticando o pescoço para olhar para o céu.

Grace piscou contra o brilho do sol. Pontos pretos salpicavam o azul do céu. Um baque ecoou ao longe, seguido por vários outros, enquanto nuvens negras de fumaça subiam em algum lugar da cidade.

Grace levou um minuto atordoado para perceber que aqueles pontos eram aviões. E que eles estavam jogando bombas no que parecia ser o East End.

Ela sentiu o sangue congelar, apesar do calor do dia, fazendo sua pele formigar e os pelos dos braços se arrepiarem.

Londres estava sendo bombardeada.

Ela se levantou devagar da cadeira, seus movimentos lentos como se estivesse na água. Deveria ter corrido, encorajado outras pessoas a irem para um abrigo próximo, anotado seus nomes para garantir que fossem identificadas e depois notificar o vigilante da ARP de sua área. Alguma coisa.

Qualquer coisa.

Afinal, ela havia treinado nos últimos meses exatamente para aquele momento.

Mas permanecia enraizada no chão enquanto as bombas continuavam a cair. Sem parar.

Uma mão apertou seu ombro.

– Você deveria ir para o abrigo, senhorita.

Grace assentiu, sem se incomodar em olhar para o homem que falara. Como poderia, quando aquela cena horrível mantinha seu olhar hipnotizado pelos aviões bombardeiros?

Uma mulher gritou por perto, um grito feio e tomado pelo medo. Foi então que Grace sentiu as pernas. Mas ela não correu para o abrigo. Não quando a Sra. Weatherford estava em casa, provavelmente ignorando o aviso, como todos ali tinham feito.

O homem, um vigilante como ela, que por ter problemas de locomoção não havia sido recrutado, já estava direcionando as pessoas para o abrigo mais próximo. Ele se virou para Grace, os olhos arregalados, o rosto pálido, e indicou que deveria segui-lo. Ela balançou a cabeça.

– Estarei em casa em poucos minutos – disse ela. – Temos um abrigo lá.

O olhar dele deslizou para o enxame de aviões ainda desencadeando um ataque impiedoso no East End e se desviou, em uma concordância silenciosa. Ela não perdeu tempo enquanto fazia a curta viagem de volta à Britton Street.

Quando chegou, o céu havia mudado de cinza e preto para um vermelho alaranjado e furioso, como se aquela parte de Londres tivesse se transformado em um inferno turbulento. Grace empurrou a porta da casa, chamando pela Sra. Weatherford.

Ela passou por cima de um monte de correspondências no chão, sem se preocupar em pegá-las e adicioná-las à pilha crescente sobre a mesa, como fazia normalmente.

Os pés da mulher mais velha estavam visíveis logo além da parede da sala de estar, onde ela deveria estar sentada em sua poltrona.

– Londres está sendo bombardeada. – Grace tentou não revelar o medo em sua voz ao se aproximar da amiga de sua mãe. – Precisamos ir para o abrigo imediatamente.

Mas a Sra. Weatherford se recusou, preferindo ficar onde estava, o olhar distante por causa do luto. Depois de várias tentativas fracassadas de levá-la para a segurança, Grace a deixou na sala e parou nos degraus da frente da casa, observando os aviões alemães. Se eles se aproximassem, ela se certificaria de que a Sra. Weatherford se abrigasse, mesmo que tivesse que arrastá-la.

Os aviões não chegaram perto. Depois de algum tempo, os moradores da Britton Street se juntaram a ela nos degraus da frente das próprias casas, todos assistindo em silêncio enquanto aeronaves alemãs continuavam seu ataque implacável e o céu se enchia de chamas.

Durante todo esse tempo, Grace não conseguia parar de pensar nas pessoas. Os moradores do East End teriam ignorado os abrigos, como tantos haviam feito no resto de Londres? Será que os abrigos os protegeriam diante de tal ataque?

Quantos morreriam?

Ela estremeceu só de pensar no número de mortos.

Finalmente, soou a sirene que avisava que estava tudo liberado. Grace virou-se para entrar na casa mais uma vez e encontrou a Sra. Nesbitt rigidamente de pé nas escadas ao lado. Ela ergueu uma sobrancelha para Grace.

– Bem, é isso, eu suponho – disse ela.

Grace não respondeu e entrou na casa. Encontrou a Sra. Weatherford na poltrona, exatamente onde a tinha deixado.

Naquela noite, ela não estava escalada para realizar seu trabalho na ARP, pois só o fazia três vezes por semana. Mas, antes que pudesse se preparar para dormir, o gemido da sirene de ataque aéreo ecoou outra vez.

Um pico de adrenalina atravessou Grace e, desta vez, ela não aceitou o não da Sra. Weatherford como resposta. Depois de abrir as janelas, fechar o gás e encher a banheira, Grace forçou a Sra. Weatherford a descer até o abrigo no quintal. Elas tropeçaram na escuridão, derrubando vasos e ferramentas de jardinagem pelo caminho.

O abrigo cheirava a metal e terra molhados e desuso. Era mais um galpão do que um local para permanecer por qualquer período. O chamado da sirene foi interrompido e o silêncio preencheu o vazio em seu lugar. Era um tipo de quietude ansiosa, que prometia mais do que Londres havia recebido mais cedo naquele dia. Cada músculo do corpo de Grace permanecia tenso, e sua pele parecia ter ficado muito esticada de repente.

Ela riscou um fósforo e acendeu a vela que trouxera junto com as máscaras de gás. A chama era pequena, mas iluminou o interior apertado do abrigo como uma lâmpada elétrica. À distância, elas ouviam o zumbido familiar da sirene, seu tom sinistro de uma só nota amplificado pela armação de metal, fazendo com que praticamente retumbasse no peito de Grace.

Novamente vieram as pancadas, que significavam mais bombas. Era difícil não se sobressaltar a cada estampido distante.

– Acha que esses foram os últimos sons que Colin ouviu? – A Sra. Weatherford pensou alto, seu olhar fixo na chama bruxuleante da vela. – Acha que ele estava com medo?

– Eu acho que ele foi corajoso – respondeu Grace, com confiança. – Conhecendo Colin, ele provavelmente estava tentando salvar alguém.

– Sem dúvida. – A Sra. Weatherford assentiu, e lágrimas brilharam em seus olhos. – Fui eu quem o matou, tanto quanto os alemães. – Ela fungou. – Eu o deixei crescer e se tornar muito gentil, muito doce. Nunca deveria ter permitido que ele fosse tão... tão sensível.

Grace sentou-se em um ponto onde era possível apoiar-se na parede metálica ondulada.

– A senhora o estaria forçando a ser alguém que ele não era – disse ela.

– Sim – retrucou a Sra. Weatherford. – Mas ele estaria vivo.

– Mas então ele não seria o homem que nós tanto amamos.

– Eu sei. – A Sra. Weatherford colocou o rosto nas mãos e começou a chorar baixinho. – Eu sei.

– A senhora fez o certo por ele. – Grace foi para o outro banco e, delicadamente, acariciou os ombros da mulher mais velha enquanto ela lamentava a perda de um homem bom demais para morrer tão jovem. – A senhora o deixou ser quem ele queria ser, e o apoiou, e o amou. Ele não iria querer nada diferente disso.

Grace fez uma pausa, ciente de que suas próximas palavras iriam doer e de que elas precisavam ser ditas assim mesmo.

– E sabe que ele odiaria vê-la assim.

A Sra. Weatherford baixou a cabeça.

Elas não falaram mais nada pelo resto da noite. Depois de um tempo, Grace voltou para o banco oposto e, de alguma forma, conseguiu adormecer, apesar do bombardeio distante, com a cabeça inclinada em um ângulo estranho e as nádegas dormentes formigando contra o banco duro. A sirene indicando que estava tudo liberado a acordou de manhã cedo, quase a fazendo cair do assento estreito.

– Eles não chegaram perto. – A Sra. Weatherford levantou-se rigidamente, pressionando a lombar com a mão. – Vou colocar a chaleira no fogo.

Ela recolheu o castiçal com a poça de cera, o pavio enegrecido e gasto, e saiu mancando do abrigo. Grace entrou em casa também, mas não se importou com o chá.

Seu corpo doía por causa da posição estranha em que dormira e seus olhos estavam pesados de exaustão. Ela nunca se sentira tão grata por ter um dia de folga da livraria.

Acordou mais tarde, sentindo um cheiro familiar de alcatrão. O cheiro do ácido carbólico ficou mais forte quando ela abriu a porta do quarto e desceu por degraus que cintilavam. A Sra. Weatherford a cumprimentou na base da escada com um sorriso triste e pesaroso. Ela usava um vestido escuro e nenhuma joia ou batom, mas seus cabelos grisalhos tinham sido presos em um coque arrumado.

– Obrigada pelo que você disse ontem à noite. – A Sra. Weatherford, constrangida, tocou os cabelos com a mão. – Estava certa sobre Colin não querer que eu ficasse daquele jeito. Eu consigo fazer isso. – Ela engoliu em seco. – Por ele.

Grace abraçou a Sra. Weatherford, segurando-a com força, e disse:

– Nós duas conseguimos.

A Sra. Weatherford meneou a cabeça contra seu ombro. Elas passaram o resto do dia limpando a casa e trabalhando na horta, agora repleta de ervilhas, pepinos, tomate e pimentões.

Enquanto isso, uma nuvem pesada estacionava sobre o East End, como uma mortalha para os muitos que haviam morrido.

No meio do dia veio outro ataque aéreo, que durou quase três horas. Só que, dessa vez, o barulho dos aviões foi acompanhado pelo estrondo dos canhões antiaéreos.

Os rumores pelo bairro eram mais barulhentos que os motores distantes dos bombardeiros. Diziam que centenas haviam morrido no ataque ao East End. Muitos ficaram desabrigados, e os incêndios da noite anterior ainda estavam fora de controle.

Grace escutava atentamente cada notícia, juntando-as em sua mente como uma colcha de retalhos macabra para tentar formar uma história completa. Por mais coisas que ela ouvisse, por mais vezes que a mesma notícia fosse contada, ela sempre ansiava por mais. E não estava sozinha em seu desespero por informações. Todos os rádios de Londres estavam sintonizados nos noticiários, e as prateleiras dos jornais nas bancas logo ficavam vazias.

Naquele dia, Grace estava escalada para o turno da noite na ARP com o Sr. Stokes, das sete e meia às oito horas da manhã seguinte. Embora fossem apenas três dias por semana e o Sr. Evans permitisse que ela chegasse mais tarde nos dias seguintes, Grace ficava bastante cansada.

No entanto, ela estava mais do que exausta, sua mente tão enevoada quanto sua visão. Independentemente disso, ela fazia questão de estar alerta em seu posto. Dentre todas as noites observando as luzes visíveis, aquela seria uma das mais importantes, depois do que acontecera com o East End.

– Ainda está queimando – comentou o Sr. Stokes baixinho, apertando os olhos à distância, onde um brilho vermelho sutil cintilava. – Tenho um colega que trabalha para o CBA ali perto; ele disse que a cena era como algo saído do inferno.

O Corpo de Bombeiros Auxiliar tinha pela frente a tarefa hercúlea de apagar aquele incêndio.

Grace seguiu o olhar do colega.

– Não consigo nem imaginar o tamanho da dificuldade.

– Terrível – disse o Sr. Stokes. – Harry disse que centenas de pessoas morreram, algumas atingidas com tanta força pelas bombas que suas roupas foram arrancadas do corpo.

Grace parou de andar, incapaz de sequer visualizar algo tão horrível.

– Pedaços de corpos estavam por toda a rua. – O Sr. Stokes estendeu a mão pelo ar. – Eles tiveram que parar para tirar pedaços sangrentos das ruas, para que pudessem passar.

O Sr. Stokes sempre fora de amplificar os detalhes mais violentos. Só que, nesse caso em particular, ela não achava que ele estava exagerando. E, embora não costumasse reclamar, aquele interesse sensacionalista pelo horror estava deixando seus nervos abalados.

Sem perceber o silêncio dela, ele prosseguiu:

– Um abrigo foi bombardeado também. Na Columbia Road. Uma bomba caiu direto no poço de ventilação e... – Ele afastou as mãos lentamente e imitou o estrondo de uma explosão. – Famílias inteiras foram mortas de uma só vez.

– Sr. Stokes – disse ela, bruscamente. – Como um veterano como o senhor pode falar de maneira tão natural sobre os mortos depois das coisas que, sem dúvida, já presenciou?

Ele franziu a testa e balançou a cabeça.

– Eu não sou veterano. Não me aceitaram na Grande Guerra. – Ele deu de ombros, o bigode estremecendo. – Disseram que eu tinha um coração fraco.

Um coração fraco.

Se eles se dessem ao trabalho de olhar mais a fundo, Grace tinha certeza de que descobririam que ele não tinha coração nenhum.

Um lamento agudo cortou o ar de repente, o som anunciando mais uma série de bombardeios. Um terror absoluto tomou conta de Grace. No ataque da noite anterior, ela estava em segurança, escondida no abrigo. Mas os vigilantes não se trancavam em abrigos quando havia pessoas para proteger.

Não, eles patrulhavam seus setores à espreita de bombas e danos, de maneira a permitir que administrassem os primeiros socorros aos sobreviventes. E ajudassem a localizar aqueles que não sobreviveram.

Ela estaria exposta ali, na rua, sem sequer a cobertura da fina folha de alumínio ondulado do abrigo antiaéreo do quintal.

Vulnerável.

– Ora, não me diga que está com medo – disse o Sr. Stokes, colocando a mão no ombro de Grace.

Ela lhe lançou um olhar duro, mas que não fez efeito para repreendê-lo. Em vez disso, ele riu e balançou a cabeça.

– É por isso que as mulheres não deveriam ser autorizadas a se voluntariar para um trabalho claramente destinado a homens.

Ela ficou rígida com aquela ofensa, com uma resposta afiada na ponta da língua, mas ele já havia se desviado em direção ao fluxo de moradores que saíam de suas casas. Em seguida, fez sinais com o braço, como se estivesse dirigindo o trânsito, pastoreando as massas assustadas do bairro de Islington em direção ao abrigo designado.

Ela cerrou os dentes e se lembrou do treinamento. Sabia o que dizer. O que fazer. Não precisava permitir que os alemães levassem a melhor sobre ela.

A sirene foi interrompida e vozes encheram o ar, fazendo milhões de perguntas, todas ao mesmo tempo. Para onde deveriam ir? Quanto tempo duraria o ataque? Seria tão longo quanto na noite anterior?

Eles seriam bombardeados?

Perguntas que nem Grace nem o Sr. Stokes podiam responder.

Mas havia algo em seus rostos preocupados e na forma como suas vozes tremiam de pânico. Grace se lembrou da razão de estar lá: para ajudar o povo em seu momento de necessidade. Para ser um exemplo de calma quando todos estivessem com medo.

Logo, suas instruções em tom controlado se juntaram às do Sr. Stokes, liderando com uma orientação bem treinada e oferecendo suporte. Ela os guiou para o abrigo, um número muito maior de indivíduos do que durante qualquer um dos ataques aéreos anteriores. À medida que as pessoas entravam no abrigo de tijolos forrado com sacos de areia, Grace anotava seus nomes, reconhecendo todos eles da lista noturna de casas nomeadas pelo Sr. Stokes todas as noites. Em seguida, fez a correspondência entre os endereços e os rostos. Fazia sentido para ela agora, sabendo quem morava onde e por que estava no abrigo. O barulho dos aviões atiçou sua consciência, fazendo cócegas no interior de suas orelhas e provocando um calafrio na espinha.

Eles estavam mais barulhentos do que antes.

E cada vez mais próximos.

O Sr. Stokes olhou bruscamente para trás e bateu a porta do abrigo para fechá-la. Grace olhou na mesma direção, procurando no escuro alguma coisa, qualquer coisa, que lhe permitisse avaliar onde estavam os aviões alemães.

Fachos de luz cortavam a escuridão do céu noturno enquanto os canhões antiaéreos procuravam seus alvos. Quando Grace tinha visto os aviões no parque, eles eram apenas pontos distantes. Agora, pareciam muito maiores. Mais próximos. Como um enorme pássaro preto preso no centro de um raio de luz.

Um avião alemão.

Não acima deles, mas perto o suficiente para fazer os pelos de sua nuca se arrepiarem.

Sem um momento de hesitação, uma arma antiaérea entrou em ação, seus tiros de barítono retumbando nos ossos de Grace.

Um objeto escuro e oblongo escorregou do fundo do avião e rumou para baixo. Uma bomba.

Ela e o Sr. Stokes olhavam hipnotizados enquanto o metal deslizava em direção ao seu alvo, um assobio se formando ao redor dele, seguido por uma fração de segundo de silêncio, tão rápido que mal deu tempo para piscar. Em seguida, um clarão. Uma explosão de estremecer a alma, que sacudiu o chão onde estavam. Uma nuvem de fumaça, cintilando com chamas.

E, com isso, a casa de alguém poderia estar destruída. Uma família poderia ter sido morta.

A realidade de uma loucura dessas estar acontecendo em seu bairro, com pessoas que ela provavelmente conhecia, era como uma adaga no peito de Grace. Mas ela não podia ficar paralisada diante de algo tão terrível. Não quando tinha um trabalho a fazer.

De onde eles estavam, era difícil dizer se a bomba atingira o seu setor. A adrenalina disparava pelas veias de Grace. Ela correu pela rua vazia, iluminada pelo brilho de um incêndio próximo, bem como pelas chamas reavivadas do East End, que claramente fora atingido de novo.

Enquanto percorria os quarteirões que lhes haviam sido designados para monitorar, os sons da guerra aumentavam. Só que, dessa vez, o barulho dos aviões era abafado pelo assobio de bombas caindo e os estrondos sísmicos de seu impacto. Tudo isso aliado ao constante disparo dos canhões antiaéreos, bem como dos aviões da RAF em batalha aérea com a Alemanha. Quando uma calmaria se apresentava, o toque dos sinos de um veículo do CBA podia ser ouvido a caminho de um dos muitos incêndios que assolavam Londres.

A respiração de Grace doía em seus pulmões enquanto ela corria, suas pernas se movendo com tanta força que pareciam querer se separar de seu corpo e continuar sem ela. Seus pés esmagavam os milhões de cacos de vidro que cobriam a rua, brilhando como rubis na luz vermelha da cidade incendiada. Todas as janelas das casas do lado esquerdo da rua tinham explodido, suas cortinas rasgadas penduradas para fora como cabelos negros despenteados, e todas as portas estavam deslocadas de suas dobradiças.

As fitas de papel, aplicadas com tanto cuidado em cada uma daquelas casas, claramente não tinham ajudado em nada.

– Srta. Bennett, vá mais devagar – pediu o Sr. Stokes, bufando ao seu lado. – Lembre-se do meu coração.

Mas Grace não desacelerou. Pessoas que poderiam estar morrendo não dariam a mínima para o coração dele, pensou. Ela virou a esquina e parou de repente, quase derrapando.

Ali, bem à sua frente, havia uma enorme lacuna na fileira de casas geminadas, iluminadas pelas chamas. Em seu lugar, uma pilha fumegante de escombros onde era a casa de alguém.

O setor deles havia sido bombardeado, e naquele instante começava realmente o trabalho de Grace como vigilante da ARP.

13

Grace parou diante da casa bombardeada na Clerkenwell Road, os músculos de suas pernas tremendo de tanto esforço. O endereço não estava mais visível nos escombros que um dia foram uma casa, mas ela conseguiu distinguir o número nos dois imóveis de cada lado para identificar a casa desaparecida. Aqueles números correspondiam a nomes em sua mente, repetidos pelo Sr. Stokes três vezes por semana em vários intervalos a cada vigília.

Eram o Sr. e a Sra. Hews, um casal de idosos que morava naquela casa desde o casamento, quase cinquenta anos antes. O Sr. Stokes muitas vezes mencionara o gosto da Sra. Hews por chocolate e como ela sempre andava com um a tiracolo apenas para dar a ele quando era menino.

Os passos do Sr. Stokes diminuíram quando ele apareceu ao lado de Grace.

– A Sra. Hews – sussurrou ele, sua expressão dura enquanto observava as ruínas.

– Eles estavam no abrigo. – Grace recordou os nomes da lista que montara quando as pessoas passaram pela porta. – Sr. Stokes, eles estão salvos.

– Bom. – Ele assentiu. – Bom. Isso é bom.

Eles começaram a trabalhar, apagando as pequenas chamas que piscavam nos escombros usando as suas bombas d'água portáteis e dando continuidade à sua vigília no resto do setor. Mais bombas caíram enquanto a noite seguia, embora nenhuma estivesse em sua área de patrulha. A maior parte da noite foi passada varrendo o vidro caído nas ruas circundantes, onde todas as janelas haviam explodido, e, em algum momento, afugentando saqueadores da propriedade dos Hews.

O Sr. Stokes esperou pelo Sr. e a Sra. Hews quando soou a sirene anunciando que o perigo havia passado, pensando que era melhor que fosse ele a lhes dar as notícias sombrias. A dor do casal foi difícil de testemunhar. Afinal, o orgulho de uma mulher era o seu lar, e a Sra. Hews dedicara toda uma vida trabalhando na bela casa, onde repolhos-roxos cresciam em floreiras que antes continham petúnias.

Mas, no final, mais gente além de Grace e o Sr. Stokes havia permanecido para analisar o entulho empoeirado e verificar se alguma coisa era aproveitável. Os habitantes de toda aquela fileira de casas geminadas ajudaram, assim como os vizinhos de outras ruas. Eles ignoraram suas próprias janelas quebradas e portas estouradas para auxiliar aqueles cujo sofrimento era muito maior. Uma comunidade unida pela perda.

Os amigos mais íntimos levaram a escassa pilha de posses para guardar, enquanto Grace conduzia o casal atordoado para o centro de acolhimento local, onde marido e mulher ficariam abrigados até que um novo lar pudesse ser encontrado. Depois que o turno de Grace terminou, ela voltou para a Britton Street em um estado tão fatigado que seus pés mal funcionavam, tropeçando desajeitadamente um no outro. Caiu na cama com as roupas sujas e dormiu no lugar em que desabou até a hora de acordar para seu expediente na livraria.

Um banho fez milagres por ela e, quando entrou na Livraria Primrose Hill, Grace já não se sentia tão exausta como quando voltara para casa. O Sr. Evans, no entanto, franziu a testa quando ela entrou na loja.

– Você dormiu o suficiente?

Ele colocou o lápis sobre o livro-caixa, de maneira que ficasse parado bem na costura.

– Será que alguém dormiu? – respondeu ela, com um sorriso.

Ele cruzou os braços sobre o pulôver marrom, que ficava folgado à medida que o racionamento ia diminuindo seu porte robusto.

– Ouvi dizer que a casa dos Hews foi bombardeada na Clerkenwell Street. Você estava lá?

– Só cheguei depois.

Havia algo na seriedade de seu tom quando ele perguntou isso que a fez se sentir como uma criança prestes a ser repreendida.

– Você poderia estar lá quando aconteceu. – Os tufos brancos de suas sobrancelhas se uniram. – O que teria feito se estivesse perto da bomba quando ela caiu?

Grace hesitou. Ela não tinha pensado nisso, na verdade. Afinal, os alemães aparentavam ter o East End como alvo. E as chances de ela ser atingida por uma bomba pareciam remotas demais para se preocupar.

– Eu não gosto disso, Srta. Bennett. – O rosto dele ficou corado. – Acho que deveria renunciar ao seu cargo na ARP.

Um cliente entrou na loja, fazendo o sino tocar. Grace olhou por cima do ombro e reconheceu que a mulher era uma cliente regular, que raramente necessitava de assistência.

– A ARP precisa de mim agora mais do que nunca – respondeu Grace em voz baixa.

– A livraria também.

O Sr. Evans agarrou o livro-caixa, fazendo o lápis voar do interior, e caminhou em direção aos fundos da loja sem dizer mais nada.

A desesperança inundou Grace, exacerbada pelo nevoeiro de cansaço que nublava sua mente. O Sr. Evans estava claramente preocupado que ela sacrificasse seu foco na loja em favor de seus esforços na ARP.

Ela estava determinada a provar que ele estava errado.

Quando chegou a hora de fechar a livraria, ela havia criado vários slogans, com alguns já cuidadosamente impressos em cartolina. *"Dê vida ao seu abrigo com um novo livro"* e *"Deixe que um livro lhe faça companhia durante os ataques aéreos"*. Não eram o ideal, mas eram um começo.

Mesmo assim, o Sr. Evans mal tinha dito mais de duas palavras para ela, oferecendo apenas um grunhido diante dos novos cartazes.

No entanto, ela teve pouco tempo para se preocupar com aquele comportamento, pois, quando foi para casa, caiu em um sono profundo. Um sono que foi rudemente interrompido por volta das oito da noite por outra sirene de ataque aéreo. Ela se arrastou para o abrigo junto com a Sra. Weatherford, onde o sono de que ela tão desesperadamente precisava a abandonou.

O ataque continuou ao longo da noite, igual ao da noite anterior, quando ela ficara na rua ajudando as pessoas do seu setor. Dessa vez, porém, estava trancada no casulo escuro do abrigo, incapaz de ver o que estava acontecendo. Mas podia ouvir.

As rajadas dos canhões antiaéreos sacudiam as lâminas de aço, e algumas bombas explodiram tão perto que toda a estrutura estremeceu, como se fosse desmoronar. Em uma das vezes, até pareceu que o abrigo se levantara do chão e depois voltara ao lugar.

Os assobios eram agudos e altos pouco antes de ficarem em silêncio, seguidos por um estrondo tão feroz que o chão tremia. A sirene avisando que tudo estava liberado só tocou na manhã seguinte, e as mulheres resolveram cobrir os bancos duros com roupa de cama para pelo menos torná-los mais confortáveis para dormir. Elas já tinham retirado as ferramentas de jardinagem para que o abrigo voltasse a ser adequado.

Afinal, estava começando a parecer que os alemães tinham a intenção de bombardear Londres todas as noites.

Quando Grace acordou, mais tarde naquela manhã, ouviu no rádio que o hospital de St. Thomas havia sido bombardeado, tendo recebido um golpe direto em uma ala importante. Perto dele, uma escola também sofrera danos terríveis. Os nazistas eram sórdidos, mas era um golpe realmente baixo bombardear os enfermos e as crianças. A raiva ardeu em Grace, armando-a com a necessidade de continuar sua função na ARP – fazer a sua parte na luta contra Hitler.

Ela estava pronta para declarar isso ao Sr. Evans quando foi à livraria, mas encontrou a porta da loja fechada e trancada quando chegou. Ele havia lhe dado uma chave alguns meses antes, e ela a tirou da bolsa e abriu a loja. Uma vez lá dentro, virou a placa para "Aberto" e puxou as cortinas opacas para deixar entrar a luz do dia nublado enquanto chamava o Sr. Evans. Ele não respondeu.

Uma apreensão a fez estremecer.

Era a primeira vez em todo aquele tempo que ele não estava de pé ao balcão, como uma sentinela, esperando sua chegada, antes de desaparecer nos fundos para retomar seu trabalho diário. O trabalho dele, ela deduzira no ano anterior, era ler o dia inteiro.

E, então, ele não estava lá.

O prédio não parecia danificado por bombas, o que significava que o apartamento dele logo acima estava intacto. Imagens inundaram sua mente, coloridas pelas histórias horrorosas do Sr. Stokes. E se o Sr. Evans tivesse saído na noite anterior e o bombardeio o houvesse pegado de surpresa?

Ela gritou seu nome enquanto caminhava para os fundos da loja, abrindo a porta da pequena sala.

Foi o cheiro de álcool que a atingiu primeiro.

Uísque.

Seu tio costumava beber aquela coisa. Fedia como óleo de parafina, e o gosto era ainda pior. Não que ela já tivesse provado óleo de parafina.

O Sr. Evans estava caído em sua cadeira, debruçado sobre a mesa. Uma garrafa de líquido âmbar estava diante de seu cotovelo dobrado, e a mão estava frouxamente encolhida em torno de um copo de cristal quase vazio.

Se não fosse por aquela garrafa, ela teria ficado verdadeiramente preocupada. Embora a imagem dele em tal estado fosse bem desconcertante.

– Sr. Evans?

Grace entrou na sala silenciosa e colocou sua bolsa de lado.

Ele levantou a cabeça, embora seus óculos permanecessem tortos no rosto, e lhe dirigiu um olhar turvo por trás das lentes. Seus cabelos, sempre imaculadamente penteados, estavam bagunçados, e seu pulôver marrom, colocado por cima da camisa de colarinho, a mesma que ele usara no dia anterior, estava amarrotado.

– Vá para casa, Srta. Bennett – disse ele, as palavras pesadas de sono e bebida, enquanto deitava a cabeça de novo sobre a mesa.

– Não posso ir para casa. Já é de manhã e temos uma livraria para administrar.

Ela pegou gentilmente o copo e o puxou de sua mão.

Ele não a impediu. Em vez disso, olhou para ela sob as sobrancelhas espessas.

– Eu já lhe disse que tinha uma filha?

– Não, não disse. – Grace embalou o copo na palma da mão, sua superfície lisa ainda quente. Sem dúvida estava há bastante tempo com ele. – Ela está em Londres?

Ele se empertigou lentamente na cadeira, sem muito equilíbrio.

– Ela está morta.

Grace se retraiu com seu equívoco.

– Me perdoe. Eu não...

– Aconteceu há vários anos, no mesmo acidente de carro que matou minha esposa. – Ele ajustou os óculos com as mãos desajeitadas, colocando-os quase corretamente sobre o nariz. – Ela teria mais ou menos a sua idade agora, a minha Alice.

A sugestão de um sorriso cintilou nos cantos de sua boca.

– Você se parece com ela. Suspeito que tenha sido por isso que a Sra. Weatherford a enviou para mim, aquela intrometida. Seu filho Colin e ela foram amigos durante toda a vida. Sem dúvida, ela pensou que isso poderia ajudar a aliviar a dor da perda de Alice ou alguma outra bobagem. Um disparate, tudo um disparate. – Sua expressão franzida se suavizou. – Embora eu imagine que agora a Sra. Weatherford entenda a inutilidade disso mais do que antes.

Havia uma tristeza nos olhos dele que Grace sentiu em seu âmago: o vazio oco da dor. Um sentimento que ressoava desde a morte de sua mãe e nunca se aplacava.

Com cuidado, ela pôs o copo sobre uma pilha de caixas, longe do alcance dele.

– O senhor se incomoda por eu me parecer com Alice?

O olhar do homem deslizou até Grace e parou, como se estivesse analisando sua aparência a fundo. Lágrimas encheram seus olhos, e seu queixo começou a tremer. Rapidamente, ele desviou o olhar, e uma fungada sentida encheu a sala.

– No início. – Havia um tremor em sua voz, mas ele limpou a garganta. – Toda vez que eu via você, eu via a minha Alice. Ela tinha cabelos louros, como eu. Antes disso – disse ele, os dedos dançando sobre os cabelos brancos e desgrenhados.

Grace permaneceu quieta, deixando-o falar.

– Muito parecida comigo – observou Grace, com suavidade.

– Eu achei que a tivesse enterrado aqui. – Ele deu um tapa com a mão aberta no peito e soltou o ar de um jeito que parecia lhe causar grande dor. – Mas agora sei que essas coisas são grandes demais para serem contidas. Também me faz perceber que eu não estava apenas tentando afastar a minha dor, mas também a minha culpa.

Havia uma densidade em suas palavras, não por causa do álcool, mas pela emoção, e isso fez Grace sentir compaixão.

O Sr. Evans inclinou a garrafa para estudar o restinho de líquido que ainda havia no fundo.

– Queria que ela soubesse quanto eu a amava. Quanto ela significava para mim.

Ele colocou a garrafa com firmeza no lugar e olhou para Grace.

– Me desculpe por eu ter ficado zangado por você permanecer com a ARP. – Sua mandíbula se mexia sob um bigode e suíças ralos e brancos. – Você não é a Alice. Eu sei que não. Sei disso. – Ele desviou o olhar. – Mas não posso perder você também.

Um nó subiu à garganta de Grace. Um que ela não conseguia engolir. Ela nunca tivera nada que se parecesse com um pai em toda a sua vida. Não quando o próprio pai havia sido morto antes de ela nascer. E certamente não o seu tio, que a via mais como um burro de carga do que como uma sobrinha.

– Eu vou tomar cuidado – prometeu ela. – Mas preciso continuar com a ARP. Sr. Evans, esta é a minha maneira de nunca parar, como o senhor mesmo disse.

O canto dos lábios dele se ergueram em um meio sorriso.

– Eu dou conselhos horríveis algumas vezes.

– O senhor dá conselhos excelentes.

Ele se levantou da cadeira e parou por um momento, oscilando um pouco onde estava.

– Eu nunca lhe disse isso antes, Grace, mas estou orgulhoso de você.

Ao ouvir aquele elogio, um calor floresceu no peito dela. Ninguém jamais lhe dissera aquelas palavras, não daquela maneira.

O Sr. Evans bateu com a ponta dos dedos sobre a mesa.

– Acho que vou me retirar para a cama agora.

– Eu posso cuidar da livraria – disse ela rapidamente.

– Eu sei que pode. – Ele estendeu a mão e a apoiou no ombro dela, dando-lhe um aperto afetuoso. – Lembre-se de cuidar de você também, hein?

– Pode deixar – prometeu ela.

Com isso, ele assentiu e caminhou em direção à porta que levava ao seu apartamento acima da loja, os óculos ainda tortos.

Grace assumiu a livraria naquele dia, embora acabasse usando suas habilidades da ARP naquela tarde para conduzir os clientes a abrigos locais quando as sirenes anunciaram a chegada de mais aviões alemães. As mesmas sirenes gemeram novamente naquela noite, e na noite seguinte, bem como durante a tarde.

Àquela altura, as pessoas não ignoravam mais as sirenes. Não como antes. Não quando os danos eram tão consideráveis, o pior deles acontecendo quando a Escola South Hallsville, em Canning Town, foi atingida, matando muitos dos sobreviventes do East End que estavam abrigados lá dentro.

Foi um duro golpe para toda a cidade de Londres.

Exceto pela destruição da casa dos Hews, o setor de Grace permaneceu intocado durante os ataques aéreos. Independentemente disso, Grace e o Sr. Stokes foram solicitados a aumentar a frequência de suas vigílias de três para cinco vezes por semana. O Sr. Evans, que nunca mais trouxera à baila a conversa sobre a filha, permitia que ela começasse na loja um pouco mais tarde para dar conta dos turnos extras.

Vários dias depois, já passava do meio-dia quando ela entrou na livraria e encontrou um gatinho malhado dormindo em uma réstia de sol perto da porta da loja, do lado de dentro. Essa descoberta foi seguida quase imediatamente pelo trinado agitado da voz do Sr. Pritchard, que oferecia a sua opinião sobre a situação da Grã-Bretanha.

– Você ouviu que o rei e a rainha foram bombardeados em Buckingham? – disse ele a Grace, enquanto ela guardava suas coisas na parte de trás. – A porcaria do rei e da rainha, Evans. Eles são como qualquer um de nós. Estamos todos juntos nessa.

Grace praticamente podia ver o Sr. Evans se encolher diante da linguagem do outro homem quando havia clientes no recinto. Ela pendurou a bolsa e atravessou a loja, assegurando-se de que os clientes fossem atendidos.

– Você disse que uma bomba ficou alojada na frente da catedral de St. Paul? – perguntou o Sr. Evans, claramente tentando apressar o outro homem.

– Sim! – exclamou o Sr. Pritchard. – Bem na frente da torre do relógio. Teria levado a catedral inteira pelos ares se houvesse detonado. O esquadrão antibombas precisou resolver. Uma coisa incrível.

Assim que ele disse isso, a sirene de ataque aéreo começou a tocar seu apito da tarde. Malhado imediatamente ficou de pé e correu para perto do Sr. Pritchard, que reclamou por ter sido interrompido por "aquela porcaria", seus olhos redondos brilhando de irritação.

– Estou cheio desses ataques miseráveis – resmungou ele. – Acho que a Alemanha planeja vencer deixando todos nós loucos.

Independentemente de sua queixa, ele seguiu Grace para fora da livraria, junto com os outros clientes e o Sr. Evans. As estações de metrô tinham sido abertas para oferecer abrigo, apesar da decisão inicial do governo de mantê--las fechadas. Os repetidos bombardeios tornaram necessário seu uso, especialmente com tantas pessoas agora em busca de segurança.

Foi para lá que Grace conduziu todos, utilizando sua experiência como vigilante da ARP, apesar de não estar de serviço. Para os que preferiam não pagar um centavo e meio para entrar na estação, ela os guiou primeiro até o abrigo de tijolos da esquina. Antes que a sirene se acalmasse, ela se acomodou contra a parede de azulejos ao lado do Sr. Evans e pegou o livro que levara consigo.

Tinha acabado de começar *Middlemarch* na noite anterior e já lera vários capítulos, sua mente presa em Dorothea e a situação da jovem com seu novo marido muito mais velho que ela. A sirene no alto foi desligada e o arrastar de pés e a conversa murmurada de dezenas de pessoas dentro da estação ecoavam nas paredes curvas. O vento soprava dos túneis abertos em ambos os lados da plataforma, fazendo os cabelos de Grace chicotearem seu rosto e emitindo um som baixo e assustador.

Ela bloqueou todo o barulho, apoiou o livro aberto nos joelhos e começou a ler. Lá de fora vinham os agora familiares ruídos da guerra, as armas estrondosas atirando nos aviões inimigos quando a RAF mergulhava e disparava contra os alemães, em um esforço para expulsá-los. Em meio a tudo isso, e com muito menos frequência do que à noite, vinha o baque distante de bombas caindo.

– O que está lendo, senhorita? – perguntou uma mulher ao lado dela.

Grace ergueu os olhos e viu a jovem mãe que ela confortara semanas antes.

– *Middlemarch*, de George Eliot.

Armas soaram no alto. A mulher ergueu os olhos ansiosamente.

– É sobre o quê?

– Uma mulher chamada Dorothea – respondeu Grace. – Ela tem um belo pretendente com a intenção de se casar com ela, mas ele não é o homem que chama sua atenção.

– Por quê?

– Ela prefere um homem mais velho, um reverendo.

A jovem mãe deu uma risada nervosa.

– Prefere?

– Sim. – Grace apertou o dedo entre as páginas do livro para marcar onde estava e se sentou um pouco mais ereta. – Ela até se casa com ele.

– O que havia de tão atraente nele? – perguntou uma mulher de meia-idade, que usava um vestido azul de ficar em casa.

Um apito baixo soou do lado de fora, seguido por uma explosão que fez o chão vibrar e as luzes piscarem. O Sr. Evans assentiu de modo encorajador para Grace, um pequeno sorriso brincando em seus lábios.

– Ela é devota – respondeu Grace. – E ele é um estudioso, além de ser reverendo, com ocupações intelectuais que ela considera fascinantes.

– E quanto ao homem bonito? – indagou uma voz.

Grace sorriu.

– Ele vai atrás da irmã dela.

Alguém riu e exclamou:

– Brilhante!

– E dá certo? – quis saber um homem corpulento em um pulôver amarelo.

Ele não parecia o tipo que se importava com o desfecho da história, com seus cabelos escuros despenteados e roupas amarrotadas, provavelmente mais adequadas para um pub.

– Com a irmã e o belo pretendente? – perguntou Grace. – Ou com Dorothea e o reverendo?

O homem deu de ombros.

– Com ambos, eu acho.

O estalo dos canhões antiaéreos soou no alto quando um avião desceu tão baixo que o zumbido de seu motor ecoou pela cavernosa estação do metrô.

– Não sei. – Grace olhou para o livro, ainda marcado na última página lida. – Ainda não cheguei lá.

– Bem – disse a dona de casa. – Então continue.

Grace hesitou, surpresa com o pedido.

– Você quer que eu... leia?

As pessoas na plataforma da estação Farringdon a olharam com expectativa.

– Em voz alta?

Todos elas assentiram, alguns sorriram.

De repente, ela era de novo a garota dolorosamente tímida da infância, usando sapatos surrados que machucavam os dedos, de pé diante da turma, com um pedaço de giz na mão e vários pares de olhos fixos nela. Seu estômago deu um nó.

– Por favor – insistiu a jovem mãe.

Outra saraivada de tiros veio, e ela se encolheu.

As sobrancelhas expressivas do Sr. Evans se ergueram em uma pergunta silenciosa.

Apesar de cada pedaço brutalmente tímido de seu corpo gritar para ela recusar, Grace abriu o livro, umedeceu os lábios de repente secos e começou a ler. Sua língua tropeçou nas primeiras frases, e ela estava estranhamente ciente de quantas pessoas testemunhavam seus erros. E, quando uma bomba explodiu em algum lugar distante, seu estrondo a distraiu tanto que ela esqueceu em que linha estava.

Mas, conforme lia, as pessoas ao redor desapareceram de sua mente, que se concentrou apenas na história. O mundo dela se fechou em torno de Dorothea, vivenciando aquela lua de mel melancólica em Roma com um homem que reservava suas aspirações acadêmicas para si mesmo. À medida que as páginas viravam, eles conheceram Fred, um perdulário que tinha como objetivo se casar com uma mulher que estava sob os cuidados do tio enquanto o ex-pretendente de Dorothea estabelecia sua intenção em relação à irmã mais nova.

Quando os canhões antiaéreos disparavam, Grace levantava a voz para ser ouvida. Quando as luzes se acendiam e se apagavam, ela prosseguia da melhor maneira que podia, evocando, pela visão periférica, quais palavras viriam a seguir. E, quando um novo personagem falava, ela inventava uma voz para cada um.

Um uivo veio de cima, seguido por um estrondo que mergulhou a estação de metrô na escuridão.

Houve um farfalhar enquanto alguém remexia em uma bolsa, seguido um momento depois pelo peso de uma lanterna sendo enfiada na mão de Grace.

– Pegue.

Ela acendeu a luz e continuou a ler, levando todo o grupo de pessoas com ela através da história. Então, o toque de liberação soou, interrompendo a leitura. Grace se sentiu meio atônita por conta da transição abrupta entre o mundo fictício e a realidade.

Ela devolveu a lanterna emprestada e agradeceu, descobrindo que havia avançado vários capítulos.

– Você vai estar aqui amanhã à tarde? – indagou a dona de casa.

– Se tivermos um ataque aéreo, sim.

Grace enfiou um pedaço de papel entre as páginas para marcar onde havia parado e segurou o livro com firmeza.

– Então, vai – afirmou o homem corpulento.

A jovem mãe, que Grace descobriu se chamar Sra. Kittering, acenou para o livro na mão de Grace com um sorriso esperançoso.

– Será que você pode trazer *Middlemarch* outra vez?

Depois de prometer retomar de onde pararam, Grace e o Sr. Evans voltaram para a livraria.

– Você disse uma vez que se sentia impotente em meio a essa guerra. – Ele virou a placa para "Aberto" na vitrine. – Mas, lá embaixo, lendo para todas aquelas pessoas assustadas, você tinha poder.

– Confesso que me senti meio tola lendo em voz alta daquele jeito.

Grace empilhou os livros deixados no balcão durante o aviso de ataque aéreo e os colocou de lado, para o caso de os clientes voltarem para buscá-los.

Ele balançou a cabeça.

– De jeito nenhum, Srta. Bennett. Você ainda vai mudar essa guerra. – Ele bateu os dedos na capa de *Middlemarch*. – Um livro de cada vez.

14

Os danos do ataque daquela tarde foram consideráveis, deixando uma enorme cratera no meio da Strand. Mais de seiscentos aviões alemães cruzaram os céus da Grã-Bretanha, com suas barrigas abarrotadas de bombas. Mas, apesar da intenção deles de destruir Londres, a RAF estava preparada para defender a cidade.

A Luftwaffe voltou naquela noite, é claro. Eles sempre voltavam.

Grace estava de plantão, grata por seu setor, mais uma vez, permanecer abençoadamente intocado. Mas, com o resto de Londres queimando, seu exterior aberto expondo as entranhas das vigas de suporte abaixo do chão, as janelas estouradas mostrando buracos como as cavidades vazias de um crânio, ela sabia que não ficaria assim para sempre.

No dia seguinte, quando soaram os avisos dos ataques aéreos, Grace colocou *Middlemarch* em sua bolsa grande e escoltou os clientes da Livraria Primrose Hill até a estação Farringdon. As pessoas para quem ela lera no dia anterior a esperavam em um pequeno grupo. Seus rostos se iluminaram quando a viram, especialmente depois de identificarem o livro que ela puxou da bolsa.

Elas apareceram no dia seguinte e no outro também, o número crescendo um pouco mais a cada vez.

No entanto, no dia 19 de setembro, o clima deu uma piorada, ficando tão ruim que nem os bombardeiros alemães tentaram seus ataques diários à tarde. Foi uma rara tarde ininterrupta, sem uma única sirene.

Grace não a desperdiçou e, em vez disso, vasculhou uma lista de livros lançados recentemente para ver quantos ela poderia encomendar da

Simpkin Marshalls. A porta soou para anunciar um cliente quando ela estava quase terminando, uma interrupção que não a aborreceu.

Assim que ela ergueu o olhar, viu o homem corpulento que assistira a cada uma de suas leituras na estação Farringdon. Ele tinha o chapéu nas mãos grandes e retorcia a lã cinzenta.

– Boa tarde, Srta. Bennett.

Ele inclinou a cabeça respeitosamente. Ela nunca o tinha visto sem o chapéu. Seus cabelos por baixo eram uma mistura de cinza e castanho, ligeiramente despenteados, com um pouco do couro cabeludo à mostra no topo.

– Meu nome é Jack – disse ele. – Queria lhe agradecer, não só por ler seu livro para nós, mas também por salvar a minha vida.

– Salvar a sua vida? – repetiu Grace, surpresa.

Ele assentiu.

– Eu estava por acaso nas redondezas no dia em que a senhorita começou a ler. Normalmente, fico perto do Hyde Park à tarde, fazendo reparos em alguns dos prédios de lá. – Ele baixou a cabeça em um gesto humilde. – Faço o que está ao meu alcance. Mas procurei encontrar alguns trabalhos por aqui para ter certeza de que estaria no metrô para ouvi-la ler durante os ataques aéreos. Caso contrário, eu estaria na estação Marble Arch, onde costumava me abrigar.

Grace levou a mão à boca para cobrir o choque.

Dois dias antes, durante um ataque particularmente brutal que destruíra quase toda a Oxford Street, uma bomba havia caído no teto da Marble Arch, onde as pessoas estavam se abrigando. A carnificina fora gigantesca, conforme detalhou o Sr. Stokes até Grace implorar que ele parasse. Os que não tinham sido mortos pela bomba foram estraçalhados pelos ladrilhos que explodiram. Os ferimentos eram horrorosos.

– Que-que... – Grace gaguejou, sem saber o que dizer – bom que o senhor não estava lá. Que permaneceu seguro.

Jack fungou e limpou o nariz com as costas da mão, o chapéu de lã ainda agarrado entre os dedos grossos.

– Não foi só por isso que eu vim.

– Não? – Ela sorriu. – Posso ajudá-lo a encontrar um livro?

Ele torceu o chapéu novamente.

– A senhorita não terminou o livro. Alguns de nós fizeram fila na estação Farringdon antevendo um ataque aéreo. Como isso não aconteceu, bem... ficamos nos perguntando o que vem a seguir na história.

– Nós?

Ela seguiu o olhar dele para a vitrine da Livraria Primrose Hill e viu uma multidão reunida do lado de fora da loja. A Sra. Kittering estava lá, assim como muitos outros que Grace reconheceu e para os quais acenou com um sorriso esperançoso.

Grace voltou sua atenção para Jack, que sorriu com hesitação.

– A senhorita poderia fazer a gentileza de ler para nós, mesmo que não estejamos no metrô?

Ela olhou para o Sr. Evans, que retribuiu o olhar com um orgulho paternal, enrugando os cantos de seus olhos azuis quando ofereceu um aceno de consentimento silencioso.

Grace mordeu o lábio enquanto considerava o tamanho da loja. No ano anterior, tal pedido teria sido impossível. Mas agora...

– Sim – respondeu ela. – É claro que posso.

E foi assim que ela se acomodou no segundo degrau da escada de metal em espiral enquanto todos os outros se sentavam no chão ou se encostavam na parede para ouvi-la ler *Middlemarch*.

Os cabelos brancos do Sr. Evans ficaram visíveis ao longo do topo de uma estante de livros uma fileira acima e lá permaneceram enquanto a leitura durou, como se também estivesse ouvindo.

Depois disso, ela leu todos os dias, fosse no metrô, fosse na Livraria Primrose Hill quando não havia ataque aéreo. Porém, enquanto os dias eram preenchidos com os livros e as muitas pessoas que vinham para ouvi-la, as noites eram preenchidas por bombas.

Nas noites em que Grace não trabalhava ao lado do Sr. Stokes, ela só conseguia alguns momentos de um sono miserável no pequeno abrigo enterrado no quintal.

Em uma dessas noites, ela e a Sra. Weatherford haviam se preparado para entrar no abrigo com suas roupas de cama e uma pequena caixa com algumas necessidades noturnas: uma vela; as máscaras, embora a Alemanha não parecesse mais interessada em armas químicas; o último livro de Grace, *As ondas*, de Virginia Woolf; e uma garrafa térmica de chá.

A chuva estava caindo quando a sirene de ataque aéreo tocou, enviando as duas mulheres correndo pelo dilúvio para atravessar o jardim lamacento. O abrigo erguia-se no escuro, como um animal adormecido, sua corcova selvagem com raminhos de plantas de tomate brotando. Mas, quando Grace entrou ali, seu pé afundou até o tornozelo em uma piscina de água gelada.

Ela gritou de surpresa e saltou para fora.

– São ratos? – perguntou a Sra. Weatherford, afastando-se horrorizada.

– Está inundado. – Grace sacudiu o sapato úmido, mas com pouco sucesso. – Teremos que ir para a estação Farringdon até que o abrigo seque.

Ela voltou para a casa, com um pé pesado e encharcado, emitindo um som ridículo a cada passo.

A Sra. Weatherford correu atrás dela, mas não parecia disposta a se preparar para ir até a estação do metrô.

– Se nos apressarmos, ainda poderemos conseguir um bom lugar – disse Grace, tentando, com gentileza, apressar a Sra. Weatherford.

Já passava das oito, que geralmente era a hora em que os alemães iniciavam seus ataques noturnos. Muito provavelmente eles os tinham adiado por causa do mau tempo. Mas isso também significava que a estação já estaria apinhada de pessoas, apertadas como sardinhas em lata. Grace tinha visto isso em suas noites como vigilante. Pessoas deitadas lado a lado onde quer que encontrassem espaço, estranhos aninhados próximos como se fossem parentes. Não só no chão da plataforma, mas nas escadas, com algumas almas corajosas dormindo ao lado dos trilhos.

A Sra. Weatherford sentou-se à mesa da cozinha e serviu-se de uma xícara de chá da garrafa térmica.

– Não há tempo para tudo isso – disse Grace, com os nervos à flor da pele. – Precisamos sair logo.

A Sra. Weatherford deu um pequeno suspiro e pôs de lado a sua xícara.

– Eu não vou, Grace. Só vou ao abrigo do quintal para tranquilizar você, mas confesso que nunca busco abrigo durante o dia, quando você não está aqui. – Ela piscou, com lentidão e cansaço. – Não irei para a estação do metrô.

O nervosismo de Grace se extinguiu, substituído por uma dor pesada.

– Mas não estará segura aqui.

Seu protesto foi fraco. Ela já sabia que não adiantaria discutir.

A Sra. Weatherford nem respondeu, limitando-se a encarar, desanimada, o chão. A expressão no rosto da mulher mais velha era de angústia, ali sentada na cozinha branca e amarela, um lugar que um dia parecera tão alegre e agora era monótono e austero. Embora tivesse voltado a ter certo cuidado com a aparência, ela usava apenas roupas escuras no lugar dos vestidos florais, sempre presas com um cinto cada vez mais apertado em seu corpo, à medida que ia perdendo peso.

Não havia mais reuniões do SVM, refeições elaboradas ou qualquer coisa que revelasse que ela estava fazendo mais do que simplesmente sobreviver, como se cada dia fosse um livro cheio de páginas em branco a serem viradas. Sem intercorrências. Sem nenhum propósito além de chegar à última página e terminar.

Grace permaneceu na casa com a Sra. Weatherford naquela noite, decidida a encontrar uma maneira de incentivar a mulher mais velha a se juntar a ela na estação de metrô dali em diante. Cada tentativa posterior, no entanto, foi recebida com a mesma recusa e, uma vez, com uma confissão soluçante do desejo de se juntar a Colin. Grace não podia argumentar contra algo tão poderoso quanto o luto.

O restante de setembro passou com bombardeios noturnos e mais ataques à tarde. De alguma forma, Londres se adaptou.

Afinal, ninguém no mundo tinha o espírito dos britânicos. Eles eram lutadores. Eles conseguiam suportar.

As lojas começaram a fechar às quatro da tarde, para permitir aos funcionários a oportunidade de dormir um pouco antes que seus turnos da noite começassem. Quase todas as pessoas tinham dois empregos agora. Aqueles nos quais trabalhavam de dia e aqueles para os quais se voluntariavam à noite, apagando incêndios, vigiando a trajetória de bombas, vasculhando os escombros em busca de sobreviventes ou oferecendo ajuda médica nos vários lugares em que era necessário – Londres ganhava vida à noite para ajudar.

Grace descobriu que agora podia dormir com bastante eficiência em pequenos períodos, caindo imediatamente em um sono profundo e sem sonhos.

As filas nas estações de metrô e nos abrigos começavam antes das oito, quando as primeiras sirenes inevitavelmente passavam a soar, com as pessoas chegando cedo para garantir um lugar melhor no chão. Ou em um beliche, se fossem realmente afortunadas.

Como resultado, todos se acostumaram a dormir completamente vestidos. Alguns até confessaram tomar banho usando roupa de baixo, com medo de serem pegos de surpresa e encontrados mortos completamente nus.

Mesmo com a agitação e a incerteza, as cartas continuavam a chegar aos correios, e, apesar dos bombardeios e dos edifícios danificados, eles seguiam operando à luz de velas, com placas declarando que ainda estavam abertos. Era uma visão triste, no entanto, quando um carteiro se via diante de uma pilha de entulho com uma carta na mão.

O que quer que tivesse atrapalhado o serviço postal no início da guerra começou a arrefecer um pouco, e Grace recebia correspondências de Viv e George com mais regularidade. Era irônico que agora as cartas deles expressassem tanta preocupação pela segurança de Grace quanto as cartas dela expressavam por eles.

George sugeriu um novo livro, *South Riding*, de Winifred Holtby, depois que ela lhe disse que começara a ler na estação de metrô. Um exemplar havia sido entregue a ela na loja naquela mesma manhã pela Simpkin Marshalls, a sobrecapa brilhante de tão nova.

O dia estava surpreendentemente ensolarado, embora com um pouco da umidade fria dos dias chuvosos anteriores. Nenhum cliente entrara na loja até o momento, e o Sr. Evans estava ocupado com seu "trabalho" na seção de história, então Grace resolveu sentar-se em um pequeno nicho ao lado da janela.

Um feixe de luz do sol atravessava as nuvens e brilhava sobre ela com um calor suave. Grace parou por um momento e passou os dedos pela capa do livro, saboreando o momento de tranquilidade. Desfrutando a alegria da leitura.

A capa tinha o texto preto contra um fundo amarelo, pontilhado com pequenas casas de telhados vermelhos. Ela deslizou a ponta do dedo sob o papel e abriu o livro. O miolo se escancarou, como uma porta antiga se preparando para revelar um mundo secreto.

Ela virou as páginas para o primeiro capítulo, o som apenas um sussurro na loja vazia. Havia um odor especial de papel e tinta, indescritível e desconhecido para qualquer um, exceto um verdadeiro leitor. Ela levou o livro ao rosto, fechou os olhos e inspirou aquele cheiro maravilhoso.

Era surpreendente pensar que, um ano antes, ela não era capaz de valorizar momentos simples como aquele. Entretanto, em um mundo tão dilacerado e cinza como era o deles agora, ela aceitaria cada gota de prazer onde pudesse encontrá-lo. E havia muito prazer na leitura.

Grace apreciava as aventuras que vivia através daquelas páginas, uma fuga da exaustão das bombas e do racionamento. Mais profunda ainda era sua compreensão da humanidade enquanto ela vivia na mente dos personagens. Com o tempo, descobriu que as novas perspectivas a tornaram uma pessoa mais paciente, mais tolerante.

Aquelas considerações eram fáceis de ser contempladas ali, sob um raro banho de luz solar, mas muito mais difíceis de apreciar nas ruas escurecidas de Londres ao lado do Sr. Stokes.

A melhora do clima trouxe consigo um influxo de bombardeiros, que voavam facilmente pelos céus claros para descarregar sua destruição. Foi em uma dessas noites, quando Grace estava de plantão, que o zumbido familiar dos aviões anunciou seu indesejado regresso.

Eles voavam como corvos assassinos no céu enegrecido, sua presença evidente no feixe de luz de um holofote. Em ataques anteriores, já teriam aberto suas barrigas.

E, ainda assim, lá vinham eles, ficando maiores, mais barulhentos, até fazer os pelos da nuca de Grace tremerem com seu barulho. Os canhões antiaéreos estalavam no ar rarefeito da noite; a sugestão de sua fumaça à distância era pungente. Grace esticou a cabeça para trás a fim de olhar para a formação lá em cima. Um holofote passou por um avião bem a tempo de ver seu fundo se abrir e um objeto em forma de tubo deslizar livremente para o céu.

Uma bomba.

Acima dela.

Ela observou, hipnotizada. Sua mente gritava "Corra, corra, corra", mas suas pernas não obedeciam. A bomba assobiou uma nota que ficava mais aguda à medida que ganhava velocidade. À medida que se aproximava.

Aquela nota estridente a chamou de volta à consciência, e ela se virou, agarrou o braço do Sr. Stokes e o puxou junto com ela para um local atrás de uma parede de sacos de areia. O apito transformou-se em um grito, e seu corpo inteiro gelou de medo.

De repente, o som parou, e seu coração também.

Aquele era o pior momento, o instante em que a bomba caía, aquela fração de segundo antes de ser detonada. Quando não se podia saber onde ela se alojara.

A explosão veio acompanhada de uma imediata erupção de luz forte e um estrondo poderoso, fazendo o mundo ficar assustadoramente silencioso. Um vento quente soprou nas costas dela, como se um forno tivesse sido aberto. A força do impacto empurrou Grace e a lançou, esparramada, vários metros à frente.

Seu corpo bateu com força no chão, tirando o ar de seus pulmões. Ela abriu e fechou os olhos, atordoada, enquanto um zunido agudo gritava uma nota alta em seus ouvidos, anulando qualquer outro som.

Seu rosto doía onde atingira o pavimento e o queixo ficara sensível sob a alça de couro do chapéu, que se mantivera na cabeça quando ela aterrissou. Ela soprou, e uma nuvem de poeira subiu diante do seu rosto.

Lentamente, o mundo foi voltando, começando pelas estrondosas armas antiaéreas, estranhas e distantes como um eco subaquático. Ela ficou deitada por mais um instante, assimilando os pedaços dos escombros ao redor, esperando por uma onda de dor para anunciar um membro perdido ou um ferimento fatal.

Seu peito latejava no lugar onde havia caído. Mas nada mais.

Ela se forçou a se sentar, os braços parecendo fracos demais para sustentá-la. Com as mãos trêmulas, ela deu tapinhas em seu casaco, pressionando sobre a camada grossa e arenosa de poeira para ver se havia alguma indicação de ferimentos.

Não havia.

Ela olhou para a esquerda e encontrou o Sr. Stokes sentado ao lado dela, igualmente atordoado.

Eles haviam sobrevivido.

Mas outros poderiam não ter conseguido.

De repente, o som voltou aos seus ouvidos. Não apenas as armas antiaéreas, mas os apitos das bombas e as explosões. Muitas explosões.

Ela e o Sr. Stokes pareceram recuperar os sentidos ao mesmo tempo. Olharam um para o outro e imediatamente se levantaram. O muro atrás do qual haviam se abrigado tinha um buraco no centro, os sacos de areia rasgados em pedaços.

Se não estivessem por trás dele, aqueles pedaços de tecido poderiam ser partes de seus corpos.

Era uma percepção que Grace não podia se permitir processar naquele momento. Ela colocou o pensamento em uma caixa, trancou-a e guardou-a em um canto escuro da mente.

Várias casas estavam em escombros diante deles, o brilho do fogo pulsando lá dentro, como corações feridos. Rapidamente, Grace avaliou os números das casas e deduziu que três das que estavam em ruínas tinham moradores que ela mesma conduzira ao abrigo. No entanto, a da esquerda, que ainda estava de pé, pertencia à Sra. Driscoll, a viúva de meia-idade que havia parado de ir aos abrigos quinze dias antes.

Grace apontou para a casa.

– Sra. Driscoll.

Ela não precisou dizer mais nada. O Sr. Stokes começou a correr em direção à casa e atravessou a entrada, cuja porta fora arrancada. Grace o seguiu, esperando que ele entrasse e voltasse, como sempre a instruíra a fazer.

Só que ele não voltou.

Grace entrou cautelosamente atrás e encontrou o Sr. Stokes parado na sala, olhando para alguma coisa.

– Sr. Stokes?

Ele não reagiu.

Ela se colocou ao lado dele e seguiu seu olhar paralisado. Levou um momento para perceber que o que ela estava olhando fora um dia um ser humano. Fora um dia a Sra. Driscoll.

O estômago de Grace se revirou, mas ela cerrou os punhos com força para se controlar enquanto adicionava aquela visão à pequena caixa em sua mente, junto com seu medo do que poderia acontecer com a Sra. Weatherford em um momento como aquele.

– Sr. Stokes – disse Grace.

Ele não desviou o olhar.

– Sr. Stokes – repetiu ela, com mais intensidade.

Ele virou a cabeça lentamente para ela, os olhos bem abertos e distantes, em um estado de sonho. Uma única lágrima silenciosa descia pela linha dos cílios e rastejava pela bochecha. Ele piscou, como se estivesse assustado ao vê-la parada ali.

– Não podemos fazer nada por ela agora – declarou Grace, em um tom prático que nem sabia que possuía em tais circunstâncias. – Precisamos ver se há sobreviventes que possamos ajudar. Eu vou à casa ao lado, do Sr. Sanford.

Ela acenou com a cabeça para a parede, a fim de indicar a casa geminada do outro lado da Sra. Driscoll, torcendo para que o homem idoso não tivesse sofrido a mesma tragédia. Ele também havia parado de ir ao abrigo. Como muitos outros.

Eles queriam uma noite de sono em suas próprias camas. Queriam normalidade.

Mas não se podia desejar que o mundo voltasse ao estado anterior. Não quando estava assolado por ameaças.

– O senhor pode ir até a casa que fica ao lado da do Sr. Sanford? – perguntou Grace ao seu parceiro.

O Sr. Stokes assentiu e saiu. Grace seguiu atrás dele, parando apenas para garantir que a rede de gás encanado estivesse fechada, para evitar uma explosão.

Ela não se virou para olhar para a Sra. Driscoll novamente quando saiu.

O resto da noite foi um borrão, um redirecionamento forçado de pensamentos para aquela caixa em sua mente. Ela se concentrou em se lembrar de seu treinamento, fazendo curativos nos membros ensanguentados dos sobreviventes, ajudando a apagar pequenos incêndios com sua bomba portátil ou com areia, se o solo oleado e o odor indicassem que podia pegar fogo. Foram inúmeras tarefas, uma após a outra, até o sol nascer e a vigília noturna chegar a um abençoado final.

A caminho de casa naquela manhã, apesar de sua determinação, aquela caixa trancada no fundo da mente de Grace começou a chacoalhar. Como se também fosse uma bomba assobiando em sua direção. Ela abriu a porta da casa na Britton Street e correu para o andar de cima quando o grito em sua mente ficou em silêncio.

E a caixa explodiu.

Os horrores que ela testemunhara atingiram seus pensamentos como estilhaços.

Tristeza pela Sra. Driscoll. Medo de que a Sra. Weatherford pudesse acabar como ela. Choque com quão perto ela mesma chegara de ser explodida pelos ares. A destruição. As feridas repulsivas. O sangue ainda manchando o seu casaco. A morte.

O corpo da Sra. Driscoll não fora o único que eles encontraram naquela noite.

Grace abriu a gaveta da mesa de cabeceira e cavou freneticamente o conteúdo até encontrar a pulseira de identidade com a escrita elegante de Viv detalhando seu nome e endereço na Britton Street sobre a superfície oval lisa. As mãos de Grace tremiam tanto que foram necessárias várias tentativas para colocá-la no pulso. Uma vez lá, ela deslizou para o chão e se deixou engolir pela poderosa onda de um horror descomunal.

Precisava lidar com ela naquele momento, enfrentar aquela força esmagadora e extraordinária. Para poder reassumir seu turno na noite seguinte e fazer tudo de novo.

15

Por algum milagre, Grace conseguiu dormir naquela manhã, mas, tão logo acordou, as lembranças do bombardeio voltaram. Era como se estivessem à espreita, escondidas nas sombras da mente, esperando a consciência retornar.

Elas a seguiram enquanto ela se dirigia à livraria, cada construção bombardeada se tornando um dedo na ferida de seus pensamentos. Estabelecimentos que ela via todos os dias, durante a rápida caminhada para a Livraria Primrose Hill, estavam reduzidos a montes de tijolos, com vigas projetando-se da destruição. O mercadinho que sempre reservava algumas passas para a Sra. Weatherford quando as tinha, a farmácia que as ajudara com as lagartas, a cafeteria na esquina onde ela deveria ter tido um encontro com George. E tantos mais. Essas não eram as únicas perdas. Muitas residências eram restos de si mesmas, suas paredes arruinadas revelando os quartos lá dentro, como macabras casas de bonecas.

As pessoas com quem ela cruzava na rua observavam os danos com uma curiosidade entorpecida. Um casal passou por ela em um ponto, os dois cobertos de poeira, segurando trouxas imundas, o rosto do homem endurecido, os olhos da mulher avermelhados pelo choro. Sem dúvida, eles haviam perdido sua casa naquela noite.

Deram sorte de não terem perdido a vida.

Grace entrou na livraria e soltou, ansiosamente, uma mecha de cabelo sobre sua bochecha direita. Ela passara a usar os cabelos presos para manter o rosto livre enquanto trabalhava. Só que o arranhão marcado em sua face se recusara teimosamente a ser coberto pela maquiagem, e o Sr. Evans, sem dúvida, ficaria preocupado.

Ele olhou para cima e estreitou os olhos, imediatamente desconfiado. Constrangida, Grace acariciou os cabelos mais uma vez, e a atenção dele se desviou para a pulseira.

A mandíbula dele se retesou.

– Ouvi dizer que Clerkenwell foi atingida ontem à noite.

Grace não conseguiu olhar para ele. Não com as lágrimas brotando em seus olhos. Ela seria forte. Era melhor do que isso.

Os passos dele soaram suavemente sobre o tapete enquanto ele dava a volta no balcão.

– Grace – disse ele, suavemente. – Você está bem?

Afastá-lo com um simples sim teria sido mais fácil, mas a ternura em seu tom e a dolorosa necessidade de ser consolada eram grandes demais. Quando ela balançou a cabeça, os braços dele a rodearam, como os de um pai, puxando-a para um abraço reconfortante como ela nunca tinha conhecido.

Lágrimas caíram, e tudo o que acontecera se derramou de seus lábios enquanto ele a mantinha firme em seu abraço. O fardo foi aliviado quando ela compartilhou o que tinha visto, apoiando-se na força dele, sem perceber quanto precisava disso.

– Eu estive na Grande Guerra – disse ele, enquanto ela enxugava os olhos com um lenço. – Você nunca esquece, mas se torna parte de você. Como uma cicatriz que ninguém pode ver.

Grace assentiu para a lógica de sua declaração, a agitação de suas emoções finalmente se acalmando pela primeira vez desde que ela se permitira se abrir.

Talvez o consolo e os conselhos dele tivessem sido a fonte da coragem que Grace sentiu mais tarde, quando um ataque particularmente forte ecoou acima da estação do metrô. A cacofonia da guerra vinha ininterruptamente e com tamanha intensidade que não era possível diferenciar um som do outro. Se não estivesse no controle de sua sanidade, ela poderia ter se rendido à provocação do pânico que invadia sua mente a cada assobio, a cada estrondo que reverberava em seu peito. Eles só a fizeram ler ainda mais alto.

Mais tarde ficou sabendo que, a menos de dois quilômetros de distância, a Charing Cross havia sido fortemente bombardeada.

Naquela noite, Grace teve muito mais sucesso com a Sra. Weatherford em esconder o rosto machucado enquanto elas jantavam uma carne gordurosa e uma mistura de ervilhas e cenouras da horta. Mas não conseguiu convencê-la a procurar abrigo.

Era uma discussão que elas tinham quase diariamente. Grace presumiu que, àquela altura, a Sra. Weatherford havia parado de ouvir seus argumentos tão cuidadosamente detalhados. Mas agora Grace sabia bem o que poderia acontecer se uma bomba atingisse a Britton Street.

Preparar-se para seu turno na ARP naquela noite exigiu uma quantidade considerável de valentia. Mesmo enquanto ainda prendia o distintivo na lapela suas mãos já tremiam. Afinal, nunca era possível saber o que a noite ia trazer.

O Sr. Stokes também não parecia agir como de costume. Ele não se preocupou em se vangloriar de seus conhecimentos para ela, nem fez qualquer menção ao bombardeio da Charing Cross, que sem dúvida teria detalhes sangrentos para serem regurgitados.

Pela primeira vez, ele ficou quieto.

E, por mais que Grace pensasse que tal coisa seria uma bênção, ela descobriu que isso mexia em um lugar desconfortável dentro de seu peito, até que reconheceu o sentimento como preocupação.

Pelo Sr. Stokes, dentre todas as pessoas.

Depois de várias horas ouvindo o resto de Londres ser bombardeado, um som tão comum que desaparecia no fundo da mente feito estática, e vendo que seu próprio setor permanecia calmo, Grace não suportou mais.

– Imagino que tenha ouvido falar do que houve na Charing Cross – disse ela, finalmente.

Ele apertou os lábios ao luar. Por um momento durante o silêncio pensativo do Sr. Stokes, ela se maravilhou com a própria capacidade de enxergar nas ruas escuras de Londres. Conseguiu até distinguir um pequeno corte na lateral da mandíbula do Sr. Stokes, que ele havia sofrido durante a explosão da noite anterior.

– Ouvi – respondeu ele, sua voz grave e rouca. Ele engoliu em seco. – Coitadas das pessoas.

E isso foi tudo. Nenhum detalhe terrível de desmembramentos ou destruição em meio às chamas. Nada de casas e pessoas destroçadas, explodidas e reduzidas a estados repulsivos.

Eles ficaram um bom tempo sem falar nada. Não até passarem pela casa da Sra. Driscoll. Os restos da viúva tinham sido removidos por um dos serviços de resgate. O Sr. Stokes parou em frente à casa, que ainda estava de pé, e olhou para ela por um bom tempo, as mãos enfiadas nos bolsos.

– Eu não lhe agradeci, Srta. Bennett. – Ele baixou a cabeça. – Por ontem à noite. Eu... eu quase me esqueci, mas você me lembrou para que estávamos lá.

Sua humildade atingiu Grace ainda mais profundamente que seu silêncio anterior.

– Nós somos parceiros.

– Você manteve a cabeça no lugar, e pessoas estão vivas por sua causa. – Ele dirigiu o olhar para Grace. – Admiro a sua habilidade de permanecer tão focada.

– Eu suspeito – disse ela lentamente, incapaz de se conter – que é porque eu sou mulher.

Um sorriso lento surgiu na boca do homem. Ele deu uma risada sem graça.

– Eu sou um idiota, não sou?

Ela inclinou a cabeça, recusando-se a falar quando ele já sabia a resposta.

Daquela noite em diante, eles se deram muito melhor, encontrando uma espécie de amizade em meio ao perigo e à tragédia que experimentavam juntos.

E os dois precisavam disso, pois, apenas uma semana mais tarde, em uma noite cheia de neblina e expectativa, mais bombas caíram em seu setor. O dano foi grande; as baixas, inúmeras. Os alemães lançaram seus explosivos sem parar até as primeiras horas da manhã.

Quando feixes de luz do sol atravessavam o ar enfumaçado, a sirene de liberação soou. Grace andava de um lado para outro diante de uma casa desmoronada, sabendo que seus ocupantes tinham procurado abrigo no porão. Havia uma chance, por menor que fosse, de que ainda estivessem vivos.

Os homens da equipe de resgate estacionaram seu caminhão surrado, pois a maioria dos veículos estava assim naqueles dias, e se aproximaram deles com semblantes sombrios. Aqueles homens viam o pior que os bombardeios tinham a oferecer. Eles eram grandes, todos eles, seus corpos musculosos depois de muitas semanas de deslocamento de escombros, seus olhos tão vazios quanto as janelas escancaradas das casas destruídas.

Grace os orientou sobre onde cavar e ajudou como podia, chamando o nome das pessoas que esperava um dia ver de novo.

– Srta. Bennett – chamou uma voz estridente.

Ela estava inclinada sobre uma pilha de tijolos e se empertigou ao ver um rapaz correndo em sua direção.

– Que bom que a encontrei – disse o jovem, ofegante pela corrida. – Caiu uma bomba. Na casa da Sra. Weatherford...

O sangue de Grace gelou de medo.

A Sra. Weatherford.

Ela se afastou do rapaz, dos homens e dos escombros, correndo pelas ruas em direção à casa em uma velocidade inacreditável. Quando chegou, viu a fachada da casa intacta. Mas sabia que não deveria confiar nas aparências. Às vezes, era preciso somente abrir uma porta para descobrir que não havia mais nada lá.

Ela correu pelos degraus e não perdeu um instante, abrindo a porta com força e congelando com o choque.

Tudo estava exatamente como ela havia deixado, os pisos de madeira brilhando sob o tapete desbotado, a porta da cozinha aberta, revelando o alegre cômodo amarelo e branco.

Ela gritou pela Sra. Weatherford enquanto tropeçava na sala de estar, encontrando-a vazia.

Grace disparou para a cozinha, segurando o fôlego para chamar mais uma vez, e quase colidiu com ninguém menos que a Sra. Weatherford.

– Disseram que caiu uma bomba – gritou Grace.

A Sra. Weatherford deu um sorriso cansado.

– Caiu, minha querida. Mas não explodiu, está vendo?

Ela apontou da janela da cozinha para um local onde uma enorme bomba tinha caído diretamente em cima do abrigo, esmagando-o no meio. Era uma coisa feia, quase do tamanho de Grace, com uma barbatana saindo das costas e uma camada de areia sobre seu corpo metálico. Dentro daquele corpo, no entanto, havia explosivos suficientes para reduzir casas a destroços e despedaçar pessoas.

Outro calafrio percorreu a espinha de Grace.

Se a bomba tivesse explodido, a Sra. Weatherford estaria morta. Rasgada em pedaços. E Grace teria sido a pessoa a encontrá-la.

– Já notifiquei o posto da ARP para que um esquadrão antibombas seja enviado – explicou a Sra. Weatherford em um tom indiferente, como se não se importasse.

Como se não reconhecesse o perigo.

Grace balançou a cabeça.

– A senhora poderia ter morrido. Se ela houvesse sido detonada, a explosão teria destruído a casa e a senhora estaria...

– Mas nada disso aconteceu, querida.

A Sra. Weatherford fez um gesto para Grace se sentar à mesa e lhe serviu uma xícara de chá. A pequena pulseira que Grace lhe dera recentemente estava pendurada em seu braço flácido, com seu nome e o endereço gravados na placa ovalada central.

Ainda que ela estivesse usando a pulseira, Grace não desistiria tão facilmente. Ela agarrou a Sra. Weatherford, arrastando-a para fora da cozinha.

– A senhora poderia... – A voz de Grace hesitou. – Poderia ter se ferido... como...

Como a Sra. Driscoll.

– Mas não me feri.

A Sra. Weatherford suspirou, quase parecendo triste por não ter morrido. Mesmo assim, não protestou enquanto Grace a empurrava para fora, pela porta da frente.

– Mas poderia.

Grace apitou para os vigilantes da ARP que estavam assumindo seus turnos e os orientou a esvaziar a área antes que o esquadrão antibombas chegasse.

Quando elas estavam finalmente a várias ruas de distância, com uma xícara de chá morno do refeitório montado pelo SVM, Grace conseguiu dominar o pânico e olhar nos olhos da Sra. Weatherford.

– Sei que a vida tem sido difícil – começou ela.

A Sra. Weatherford fechou os olhos em um piscar lento e doloroso.

– Por favor – implorou Grace, a voz densa. – Tenho visto cenas terríveis. Testemunhei o que essas bombas podem fazer com as pessoas.

O olhar da Sra. Weatherford foi para o casaco de Grace, agora exposto à luz do dia para revelar a areia e o sangue.

Coisas que a Sra. Weatherford nunca havia notado.

Várias outras pessoas que perambulavam perto do refeitório improvisado estavam em condição semelhante – voluntários, bem como vítimas de bombas.

– A senhora sabe o que aconteceria comigo se eu a encontrasse em um estado desses? – A voz de Grace estava rouca com a tensão em seu sussurro. – Não posso nem...

Lágrimas arderam em seus olhos.

A Sra. Weatherford levou a mão à boca.

– Ah, Grace. Querida, me perdoe.

Elas não disseram mais nada nas horas que se arrastaram até a unidade responsável levar para longe, em segurança, a bomba não detonada.

Naquela noite, no entanto, quando Grace estava de folga do seu turno na ARP e se preparava para entrar na fila na entrada da estação Farringdon, a Sra. Weatherford, sem dizer nada, juntou-se a ela com uma pequena trouxa de pertences.

Daquela noite em diante, a Sra. Weatherford dormiu na estação Farringdon sem discutir.

No decorrer de outubro, os ataques aéreos continuaram, atingindo o pico no meio do mês, quando a lua estava cheia e luminosa. Lua de bombardeio, como eles a chamavam. E com propriedade.

Com o luar brilhante, o Tâmisa se iluminava como uma fita prateada serpenteando através do blecaute de Londres, e os alemães podiam distinguir claramente seus alvos. Centenas foram mortos, muitos mais foram feridos, milhares ficaram desabrigados e tantos incêndios se alastraram por Londres que os vigilantes da ARP foram deslocados para ajudar os bombeiros em sua luta aparentemente interminável.

Apesar de Londres ter suas camadas descascadas noite após noite, revelando o seu esqueleto, Churchill ainda tentava esconder o máximo possível de informações da Alemanha. Isso significava que o número de vítimas era listado nas transmissões à noite, mas não a sua localização. Significava que estabelecimentos que haviam sido bombardeados poderiam reabrir em uma nova área, mas sem revelar qual era a sua localização anterior. Pior ainda, significava que os mortos não poderiam receber seu obituário em tempo hábil, mas seriam listados com atraso, com apenas o mês de sua morte.

Em meio a tudo isso, a vida na cidade maltratada seguia em frente, com seus habitantes desfrutando de qualquer prazer que pudessem, tentando saborear os últimos vestígios de clima bom antes que o gelo e a neve chegassem. Especialmente se os próximos meses fossem ser tão gelados quanto no inverno anterior.

E foi em algum momento depois de meados de outubro, em um dia particularmente lindo, quase sem nuvens ou chuva, que Grace se viu desejando renunciar a umas horas extras de sono em troca de uma chance de caminhar nos resquícios de um dia ensolarado. Um pedido feito à Simpkin Marshalls não chegara naquela tarde, e ela agarrou a oportunidade que tanto desejava.

Quando sugeriu ao Sr. Evans que ela passasse na distribuidora para verificar, ele sorriu com compreensão e disse a ela para não se apressar. E ela não se apressou. Grace foi andando até a Paternoster Row, fazendo com que a curta caminhada durasse alguns minutos a mais que o necessário. Havia um frio cortante no ar, sim, mas nada que o sol não pudesse aquecer.

Grace tinha voltado para a Paternoster Row muitas vezes depois daquela fatídica primeira visita. A agitação do tráfego de pedestres não diminuíra desde o início da guerra; ao contrário, a rua parecia mais movimentada, com mais pessoas procurando livros para entretê-las em suas longas noites nos abrigos.

Os ônibus vermelhos, que costumavam dominar a paisagem, haviam sofrido perdas pesadas por conta dos constantes bombardeios. Ela já avistara muitos deles ao lado de ruas bombardeadas, amassados feito brinquedos de criança jogados fora. Um deles ainda aparecia de vez em quando, em meio a ônibus verdes, azuis, marrons e brancos enviados para substituir os que foram destruídos.

Os ambulantes ao longo da calçada ainda vendiam suas mercadorias, feitas com receitas alteradas para se adaptar ao racionamento. Embora os clientes reclamassem que a comida era inferior, continuavam fazendo fila para comprar.

A essa altura, Grace conhecia todos os ambulantes, assim como os donos das lojas e os editores. Ela entrou nas livrarias em um ritmo vagaroso, cumprimentando os proprietários pelo nome e folheando seus livros recém-chegados, não como concorrente, mas como leitora. Era glorioso caminhar por uma rua dedicada aos livros, onde os amantes da literatura podiam se reunir e se entregar à sua paixão na companhia de almas afins.

Embora ela entendesse agora a insistência de todos para que o Sr. Evans transferisse a sua loja para a Paternoster Row, não conseguia imaginar a Livraria Primrose Hill em nenhum outro lugar que não fosse a sua localização atual, escondida no meio de uma fileira de casas geminadas na Hosier Lane.

Estava tão animada naquele dia que até arriscou uma visita à Pritchard & Potts, onde encontrou o Sr. Pritchard balançando um barbante na frente de Malhado. O gato levantava a pata no ar com uma determinação fanática, tão concentrado em seu prêmio que nem se virou ao som do sino. O Sr. Pritchard, no entanto, se assustou e largou o barbante, que foi imediatamente agarrado por Malhado.

– Srta. Bassett. – O Sr. Pritchard limpou a garganta e fez um gesto em direção ao gato, agora emaranhado no barbante. – Eu estava... hum... tentando aprimorar os reflexos dele para ajudá-lo a pegar ratos.

Grace sorriu, apesar da incapacidade perpétua do Sr. Pritchard de acertar o seu nome, notando a elaborada desculpa do dono na livraria.

– Tenho certeza de que será bem útil – disse ela.

O olhar brilhante do Sr. Pritchard disparou ao redor da loja, e ela percebeu que ele, sem dúvida, estava enxergando o caos através dos olhos dela. Ele enfiou a cabeça mais fundo no volume de seu casaco escuro e fez um som de desaprovação.

– Estou impressionado com o que fez na livraria do Sr. Evans. – Ele enfiou as mãos nos bolsos, os lábios comprimidos. – Se tiver alguma sugestão...

A Livraria Primrose Hill estava tão bem estabelecida que a Pritchard & Potts não podia mais ser considerada uma concorrência legítima. Por isso Grace ofereceu ao homem mais velho várias dicas sobre publicidade e explicou como um pouco de organização poderia ajudar. Embora fizesse uma careta para a última sugestão, ele assentiu atentamente para seus conselhos sobre os anúncios.

Ela passou muito mais tempo na Pritchard & Potts do que pretendia. Na verdade, muito mais tempo que jamais imaginara ser capaz de suportar.

No apressado caminho de volta, no entanto, não deixou de notar o grande cartaz na vitrine da Nesbitt's Fine Reads divulgando "Encontros de leitura todas as tardes".

Exatamente como os que Grace continuava a fazer.

Ela engoliu uma risada diante da imitação descarada de sua austera vizinha. Na verdade, nem ficou zangada. Afinal, se isso oferecesse mais livros às pessoas para trazer alegria em tempos tão sombrios, quem era ela para se ofender?

Certamente as tardes de leitura da Sra. Nesbitt não alteraram em nada as multidões que iam à Livraria Primrose Hill. Durante os bombardeios, a plataforma da estação Farringdon ficava quase transbordando de gente. Indivíduos cujos empregos não lhes permitiam ir à livraria durante as tardes sem ataques aéreos rapidamente perguntavam uns aos outros o que haviam perdido, enquanto todos tentavam ficar mais perto para ouvi-la acima dos barulhos da guerra.

Eles tinham terminado *Middlemarch*, é claro, então passaram para outros clássicos, incluindo *Um conto de duas cidades* e *Emma*. O último tinha sido por insistência da Sra. Kittering.

As belas tardes em que as sirenes silenciavam eram as favoritas de Grace. O Sr. Evans tinha conseguido uma almofada grossa para ela usar quando se sentasse no segundo degrau da escada em caracol, e ela nunca tinha que competir com uma bomba assobiando. Foi no meio de uma tarde tranquila e chuvosa, enquanto lia *South Riding*, que Grace viu o menino pela primeira vez. O livro havia mexido com ela, que o lera por recomendação de George.

É através dos livros que podemos encontrar a maior esperança, ele havia escrito com sua caligrafia bonita e legível. Palavras que o censor não tivera motivos para cortar. *Você permanece sempre em meus pensamentos.*

A carta, como todas as que ele tinha enviado, era preciosa para Grace. Mas aquelas duas linhas específicas ficaram gravadas em sua mente, e ela as repetia várias vezes ao dia.

E *South Riding* era, de fato, um livro sobre esperança. Ambientado no período após a Grande Guerra, sua história inspiradora mostrava as comunidades se unindo em um cenário desolado, com personagens capazes de superar qualquer coisa que a vida lhes apresentasse.

Como os britânicos faziam naquele momento.

O menino era alto e magro, com um chapéu de lã enfiado por cima dos cabelos escuros e despenteados. Ele usava um casaco masculino bem grande sobre os ombros magros de adolescente e calças que balançavam nos tornozelos. Todas as peças estavam imundas.

Ele se esgueirou para a leitura depois que Grace havia começado e se sentou nas sombras de uma estante alta. Suas tentativas de não ser visto, no entanto, só o tornavam mais perceptível. Grace estava profundamente ciente da presença dele, da maneira como ele enfiava aquelas pernas compridas debaixo do corpo e erguia o chapéu, revelando um rosto sujo e esquelético enquanto ouvia atentamente. Ele permaneceu onde estava durante todo o tempo, até a última palavra da história, então partiu tão rápida e silenciosamente quanto havia chegado, mais uma vez baixando bem o chapéu sobre a cabeça.

Não foi a única vez que Grace o viu. Ele apareceu todos os dias depois disso, vestindo a mesma roupa larga e suja, sempre determinado a permanecer invisível.

Mas como não ver uma criança tão necessitada?

Ela deixava pequenas ofertas de comida onde ele se sentava, uma maçã ou um pouco de pão, mas ele nunca olhava para os itens, presumindo que não fazia parte do grupo. Ele precisava de ajuda. E ela sabia exatamente quem a daria.

Grace esperou até que ela e a Sra. Weatherford se sentassem à mesa da cozinha para comer um pedaço de torta Woolton, uma mistura de legumes com crosta de massa de batata. A Sra. Weatherford havia preparado aquele prato várias vezes desde que aprendera a receita no *The Kitchen Front*, programa que ouvia religiosamente todas as manhãs após o noticiário das oito horas na BBC.

Grace derramou um pouco mais de molho na crosta sem gosto e concluiu então que era uma boa hora para abordar o assunto.

– Estava me perguntando se a senhora já pensou em trabalhar de novo com o SVM.

A Sra. Weatherford levou o guardanapo aos lábios.

– Não pensei. – Havia uma frieza em seu tom, que Grace já esperava. – Não consigo fazer nada de bom para ninguém no estado em que me encontro.

– A senhora faz um bem enorme para mim.

Grace deu uma garfada generosa na torta.

A Sra. Weatherford franziu os lábios em um quase sorriso.

– Bem, você faz o suficiente por nós duas. Precisa manter as forças.

– E se alguém precisasse da senhora?

– Ninguém precisa de mim.

– Eu preciso – protestou Grace. – E tem um menino que precisa de alguma ajuda.

– Um menino?

A Sra. Weatherford encarou Grace com um olhar cansado, meio sem paciência.

Grace explicou como o menino ia à livraria para ouvi-la ler e o estado dele.

– Acho que ele não tem pais para cuidar dele, e é velho demais para ser aceito em um orfanato.

A Sra. Weatherford recostou-se na cadeira.

– Pobre criança.

Infelizmente, muitos adolescentes estavam naquela situação. Embora os orfanatos estivessem se enchendo de crianças que os procuravam, não era incomum que as mais velhas preferissem se arriscar nas ruas. Elas não precisavam de ninguém, ou assim pensavam. O estado em que se encontravam sugeria o contrário, com suas roupas imundas e bochechas encovadas.

A Sra. Weatherford balançou a cabeça.

– Mas o que eu poderia fazer?

Grace deu de ombros.

– Eu esperava que a senhora soubesse. Não tenho ideia de como eu poderia ajudar, mas sei que alguém precisa fazer alguma coisa antes que ele definhe. Existem muitas outras pessoas passando necessidade para que alguém se preocupe com gente como ele.

A Sra. Weatherford ficou em silêncio. Mas Grace viu os olhos dela se estreitarem, piscando com uma pitada do brilho que uma vez existira ali. Embora a mulher mais velha continuasse mostrando desinteresse, sua mente estava claramente pensando em soluções.

O turno da ARP naquela noite foi difícil. Várias bombas caíram, uma delas que Grace e o Sr. Stokes evitaram por pouco, e muitas mortes. Os alemães haviam começado a fazer uso de minas terrestres, que eram lançadas de paraquedas e cujas explosões causavam danos que se estendiam por até três quilômetros.

Não importava quantas vítimas Grace visse, ela ainda se sentia afetada por cada uma. Cada nome era marcado em seu coração, cada lembrança queimava em sua mente. Ela não estava sozinha na maneira como a morte a havia afetado. Os homens dos serviços de resgate, que cavavam os escombros em busca de corpos ou o que quer que tivesse sobrado, passavam uma garrafa de bebida uns para os outros enquanto trabalhavam, incapazes de realizar suas terríveis tarefas sem a ajuda do álcool. Eles também jamais se acostumariam com o que estavam testemunhando.

Então, quando Grace, cansada e com a alma desgastada, voltou para casa naquela manhã e sentiu o cheiro de pão assando, aquilo fez seu espírito abatido se animar. Especialmente quando fazia tanto tempo que a Sra. Weatherford não assava pão, usando seus sacos secretos de farinha de trigo. Foi bom que ela os tivesse guardado. Aqueles meses mostraram a todos que só porque algo não estava racionado não significava que fosse mais fácil de se conseguir.

E Grace achava que sabia quem receberia aquele pão tão cobiçado.

À tarde, a Sra. Weatherford chegou pouco antes da leitura de Grace, com seu olhar aguçado examinando os rostos ao redor. O menino chegou pouco antes de Grace começar e se sentou para ouvir. Enquanto ela terminava a última passagem, o menino se levantou e a Sra. Weatherford também.

Grace deu apenas parte de sua atenção ao parágrafo diante dela enquanto observava a Sra. Weatherford pelo canto do olho.

A mulher mais velha se aproximou do menino em seu cantinho isolado. Ele se enrijeceu e a fitou com olhos arregalados em silêncio quando ela lhe ofereceu o pão. Ele olhou para o presente por tanto tempo que Grace pensou que iria recusar.

A Sra. Weatherford assentiu, dizendo algo que Grace não ouviu. Então, rápido como uma bala, ele pegou o pão, enfiou-o sob o casaco e saiu da livraria.

A Sra. Weatherford encontrou o olhar de Grace e meneou a cabeça com orgulho. Ela havia conseguido. No mínimo, o menino teria comida para um dia.

Só que Grace conhecia muito bem a Sra. Weatherford. Haveria muitos outros dias depois daquele. Naquela tarde, na Britton Street, a correspondência não estava no chão, onde geralmente permanecia depois de ser empurrada pelo carteiro através da caixa do correio. Ela havia sido adicionada à pilha perto da porta, que estava visivelmente menor, como se finalmente tivesse sido selecionada.

No topo havia uma carta de Viv endereçada a Grace. E, debaixo dela, uma de George. Aquela bênção dupla era de fato um sinal de boa sorte, pois, quando Grace as abriu, percebeu que ambas continham uma mensagem semelhante, que a fez gritar de prazer como uma criança.

Tanto Viv quanto George retornariam a Londres para o Natal.

16

Já era final de outubro quando Grace recebeu as cartas de Viv e George dizendo que chegariam a tempo para as festas de fim de ano. Uma semana depois, Londres experimentou sua primeira noite sem um único bombardeio.

O tempo estava horrível. A chuva açoitava de lado por causa do vento, trovões rosnavam como feras e relâmpagos riscavam o céu nublado. Grace estava de plantão com o Sr. Stokes, ambos ansiosos com a iminência do ataque aéreo que felizmente não aconteceu. As horas daquele turno se estenderam por uma eternidade, uma noite entediante depois de tanta adrenalina e com a investida incessante da chuva.

Na manhã seguinte, todos os que tinham se abrigado na estação do metrô emergiram com olhos brilhantes e sorrisos descansados. Era difícil não invejar sua noite de descanso contínuo e suas roupas secas. Mas, na noite seguinte, quando Grace não estava trabalhando para a ARP, ela também teve a sua chance.

Foi maravilhoso dormir a noite toda, sem o onipresente grito da sirene de ataques aéreos.

Não iria durar, é claro, mas os bombardeios estavam mais esporádicos.

No mínimo, aquelas noites raras ofereciam uma chance de descansar e um alívio bem-vindo após semanas de ataque. A estação Farringdon sem dúvida salvara a vida de muitas pessoas, que dormiam escondidas e em segurança no subsolo, sob um teto fortificado. Mas não era a acomodação ideal. O chão era duro, o chá vendido custava o dobro do que uma cafeteria cobraria do lado de fora e os barulhos de tantas pessoas se mexendo, conversando, tossindo e roncando ecoavam a toda hora. Sem falar nos odores, que era melhor nem mencionar.

Embora não fosse como o luxo de afundar na maciez da própria cama, dormir uma noite inteira sem a interrupção de uma sirene de ataque aéreo, mesmo no chão de uma estação de metrô, era melhor que nada.

Com a mudança de estação, o clima na Inglaterra foi ficando péssimo e os londrinos nunca ficaram tão felizes por isso. Nevoeiro, chuva e ventos fortes mantinham os alemães no chão com mais frequência. Infelizmente, isso fazia com que as noites de ataques fossem ainda mais brutais.

Os jornais estavam repletos de informações que ofereciam detalhes censurados sobre as áreas bombardeadas, dando declarações gerais da tragédia quando não podiam dizer muito. E o tempo todo eles lembravam aos londrinos que seus filhos ainda poderiam ser realocados para o interior gratuitamente.

Grace não conseguia imaginar como deveria ser para uma criança viver sob aqueles bombardeios constantes. Crianças como aquele menino que vinha às suas leituras.

Aos poucos, o adolescente se tornou menos arisco com a Sra. Weatherford. A bondade paciente dela fazia Grace recordar-se de Colin, lidando com a criança assustada com o mesmo cuidado que ele demonstrava com os animais feridos. Eram lembranças como aquela que atingiam o lugar sensível dentro de Grace que ela sabia que nunca iria se curar.

Nada poderia substituir Colin.

Mas era bom ver a Sra. Weatherford voltando lentamente à vida.

Somente em meados de dezembro sua perseverança finalmente rendeu frutos, quando o menino permaneceu após a leitura para falar com ela. Grace se aproximou dos dois cautelosamente, com medo de afugentá-lo para sempre.

– Ele sabe que você está comigo. – A Sra. Weatherford acenou para ela. – Venha conhecer o Jimmy.

O menino tirou o chapéu e baixou a cabeça, revelando o lamentável estado de seus cabelos oleosos e encardidos. Ele a fitou com os olhos azul-claros, brilhantes e grandes em seu rosto magro.

– Obrigado por todas as leituras que você faz para nós – disse ele. – E pela comida.

Atrás do menino, o Sr. Evans ergueu as sobrancelhas peludas, como forma de perguntar se sua ajuda era necessária, mas Grace fez um movimento discreto com a cabeça para dizer que não.

– É um prazer ajudar – respondeu a Sra. Weatherford. – Posso perguntar onde estão seus pais?

Jimmy mudou o peso do corpo de um pé para outro antes de falar.

– Mortos.

Embora Grace estivesse esperando aquela resposta, não pôde evitar a tristeza que a dominou. Ele era jovem demais para estar sozinho.

– O que aconteceu com eles? – sondou a Sra. Weatherford.

O menino deu de ombros.

– Eles saíram uma noite, um pouco antes de um ataque aéreo, e nunca mais voltaram. Bombas, imagino – respondeu ele com uma voz suave, quase infantil.

Ele esfregou o queixo, onde uma sombra de pelos macios e escuros começava a aparecer.

– Eles disseram para nós... – Seus olhos se arregalaram pelo lapso. – Para mim. Eles disseram para mim que voltariam logo e nunca mais voltaram.

Mas a Sra. Weatherford nunca aceitava apenas uma parte da história.

– Nós? – pressionou ela. – Ora, Jimmy. Você sabe que não queremos lhe fazer nenhum mal.

Ele tocou o chão com a ponta do sapato gasto.

– Minha irmã, Sarah, e eu. – Ele lançou um olhar tímido para Grace. – Ela também gosta das suas histórias. Tenho medo de trazer minha irmã para cá porque ela ainda é muito nova. Mas conto a ela o que você lê quando vou para casa.

– Venha passar o Natal na nossa casa – convidou a Sra. Weatherford. – Traga sua irmã. Eu tenho algumas roupas que posso dar para você.

A última parte de sua declaração foi dita de maneira natural, mas Grace sabia como aquilo era importante. Não eram simplesmente "algumas roupas"; elas tinham pertencido a Colin.

O menino olhou em volta com evidente desconforto.

– Vou pensar.

– Por favor, faça isso – pediu a Sra. Weatherford, dando-lhe o endereço. – Vamos ter um belo pudim de Natal e talvez uma torta de melado.

Jimmy engoliu em seco, como se já pudesse sentir o gosto doce. Ele assentiu, murmurou seus agradecimentos e rapidamente saiu da livraria.

– O senhor também deveria se juntar a nós, Sr. Evans – afirmou a Sra. Weatherford. – É melhor estar conosco no Natal do que ficar sozinho.

O Sr. Evans enfiou a cabeça para fora de uma estante que ele havia confiscado para si.

– Está querendo se meter na minha vida, mulher?

– Está querendo agir como um velho rabugento? – retrucou ela, apertando os lábios e o estudando com expectativa.

Ele zombou em resposta.

– Vai chegar às duas, então? – perguntou ela em um tom leve, seus olhos brilhando de uma forma que Grace adorava ver.

O Sr. Evans desapareceu atrás de uma prateleira.

– Está bem – disse ele. – Duas.

Vários dias depois, Grace já tinha saído da livraria e estava encolhida no sofá, lendo *Um conto de Natal*, de Charles Dickens. Ela já lera várias de suas obras, mas tinha deixado aquela especificamente para ler naquela época do ano.

A sala da casa estava decorada, mas não do jeito habitual. Os ornamentos na árvore tinham perdido seu brilho, uma vez que as luzes precisavam ser desligadas durante os blecautes, e, em vez de ramos de sempre-vivas frescas, elas tiveram que se contentar com uma guirlanda de jornal pintado. Os cartões de Natal também tinham sido afetados pelo racionamento de papel e só havia poucos sobre a lareira, menores do que antes e finos demais para serem devidamente colocados em pé.

Não era o tipo de Natal que Grace costumava ter com a mãe quando era menina, mas ninguém mais fazia esse tipo de celebração. A maioria das pessoas nem estava em Londres para o feriado. Não com a guerra acontecendo.

Qualquer pessoa com parentes no interior encontrara desculpas para ir vê-los. Bem, qualquer pessoa, menos ela.

Grace foi interrompida nas páginas iniciais de seu livro quando um chacoalhar soou na porta antes que ela se abrisse.

A Sra. Weatherford já estava em casa, na cozinha, preparando o jantar, fazendo milagres com as coisas que se faziam passar por linguiças naqueles tempos de guerra. O que significava que só poderia ser a única outra pessoa que tinha a chave da casa.

Viv.

Grace gritou de prazer e se levantou correndo. Viv largou sua bagagem e respondeu com um sorriso largo nos lábios gentis e pintados de um vermelho forte.

Linda como sempre, com os cabelos em cachos enrolados sob o chapéu, ela conseguia parecer muito mais chique no uniforme cáqui que outras mulheres em suas roupas mais elegantes.

– Grace!

Viv jogou os braços ao redor da amiga. Seu abraço ainda tinha um perfume doce, embora não tão forte quanto costumava ser, agora abrigando vestígios de lã úmida e do frio cortante lá de fora.

Grace abraçou forte sua melhor amiga.

– Como é bom ver você!

– Já faz muito, muito tempo. – Viv colocou as mãos geladas no rosto de Grace. – Senti muito a sua falta, Patinha.

– Viv? – A Sra. Weatherford empurrou a porta da cozinha e olhou por um momento, com lágrimas se acumulando em seus olhos. – Ah, é tão bom ver você, minha querida.

Viv sorriu.

– É bom ver a senhora também.

Ela foi até a Sra. Weatherford e envolveu seus braços ao redor da mulher mais velha por um longo tempo. O abraço reiterava a sua dor compartilhada pela perda de Colin de uma forma que não poderia ser transmitida nas cartas.

A expressão de agonia no rosto da Sra. Weatherford contra o ombro de Viv dizia que ela entendia a mensagem. A mulher mais velha empurrou o corpo para trás e enxugou os cantos dos olhos com um lenço.

– Vá lá se instalar que eu vou colocar água para ferver. Você pode ficar... – Ela engoliu em seco. – Você pode ficar no quarto que quiser.

Ela saiu apressada antes de explicar o que queria dizer. Mas, na verdade, nenhuma explicação era realmente necessária.

O quarto de Colin.

– Eu ainda gostaria de dividir o quarto com a Grace. – Viv tirou o chapéu do uniforme e o colocou na chapeleira, perto da porta. – Afinal, venho dividindo um quarto com três outras moças no STA esse tempo todo. A não ser, Grace, que você tenha se acostumado a ter todo aquele espaço para si mesma.

– Tem sido muito solitário – rebateu Grace.

Ela pegou a bagagem de Viv antes da amiga e a carregou escada acima.

Uma vez em seu quarto compartilhado, Grace colocou a mala na cama de metal em que Viv dormia, ainda imaculadamente feita desde a primeira lavagem após sua partida.

Enquanto Viv desfazia a mala, as duas recomeçaram de onde haviam parado, como se o tempo separadas nunca tivesse passado.

Grace contou a ela sobre jardinagem e sua experiência com as lagartas, o que fez Viv rir. Falou sobre a Sra. Weatherford, Colin e Jimmy, o que fez Viv chorar, e sobre o cargo de vigilante da ARP e o trabalho com o Sr. Stokes. Grace omitiu, no entanto, os perigos do serviço e as cenas horríveis que testemunhara.

Não que isso importasse, pois Viv a conhecia muito bem. Quando ela terminou de relatar as coisas que vinham acontecendo em Londres, Viv se aproximou e gentilmente tocou a pulseira no braço de Grace.

– A situação aqui está pior do que eu imaginava – disse ela, com suavidade. – Você pode tentar disfarçar, mas sei o que os vigilantes da ARP fazem. Sei que o seu trabalho traz grandes riscos.

– Todos nós fazemos a nossa parte – argumentou Grace, sem querer se aprofundar nesses assuntos em uma ocasião tão feliz como aquela, quando finalmente podia rever a amiga que voltara para casa em segurança. – E você? Tudo o que tenta dizer é apagado pelos censores, então eu tenho que imaginar os detalhes.

O sorriso de Viv voltou.

– É mesmo? Então adivinhe o que é que eu faço na guerra.

– Você é uma espiã – disse Grace. – Foi para a França e resgatou vários barcos cheios de homens durante a batalha em Dunquerque, depois voou para a Alemanha usando uma estola de visom para desvendar pessoalmente os segredos do próprio Hitler. Você fez um trabalho tão incrível que já temos todas as informações de que precisamos e a guerra terminará em breve.

Viv riu.

– Ah, quem me dera fosse assim. Na verdade, estou trabalhando como operadora de radar, acredita? – Ela dobrou um cardigã rosa e o enfiou em uma gaveta. – Acontece que sou melhor em matemática do que imaginava.

– Não estou surpresa – afirmou Grace, com seriedade. A amiga sempre subestimara a própria inteligência. – Como é trabalhar com radares?

Viv se sentou na frente da cômoda.

– É emocionante, mas também é triste. Nós vemos os homens partirem para a Alemanha, para bombardeá-la. Algumas das mulheres são casadas com eles – acrescentou ela, torcendo a boca, parecendo morder o interior do lábio.

Muita coisa não era dita naquela guerra. Boa parte era facilmente presumida no silêncio.

Grace tinha visto um número suficiente de aviões alemães abatidos para perceber que tudo o que a Grã-Bretanha dava aos pilotos nazistas logo recebia de volta. Nem todos aqueles homens voltavam para casa.

– Por outro lado, os salões de baile são divinos. – Viv se levantou e pegou um frasco de esmalte vermelho da gaveta da mesa de cabeceira, onde ela o havia deixado antes de partir para o STA. – Os homens lá praticamente fazem fila para dançar a noite toda, e o amanhecer chega antes que se perceba.

Ela desatarraxou o topo do frasco e um odor forte e familiar encheu o quarto. Era o cheiro das noites que passavam acordadas até tarde na fazenda em Drayton, das tardes de verão no campo removendo partículas de sementes das unhas pintadas e falando sobre um dia ir para Londres.

Grace sorriu suavemente com as recordações. Elas nunca poderiam imaginar que estariam ali, ela trabalhando como vigilante da ARP, bem como em uma livraria, e Viv realizando a tarefa de operar radares no STA.

– Os homens sempre fizeram fila para dançar com você – provocou Grace.

– Não desse jeito. – Viv passou o pincel na unha do polegar, deixando uma listra vermelho-cereja no centro. – Você nunca vai ao West End?

Os hotéis abriam seus porões no West End de Londres como salões de baile durante as longas noites. Chegar lá era fácil, mas voltar para casa era uma dificuldade, pois as estações do metrô ficavam fechadas para servirem de abrigos, e muitos táxis se recusavam a fazer corridas no meio das bombas. Como resultado, a maioria das pessoas que ia aos salões de baile levava uma muda de roupa e pagava uma taxa que cobria a entrada no salão, uma noite em um quarto e um café da manhã simples no dia seguinte.

– Acho que você me conhece muito bem – comentou Grace, sentando-se na cama com as pernas dobradas.

Viv inspecionou uma unha recém-pintada, em seguida dirigiu o olhar para Grace e riu.

– Nós precisamos ir lá. Todo mundo fala sobre a animação do West End de Londres à noite. Confie em mim, você vai adorar.

Sozinha, Grace teria odiado, disso não tinha a menor dúvida. Não que ela tivesse noites de folga, de qualquer maneira. Mas, com Viv, enxergava a possibilidade de uma noite de diversão.

Grace assentiu.

– Então vamos.

Viv sorriu.

– Você vai se divertir muito. Prometo.

Ela não estava errada. Na noite seguinte, Grace se viu no Hotel Grosvenor House para um de seus coquetéis de dança de dois xelins. Elas vestiram seus melhores trajes – Viv em um vestido vermelho vivo com uma saia franzida que combinava com suas unhas e lábios, enquanto Grace pegou emprestado um vestido de Viv azul-claro, com mangas curtas dobradas. Elas se embrulharam em casacos quentes contra o frio cortante de dezembro e pegaram um táxi para a Park Street.

O Grosvenor as recebeu com um monte de sacos de areia empilhados ao redor de seu perímetro e as janelas enegrecidas contra o céu que escurecia.

Elas deixaram as sacolas com a muda de roupa na recepção e foram conduzidas ao Salão Principal, onde a pulsação do jazz reverberava nos pisos lustrosos e nos tetos altos. As pessoas na parte da frente do salão rodopiavam na pista de dança, pernas com meias dançando o *jitterbug* e moças balançando os quadris com tanto entusiasmo que a calcinha aparecia sob a saia rodopiante.

A excitação pulsava através de Grace, penetrando aquela névoa de exaustão onipresente que a envolvera nos últimos meses.

Viv pediu dois coquetéis French 75 e reagiu ao olhar questionador de Grace com um sorriso largo.

– É o meu favorito – gritou Viv em meio à música animada. – Dizem que tem mais força que o canhão French 75mm. O que significa que vai levar você para a pista de dança, Patinha.

As bebidas chegaram em taças altas com bolhas dançando nas laterais. O drinque era azedo e doce, com uma efervescência que fazia cócegas na língua de Grace e provocava um calor em seu corpo. Bastou um para derreter suas inibições e puxá-la em direção à batida da banda, que tocava no palco com toda a animação.

Grace e Viv dançaram sem parar a noite toda – com soldados, com homens que tinham empregos que os poupavam do recrutamento e até mesmo uma com a outra. No final, as bochechas de Grace doíam de tanto rir e suas veias ainda zumbiam com a eletricidade do baile, as bebidas e a alegria de dançar.

Era a primeira vez desde o início dos bombardeios que ela havia sido capaz de deixar tudo de lado. Não pensou nem uma vez nas bombas, nem na destruição que causavam, nem em como, por mais que se esforçasse, jamais poderia consertar o mundo.

Ela estava viva.

Ela era jovem.

E estava se divertindo.

Era assim que a vida em Londres deveria ser para ela e Viv – uma celebração da juventude, da felicidade e de tudo que ela deixara de lado por muito tempo.

A ebulição de tudo aquilo fez com que o sorriso ficasse grudado nos lábios Grace na manhã seguinte depois que elas tomaram banho, se arrumaram e saíram do Grosvenor para um mundo de flocos de neve e fumaça.

À luz do dia, o odor familiar da guerra atingiu Grace como um soco, e toda a euforia se evaporou. Destroços e fragmentos de vidro quebrado espalhavam-se pela rua logo adiante da entrada impecavelmente varrida do hotel. Vários incêndios ainda ardiam nos prédios ao redor, o cheiro oleoso indicando bombas incendiárias.

Foi então que ela percebeu que as partículas girando no ar não eram neve, mas cinzas.

– Quer que eu chame um táxi para vocês? – ofereceu um dos atendentes do hotel.

– Como isso pode ter acontecido enquanto estávamos lá dentro? – perguntou Grace, com os lábios dormentes. – Eu não ouvi nada.

– Por causa dos sacos de areia. – O atendente estufou o peito orgulhosamente. – São tantos que bloqueiam completamente os bombardeios.

Um calafrio que não tinha nada a ver com o vento gelado percorreu o corpo de Grace. Elas não tinham sido informadas de que um ataque aéreo estava acontecendo. Era muito fácil imaginar as consequências de uma bomba caindo em um salão tão cheio de gente. Todo mundo dançando, farreando, sem saber de nada. Um arrepio desceu pelas costas dela.

A constatação foi imediatamente substituída pela pesada pressão da culpa. Enquanto as pessoas estavam do lado de fora sendo bombardeadas, perdendo seus lares e suas vidas, enquanto voluntários trabalhavam a noite toda para salvar quem e o que eles podiam, Grace estava dançando.

Uma dor a atravessou. Ela poderia ter estado ali fora, ajudando. Poderia ter oferecido primeiros socorros, consolo, conselhos às equipes de resgate sobre onde as pessoas estavam e quem precisava de algum auxílio. Ela poderia ter operado uma bomba d'água portátil para ajudar a apagar as chamas. Ela poderia ter...

Viv deu o braço à Grace e disse:

– Venha, vamos para a estação.

– Eu poderia ter ajudado.

Grace se deixou levar, mal reconhecendo a presença dos atendentes alertando para que tomassem cuidado onde pisavam.

– Você poderia ter morrido – retrucou Viv, mais brusca do que Grace jamais a tinha ouvido falar.

Na verdade, todos eles poderiam ter morrido. Muros maciços e sacos de areia não protegiam tanto assim. Nem no subsolo. Ela já ouvira falar de vários abrigos cujos ocupantes se julgavam seguros, mas que foram bombardeados ou ficaram enterrados em escombros.

E o hotel nem sequer avisara sobre o ataque aéreo.

Seus pés esmagavam o vidro quebrado, e o calor flutuava na direção delas, vindo de uma pilha de tijolos quebrados, onde chamas ainda ardiam em algum lugar lá dentro.

– Você anda pelas ruas enquanto isso acontece? – perguntou Viv, em voz baixa.

– Claro. – Grace franziu a testa. – Eu deveria ter estado aqui ontem à noite.

– Não. – Viv parou na frente de Grace e encontrou seus olhos. – Você está se matando de trabalhar. Precisava da distração, pelo menos por uma noite, e estou feliz por você ter vindo. – Ela olhou em volta horrorizada antes de voltar sua atenção para Grace. – Meu Deus, as coisas que você deve testemunhar... – Então, ela jogou os braços em volta da amiga e a apertou em um abraço que tinha o cheiro da antiga Viv, um perfume floral doce que sobrepujava o odor acre do ambiente. – Você é tão corajosa – sussurrou Viv. – Tão corajosa.

"Corajosa".

A palavra surpreendeu Grace. Ela não era corajosa. Estava simplesmente fazendo o que qualquer vigilante da ARP faria, o que ela havia sido treinada para fazer. De todas as palavras que Grace poderia usar para descrever a si mesma, a última seria "corajosa".

Quando se aprumou, Viv enxugou os olhos e olhou para cima, agitando os cílios, dando uma risada autodepreciativa.

– Assim eu vou estragar a minha maquiagem – disse ela. – Venha, vamos voltar para casa para que você possa ter um bom descanso antes desta tarde.

Um calor subiu ao rosto de Grace com aquele lembrete. George iria buscá-la no final daquela tarde para um encontro. Fazia mais de um ano desde que ela o vira pela última vez.

Vários homens com quem ela tinha dançado na noite anterior a haviam convidado para jantar ou pedido que lhes escrevesse. Alguns até tiveram a ousadia de pedir um beijo, declarando que os dela poderiam ser os últimos lábios que tocariam. Ela recusou cada um deles, embora da maneira mais gentil possível, e teve o cuidado de não dançar com ninguém mais de uma vez, para que não interpretassem mal seu interesse por eles.

Naquela tarde, depois de um bom cochilo e muito alvoroço de Viv sobre exatamente qual roupa usar, elas elegeram um vestido de seda franzido vermelho-cereja que Grace achou chique demais e Viv insistiu que era simplesmente perfeito. Para combinar, sapatos de salto alto e uma bolsa preta com debrum vermelho. Seus cabelos estavam arrumados na última moda, cortesia de Viv, com mechas em rolos presas para trás do rosto.

Viv até conseguiu convencer Grace a usar um pouco de batom vermelho, que, de fato, combinava bem com o vestido. Era a roupa mais ousada que

Grace já usara, e a fazia se sentir tão delicada quanto a seda de seu último par de meias-calças novas.

– Acho que ele vai desmaiar quando vir você – declarou Viv, levantando as sobrancelhas perfeitamente depiladas.

Só de imaginar, Grace ficou com as bochechas coradas.

– Especialmente se você corar assim.

Viv bateu palmas de prazer e elas desceram.

A Sra. Weatherford, que estava esperando por elas na entrada, colocou a palma da mão no peito.

– Ah, Grace.

Grace ficou quente de vergonha, temendo que a Sra. Weatherford pudesse achar tudo exagerado. Certamente era muito mais chamativo do que qualquer coisa que Grace já tinha usado, com todo aquele vermelho e ainda por cima a seda.

– Você está tão linda, minha querida. – A Sra. Weatherford balançou a cabeça e soltou um longo suspiro. – Se ao menos sua mãe pudesse vê-la agora.

Antes que Grace fosse capaz de responder, a campainha tocou e ela quase tropeçou no último degrau.

Ela e George haviam combinado de jantar cedo para garantir que não fossem interrompidos por ataques aéreos e ela tivesse tempo de assumir seu turno naquela noite, como vigilante. Uma olhada em seu relógio confirmou que ele estava um minuto adiantado.

A Sra. Weatherford tinha uma expressão ansiosa, e se afastou da porta para que Grace pudesse abri-la. Grace se controlou para não puxar a maçaneta com força e, em vez disso, puxou-a muito mais devagar do que realmente desejava.

Do outro lado estava George. O homem para quem ela escrevera cartas durante meses detalhando cada pedacinho de sua vida, com quem ela havia compartilhado seus pensamentos mais íntimos. O homem que a introduzira no mundo da leitura.

E, naquele instante, pela primeira vez em mais de um ano, ela finalmente o estava vendo de novo.

17

A pulsação de Grace disparou quando ela contemplou os olhos verde-esmeralda de George Anderson.

Depois de tantos meses, ali estava ele – em carne e osso, com seus cabelos escuros bem penteados para o lado e vestindo um uniforme azul da RAF, os braços pacientemente cruzados atrás das costas, como um soldado na posição de descansar. Quando ele a viu, abriu a boca, mas não pronunciou uma única palavra.

Em vez disso, engoliu, pigarreou e disse:

– Srta. Bennett... Grace... você está...

Ele balançou a cabeça como se estivesse tentando encontrar a palavra certa.

Ela nunca o tinha visto sem saber o que dizer. Em suas conversas anteriores, ele sempre fora tranquilo e confiante. O fato de tê-lo atordoado tanto a fez vibrar por dentro.

– Deslumbrante – completou ele, finalmente, com um sorriso largo e meio torto. – Você está deslumbrante.

Ele tirou os braços das costas e estendeu um livro para ela. A capa era roxa e trazia gravada a imagem dourada de um homem de pé sobre um barril no meio de um grupo de pessoas, com o título em letras impressas também em dourado, no topo. *A feira das vaidades*.

– Eu teria chegado com flores, mas parece que todas foram substituídas por repolhos. – Ele inclinou o livro como se reconsiderando a própria atitude. – Então trouxe o segundo melhor presente. Achei que você iria gostar, e não mencionou tê-lo lido em suas cartas.

– Eu não li. – Grace pegou o livro, sentindo-se subitamente tímida na frente daquele homem com quem tinha compartilhado tanto de si mesma. – E isto é muito melhor que flores.

Grace virou-se para dentro da casa a fim de colocar o livro sobre a mesinha perto da porta e encontrou a Sra. Weatherford e Viv assistindo, com sobrancelhas levantadas e sorrisos largos e ansiosos estampados no rosto. Grace riu.

– Deixe-me apresentá-lo às minhas amigas mais queridas, a Sra. Weatherford e Viv.

George entrou na casa e foi apresentado primeiro a Viv, que o cumprimentou educadamente, e, então, quando ele se virou para a Sra. Weatherford, Viv se abanou boquiaberta, demonstrando aprovação. A Sra. Weatherford, por sua vez, deu uma risadinha com um entusiasmo ruborizado enquanto conversava com George sobre seu retorno a Londres e perguntava pela família dele, que morava em Kent.

Feitas as apresentações, George se voltou para Grace e lhe ofereceu o braço. Ele a levou para fora, e juntos caminharam até um táxi, que já os esperava.

O estado de nervos de Grace enquanto esperava por George se derreteu em uma felicidade eletrizante. Havia algo de especial no fato de conhecerem reflexões e considerações íntimas um do outro. Afinal, era muito mais fácil compartilhar sobre si mesmo por meio da caneta que por meio da voz, e isso havia estabelecido uma conexão palpável entre eles.

Embora fosse apenas o primeiro encontro de verdade, eles já conheciam um ao outro. Além do mais, os dois se entendiam.

Ele abriu a porta para deixá-la entrar antes de se juntar a ela no apertado banco de trás do veículo. O cheiro de seu sabonete de barbear encheu o pequeno espaço, um perfume familiar do qual ela se lembrava das interações anteriores na livraria tanto tempo atrás.

– Quero saber tudo sobre seus eventos de leituras de livros – disse ele.

Grace contou sobre as pessoas que vinham ouvi-la e as histórias que ela lia, e ele escutava com um sorriso pairando nos lábios. Enquanto conversavam, o táxi seguia pelas ruas, andando em zigue-zague por conta das ocasionais placas de desvio para evitar crateras de bombas.

Ela presumia que fossem jantar em um pequeno restaurante, como o

Kardomah Café, cujas camadas de sacos de areia o deixavam seguro o suficiente para funcionar também como abrigo antiaéreo. Então, quando pararam diante da entrada em arco do Ritz, sua boca ficou seca com o choque.

Grace nunca estivera em um lugar tão elegante; qualquer possibilidade de estar ali só fora explorada em sua imaginação, nos bate-papos noturnos com Viv, quando elas ainda estavam presas ao marasmo da vida em Drayton.

– Eu achei... – Grace gaguejou. – Achei que íamos a um restaurante pequeno.

George sorriu largamente para ela.

– Se só tenho a oportunidade de levá-la para sair uma vez durante a minha folga de três dias, quero fazer valer a pena. – Ele saiu do táxi e lhe ofereceu a mão. – Se estiver tudo bem por você.

Ela colocou os dedos em sua palma quente e permitiu que ele a ajudasse a sair do táxi.

– Tudo ótimo – garantiu ela.

Ele colocou a mão dela na dobra de seu braço enquanto os atendentes abriam as portas para recebê-los no esplendor do Ritz. Então seguiram para o salão de jantar, onde muitas mesas estavam postas para dois, com toalhas limpas e cadeiras de veludo.

Por mais grandioso que ela o tivesse imaginado, o Ritz era muito, muito mais.

Não havia apenas um lustre, mas vários. Eles eram todos ligados ao longo do teto oval por guirlandas e pareciam estar dependurados como as pedras preciosas de um belo colar. Cada centímetro do lugar resplandecia de opulência, desde o espesso carpete com padrão de arabescos até as paredes e os tetos pintados.

Era como se tivessem pisado em um pedacinho de Londres onde a guerra não existia. Onde as pessoas usavam roupas que não fariam sentido se tivessem que correr para um abrigo antibombas ou atravessar aos tropeços as ruas cheias de escombros. Onde o cheiro de comida no ar revelava luxos como açúcar e carne de qualidade. Em algum lugar invisível, os dedos de um pianista dançavam sem esforço sobre as teclas, produzindo uma delicada melodia que a fazia pensar em verões e boas risadas.

Na parte principal do salão havia uma majestosa árvore de Natal, sem nenhum pedaço de jornal pintado entre seus ornamentos brilhantes.

Eles foram conduzidos a uma mesa de canto, posta para dois, com um pequeno buquê do que pareciam ser dálias em um vaso sobre a mesa.

George fez uma careta para as flores.

– E a única coisa que eu encontrei foram repolhos.

Grace riu, dando voz à sensação de vertigem em seu interior.

– Você não é o Ritz.

O garçom chegou e apresentou o cardápio. No topo, em letras bem desenhadas, estava Le Woolton Pie. Grace sorriu, imaginando a expressão no rosto da Sra. Weatherford quando descobrisse que o Ritz estava servindo torta Woolton com um nome chique.

Grace abriu mão da Le Woolton Pie e preferiu um rosbife, que surgiu suculento e macio, uma mudança bem-vinda em relação ao que elas conseguiam comprar do açougueiro, que muitas vezes parecia ter mais gordura que carne.

George pediu o mesmo, com uma salada de cenoura como entrada.

– Salada de cenoura? – Grace ergueu as sobrancelhas de maneira exagerada. – É verdade que elas ajudam a enxergar no escuro?

– O governo diz que sim – respondeu ele, com uma piscadela.

Vários cartazes haviam surgido nos últimos tempos incentivando o consumo de cenoura e apregoando sua capacidade de ajudar as pessoas a enxergar no escuro. Especialmente pilotos.

– E o que você acha?

Embora Grace tivesse feito a pergunta de brincadeira, ela estava realmente curiosa. Afinal, vinha comendo mais cenoura que o habitual e notara pouca diferença quando estava em patrulha no blecaute.

Ele sorriu.

– Funciona bem o suficiente para os alemães começarem a alimentar seus pilotos com elas também.

– Verdade?

George riu, e ela percebeu que ele estava intencionalmente se esquivando da pergunta. Era algo que fazia quando o assunto envolvia seus esforços na guerra. Quando ela perguntou se estivera na França, ele respondeu com uma palavra: Dunquerque. O olhar cauteloso dele e a compreensão do que ele devia ter presenciado a impediram de sondar mais.

Ele estava servindo como piloto de caça em Acklington, na Escócia, no

Grupo 13 da RAF, pilotando um Hawker Hurricane. E estivera em Dunquerque. Fora essas poucas informações, ela não sabia quase nada. Por conta da confidencialidade dos dados sobre a guerra, sobretudo em relação à RAF, Grace estava ciente de que havia muita coisa que não podia ser dita.

Afinal, "línguas soltas afundam navios". "Conversas descuidadas custam vidas". E todos aqueles outros slogans do governo para motivar as pessoas a ficarem quietas.

– Agora, me diga, como você sabia que eu iria adorar *O conde de Monte Cristo*? – perguntou Grace.

Aquele era um tema sobre o qual ele podia falar livremente, como ficou evidenciado pelo jeito que seus lindos olhos verdes se iluminaram.

– Todo mundo ama *O conde de Monte Cristo*.

– Especialmente você, ao que parece.

Ela deixou a ideia no ar e tomou um gole de vinho, esperando que ele contasse a história que havia por trás daquele livro antigo.

– Foi um presente do meu avô. – Uma ternura tocou o sorriso de George. – Todo ano, quando eu era menino, nós pegávamos o trem até Dorset para ficar na casa dele, situada em uma das falésias, com vista para o mar. Havia uma biblioteca gigantesca. – Ele estendeu as mãos para expressar a enormidade. – Tomava metade da casa e era recheada de clássicos. Mas esse sempre foi o meu favorito. Depois que entrei na universidade, não consegui mais voltar lá, então ele mandou o livro para mim pelo correio.

– Dorset. – Grace recostou-se na cadeira e deu um sorriso sonhador. – Ouvi dizer que é lindo.

– E é. – George segurou sua taça de vinho, inclinando a cabeça e refletindo. – Sinto falta de lá, do vento que traz o cheiro do oceano, de como ele mexe insistentemente nos cabelos e nas roupas quando a gente chega na beira do penhasco. Em dias de clima bom, nós descíamos até a beira do mar, onde a areia é quente e a água é fria.

Grace conseguia se imaginar lá, a feroz brisa costeira varrendo seus próprios cabelos e roupas.

– Deve ser maravilhoso.

– Um dia você vai conhecer – disse ele, erguendo o copo em um brinde silencioso e bebendo um gole de vinho.

O garçom apareceu com a refeição mais deliciosa que Grace já tinha experimentado. Enquanto comiam, ela falou sobre como a vida em Londres mudara, e ele contou a ela sobre dois outros pilotos de quem se tornara amigo na Escócia, compartilhando as partes de sua vida que lhe eram permitidas.

Grace olhou para a janela escurecida ao lado da mesa.

– É tão fácil fingir que a guerra não está acontecendo enquanto estamos aqui.

George contemplou o salão.

– É mesmo. Poderíamos fazer de conta, se você topar.

– Fazer de conta?

Grace sorriu enquanto repetia a expressão. Ela não "fazia de conta" desde que era criança. Mas a ideia lhe pareceu tão tola e impraticável que imediatamente a atraiu.

– Isso mesmo. – Ele tomou um gole de vinho, sua cabeça inclinada em reflexão. – Como se a guerra nunca tivesse acontecido. Você está trabalhando na livraria, uma adorável vendedora com uma mente afiada e uma avidez por bons livros.

Grace não pôde deixar de rir.

– E você é um engenheiro encantador, com paixão por literatura e um senso de humor maravilhoso, que sempre sabe dizer as coisas certas.

Ele deu uma risada que fez seu sorriso parecer quase infantil.

– Está bem. Vamos combinar de sair amanhã e caminhar pelas ruas, enquanto a neve cai ao nosso redor feito plumas, ouvindo os corais cantarem canções de Natal no Hyde Park. Levarei um buquê de flores para você. – Ele arqueou uma sobrancelha e olhou para o vasinho de flores incisivamente. – Rosas, eu acho.

– E vamos encontrar um cinema onde esteja passando *Um conto de Natal* – acrescentou ela.

– Eu amo esse livro. – George parou quando um garçom se aproximou para garantir que eles tinham tudo de que precisavam. – Pode ser um pouco infantil, mas eu o leio todos os anos nessa época. Na verdade, estou no meio dele agora.

– Eu também – confessou Grace. – Estava guardando para ler pouco antes do Natal.

– Charles Dickens sempre escreve histórias minuciosamente detalhadas e memoráveis.

Charles Dickens passara a ser um dos escritores favoritos de Grace também, e a mera menção do nome a fez se sentar mais ereta, cheia de entusiasmo.

– Você já leu *As aventuras do Sr. Pickwick*?

Ele estreitou os olhos, tentando se lembrar.

– Tenho certeza que sim, só que já faz muito tempo. Não posso dizer que me lembro da história.

– Ah, você deveria ler de novo. – Grace se inclinou para a frente. – O Sr. Pickwick e vários de seus companheiros fazem uma viagem pelo interior da Inglaterra. É uma aventura e tanto, com muitas risadas, como quando... – Ela levou a ponta dos dedos à boca para suprimir a cena que estava prestes a relembrar. – Não quero estragar sua experiência. Você terá que ler e se surpreender mais uma vez.

O rosto inteiro de George sorria enquanto ele a observava, seus olhos praticamente cintilando.

– É o que vou fazer. Depois, na próxima carta, incluirei minhas cenas favoritas.

A conversa continuou, recheada de descrições de livros que eles haviam lido e lembranças de assuntos que compartilharam um com o outro em suas cartas, alongando-se com os detalhes que eram extensos demais para escrever.

Na companhia de George, em um salão tão lindo, era fácil deixar de lado os bombardeios, esquecer as escassas refeições racionadas e aproveitar um belo jantar de carne fresca em um molho aromático e farto, viajando mentalmente para longe do mundo lá fora.

Porém, cedo demais, o encontro chegou ao fim, pois Grace precisava retomar o seu turno na ARP naquela noite, e George tinha que pegar um dos últimos trens para Kent, a fim de passar o Natal em Canterbury com os pais.

Enquanto Grace e George voltavam para casa de táxi, o fluxo da conversa diminuiu para um silêncio confortável, como se ambos estivessem saboreando a conexão entre eles uma última vez, até o próximo encontro. George a ajudou a sair do veículo e a levou até a porta, onde o efeito total do blecaute encobria a varanda da casa com uma cortina de privacidade.

Grace parou na porta, a pouco mais de meio passo dele. Era o mais próximo que eles tinham estado a noite toda, exceto quando estavam lado a lado no automóvel. Ela sentiu seu cheiro de limpeza e tentou gravar para sempre cada segundo daquela noite mágica.

– Obrigada pela noite mais maravilhosa da minha vida – disse ela, a voz mais ofegante que o normal.

Afinal, como poderia falar normalmente quando mal conseguia respirar?

– Confesso que pensei nesta noite por muitos meses – contou George.

Ele pegou na mão de Grace, envolvendo seus dedos quentes ao redor dos dela.

Grace sentiu sua pele estalar de expectativa, como acontece naqueles momentos de estática no ar antes de uma tempestade de raios.

– Eu também.

– Eu gosto de trocarmos cartas – disse ele, a voz baixa, íntima. – Mas sei que a guerra pode ser difícil. Se você preferir ficar livre para alguém em Londres...

– Não – respondeu Grace rápido demais.

Ambos riram, tímidos e nervosos.

– Eu aguardo ansiosamente cada carta que você escreve. – Ela correu o polegar sobre as costas da mão dele, explorando aquela recém-descoberta proximidade. – E sempre que vivencio algo intrigante ou divertido, você e Viv são os primeiros com quem desejo compartilhar em minha próxima carta.

– Não tenho o direito de pedir que você espere por mim. – Ele fechou o meio passo entre eles, e o ar se tornou quase rarefeito demais para se respirar. – Não sabemos quanto tempo essa guerra ainda vai durar.

– Você vale a espera, George Anderson.

O coração de Grace se acelerou.

Ele ergueu a mão livre, tocando suavemente o lado esquerdo do rosto de Grace, e baixou a boca para a dela. Foi um beijo doce, terno, que a privou de todo e qualquer pensamento.

Ele não estava tão ansioso quanto Simon Jones estivera em Drayton, e ela estava feliz por isso.

George não era esse tipo de homem. Ele era atencioso e cuidadoso, e colocava a alma em tudo o que fazia. Embora o beijo fosse gentil e leve, tocou-a em um lugar profundo, que ela sabia que pertenceria a ele para sempre.

– Boa noite, minha linda Grace. – Ele passou o dedo indicador pelo queixo dela, demorando um segundo antes de afastá-lo. – Vou ficar esperando a sua próxima carta. Prometa que ficará em segurança.

– Só se você prometer também. – Ela o olhou nos olhos, perdida neles. – Já estou ansiosa pelo seu retorno.

Ele sorriu, um flash de dentes brancos na escuridão.

Grace abriu a porta da frente, assustando Viv e a Sra. Weatherford, que estavam, curiosamente, perto da entrada.

A Sra. Weatherford olhou para o teto com uma expressão de culpa enquanto Grace fechava a porta.

– Tomando chá aqui? – provocou ela.

– Ah, pare. – Viv fez um sinal com a mão. – Você sabe muito bem que estávamos tentando ouvir vocês. Foi muito rude de sua parte falarem tão baixinho que não conseguimos escutar uma única palavra.

O motor do táxi do lado de fora roncou, levando George embora. Quem poderia dizer quando eles se veriam novamente? Dali a meses, se tivessem sorte.

Ela levou os dedos à boca, onde o calor dos lábios dele permanecia. Passaria aqueles meses esperando alegremente por ele. Anos até, se fosse preciso.

Não havia outro homem como George Anderson.

– Bem – a Sra. Weatherford bufou de impaciência –, conte-nos tudo.

Com a mulher mais velha mostrando-se no melhor ânimo que Grace tinha visto depois de Colin partir para a guerra, ela não podia deixar de compartilhar todos os detalhes. Quer dizer, quase todos. Deixou aquele beijo guardado no coração. Para ela, só para ela.

O Natal não teve muitos dos luxos que Grace havia desfrutado em Londres no ano anterior. Os coristas estavam ausentes das ruas, por causa do bombardeio constante. Os teatros e cinemas que ainda abriam eram poucos e distantes entre si, muitos tendo ficado inoperantes graças aos danos sofridos.

No entanto, por algum milagre, Grace e Viv conseguiram se apertar em uma apresentação de uma pantomima na véspera de Natal, uma peça festiva que as fez se lembrarem da infância, embora a produção fosse muito melhor que a que elas assistiam em Drayton. No dia de Natal, a Sra. Weatherford, como sempre, seguiu as regras para economizar enchendo o forno de travessas, na tentativa de cozinhar todos os alimentos de uma só vez, o que foi um grande feito à luz do banquete que ela preparou.

Como tudo o que a Sra. Weatherford fazia quando se tratava de racionamento na cozinha, ela se saiu lindamente. O governo havia dobrado as rações de chá e açúcar em preparação para o Natal, e a Sra. Weatherford fez bom uso delas também, somando-as às suas reservas secretas.

Havia torta de melado, bolo *figgy* feito no vapor e o tradicional bolo natalino de frutas, embora este último tivesse pouquíssimas frutas secas. Tudo isso estava enfeitado com pedaços de azevinho glaceados, feitos ao embeber as folhas verdes e cerosas em sal de Epsom – uma sugestão festiva do Ministério da Alimentação.

Embora a Sra. Weatherford permanecesse aparentemente bem alegre, Grace podia ver as rachaduras em sua jovialidade forçada. Elas vinham nos momentos em que ela achava que ninguém estava olhando, quando o sorriso murchava em seus lábios e uma expressão dolorosa comprimia suas feições em uma agonia súbita.

Grace sabia que aquilo doía.

O luto.

Por Colin.

Sua ausência era sentida como um membro amputado. Não – um coração amputado.

Seu sorriso, sua bondade, sua luz – nenhum Natal jamais seria o mesmo sem ele. E nenhuma quantidade de azevinho glaceado ou guirlandas de jornal pintado poderia fazer isso desaparecer.

Embora tivessem concordado em não dar presentes naquele ano, economizando para os esforços de guerra, todas elas tinham algo para cada uma. A Sra. Weatherford comprara sabonetes perfumados para Grace e Viv. Viv havia tricotado dois cachecóis grossos e Grace conseguira um pouco de chocolate para cada uma. Estava embrulhado em papel-manteiga, uma vez que o alumínio agora era necessário para outras coisas, e era mais quebradiço e menos doce do que antes. Mas o sorriso delas ao abrir seus presentes mostraram a Grace que chocolate sempre seria chocolate, não importava a embalagem.

O jantar foi delicioso e adorável, a adição de açúcar um toque mágico em tempos tão restritivos. O Sr. Evans chegou com uma garrafa de vinho que estava guardando para uma ocasião como aquela, e ele e a Sra. Weatherford passaram boa parte da noite brigando um com o outro feito irmãos, ambos com um brilho bem-humorado nos olhos.

Jimmy e sua irmã, no entanto, não se juntaram a eles, e sua ausência foi bastante sentida. Principalmente pela Sra. Weatherford. O pacote sob a árvore sem luzes, com as roupas de Colin, ajustadas para o corpo magro de Jimmy, permaneceu exatamente onde fora colocado, junto de outro pacote com vários vestidos de menina e um casaco que Viv tinha feito para a irmã dele.

Viv teria que voltar para Caister no dia seguinte. Era uma constatação triste, que salpicava de cinzas a fugaz alegria do Natal e deixava o ambiente na casa mais escuro e solitário que nunca.

A Sra. Weatherford foi especialmente afetada pela partida de Viv, como se estivesse perdendo Colin outra vez. Ela só conseguiu ter ânimo para sair de casa no dia 27 de dezembro, quando foi à livraria para a tarde de leitura de Grace com uma grande caixa de sobras de Natal, como bolo e vários pãezinhos, além dos presentes das crianças.

Jimmy chegou e, embora tivesse ficado envergonhado quando viu a Sra. Weatherford, não fugiu dela e de Grace depois da leitura.

– Eles nos deram comida no centro de acolhimento. – Ele tirou o chapéu, a expressão pesada com remorso. – Eu não quis consumir as cotas racionadas de vocês.

A consideração do menino em um mundo tão devastado, quando ele mesmo não tinha nada e, comparativamente, elas tinham tanto, foi como uma agulhada no peito de Grace.

– Você não precisa se preocupar conosco – disse Grace.

– Nós tínhamos muito mais do que conseguiríamos comer – afirmou a Sra. Weatherford, colocando a caixa diante dele e levantando a tampa.

Ela havia colocado as sobremesas de Natal em uma grande tigela de vidro ao lado dos presentes embrulhados para Jimmy e a irmã.

Jimmy ergueu os olhos, surpreso.

– A senhora está me dando muita coisa.

A Sra. Weatherford fez um gesto com a mão, dispensando a preocupação.

– Eu fiz isso para vocês dois, e vocês não estavam lá para comer.

– Abra o pacote maior – sugeriu Grace, sabendo quanto significaria para a Sra. Weatherford que ele abrisse o presente.

Jimmy hesitou apenas um momento antes de tirar o pacote da caixa. Ele não rasgou o papel, como as crianças muitas vezes fazem. Em vez disso, desamarrou o barbante que o prendia o pacote, enrolou-o em torno da mão formando um punhado bem arrumado e o colocou dentro da caixa. Só então, cuidadosamente, desdobrou o papel para não causar um único rasgo.

Era o cuidado de alguém que não tinha nada, alguém que sabia que poderia precisar daqueles materiais mais tarde. O presente não era apenas o item dentro da caixa, mas o embrulho em si.

O menino olhou por um longo tempo para as roupas. Três camisas de colarinho, três calças, dois pulôveres e um casaco grosso.

De repente, ele fungou com força e enxugou o nariz com a manga de seu casaco imundo.

– É muita coisa – resmungou o menino com uma voz grossa.

Ele fitou as duas com olhos marejados, a boca comprimida com força, mas sem conseguir reprimir o tremor do queixo.

A Sra. Weatherford balançou a cabeça.

– Está longe de ser o suficiente.

Naquela tarde, a Sra. Weatherford se livrou do peso de sua tristeza e voltou a cooperar com o SVM. Dessa vez, se concentrou em cuidar dos órfãos dos ataques. Desempenhou sua tarefa com ardor e determinação, o milagre de Natal mais genuíno que Grace já vira.

Duas noites depois, Grace estava se preparando para outro turno da noite com o Sr. Stokes quando a sirene de ataque aéreo rompeu o silêncio. O som quase assustou Grace. As noites desde a véspera de Natal tinham sido tranquilas em Londres, um cessar-fogo tácito. No céu, nuvens espessas indicavam que a noite não era ideal para bombardeios, especialmente não tão cedo.

Embora fossem apenas alguns minutos depois das seis, Grace levou a Sra. Weatherford para a estação Farringdon, a fim de se juntar à fila de pessoas esperando para entrar, e correu até o posto da ARP. Afinal, não fazia sentido ficar no abrigo por menos de uma hora, especialmente quando algum oportunista poderia reivindicar o lugar dela no chão da estação de metrô e tentar vendê-lo para algum atrasado por dois xelins.

O Sr. Stokes já estava no posto quando ela chegou, tendo tido obviamente a mesma ideia. Ele deu um sorriso fraco quando a viu, os lábios finos esticados sob o bigode.

– Os aviões alemães chegaram cedo esta noite – disse ele.

– Teria sido educado pelo menos esperar até o nosso turno começar – brincou Grace, afivelando a alça de couro do chapéu de metal sob o queixo.

Lá fora, a vibração dos aviões que passavam reverberava com tamanha intensidade que Grace podia sentir os motores zumbindo através das solas de seus sapatos.

Seria uma noite ruim.

Ela deixou a segurança do posto protegido por sacos de areia e saiu para o frio úmido da noite de final de dezembro. No entanto, não foi a escuridão que encontrou seus olhos, mas um brilho laranja ao longe, onde uma parte próxima de Londres estava em chamas. Perto do Tâmisa. Perto da catedral de São Paulo.

Os aviões chacoalhavam lá em cima, esvaziando suas barrigas para atacar uma área várias ruas adiante. Enquanto o objeto caía, derramando pequenos bastões, um som familiar atingiu os ouvidos de Grace. Um silvo, seguido pelo choque de dezenas desses bastões atravessando os telhados, atingindo o chão e cuspindo chamas violentamente no momento do impacto.

– Bombas incendiárias – gritou Grace para o Sr. Stokes, enquanto colocava por cima do ombro a mangueira da bomba d'água portátil.

Ela não precisou olhar para trás para saber que ele a seguia de perto. Ambos sabiam que havia poucos minutos entre eles e os muitos novos incêndios que poderiam facilmente explodir fora de controle.

Duas ruas adiante, encontraram a primeira bomba incendiária, cintilando com lascas brancas de luz enquanto expelia furiosamente suas entranhas de magnésio. Quase todas as frentes das casas agora tinham um balde de água, areia ou mesmo sacos de areia dispostos em preparação. Grace agarrou um saco de areia, colocando o peso diante do rosto para se proteger, e o deixou cair sobre o brilho da luz. Quando o saco queimasse, ela derramaria a areia e apagaria a bomba. Não havia necessidade de esperar para ver se seria eficaz. Não quando havia tantas outras.

– Srta. Bennett – chamou o Sr. Stokes.

Ele já tinha um pé colocado na bomba d'água ao lado do balde, com a mangueira estendida para Grace. Ela a agarrou e correu em direção à casa mais próxima, onde vários arbustos estavam em chamas. Então pressionou o botão que mudava de jato para borrifador até que as chamas fossem extintas.

Como sempre, eles precisavam ter o cuidado de evitar o magnésio, que explodiria em contato com a água. Isso era preocupante apenas no início do incêndio, quando a bomba estava lançando suas brilhantes faíscas verde-esbranquiçadas, mas era desesperador.

Sem parar, eles repetiram suas ações ao longo da rua, apagando as chamas com sacos de areia e água, alternando-se na bomba d'água para que não se cansassem depressa demais. Finalmente, conseguiram controlar todos os incêndios. Ofegantes, encostaram-se contra a parede de uma construção onde tinham acabado de extinguir o fogo, cansados e quentes apesar da noite invernal, porém vitoriosos.

Outra sequência de aviões zumbiu nas alturas.

O estômago de Grace foi parar no pé.

Plop.

A primeira bomba incendiária atingiu o pavimento a vários metros de distância de seus pés e ganhou vida com um silvo de faíscas.

Plop.

Uma segunda caiu bem perto da primeira.

Não era mais possível identificar uma bomba incendiária caindo, não quando tantas despencavam ao seu redor, como grampos de cabelo sendo despejados de uma lata.

Imediatamente, Grace e o Sr. Stokes se puseram a lutar contra uma nova onda de chamas de magnésio, que iluminava a rua como a luz do dia. Eles viraram a esquina enquanto combatiam o fogo, e Grace percebeu que estavam na Aldersgate Street, perto do Corpo de Bombeiros. Só que o prédio deles também pegava fogo. Os bombeiros já estavam do lado de fora das paredes em chamas, com jatos de água saindo de um tanque com rodas.

Ao longe, em direção à foz do rio, veio outro zumbido familiar. Outro silvo. E a chuva de mais bombas incendiárias sobre Londres.

Os bombeiros, lutando pelo controle de seu próprio prédio, eram de pouca ajuda. Não havia nada a fazer a não ser lutar.

Pelo tempo que a batalha durasse.

Grace e o Sr. Stokes conseguiram apagar o fogo em seu setor, enquanto as chamas perto do rio ficavam mais fortes.

Eles passaram pela Livraria Primrose Hill várias vezes, para garantir que o local permanecia seguro. O Sr. Evans tinha adquirido o hábito de fazer companhia à Sra. Weatherford na estação Farringdon. Pelo menos Grace ficava mais tranquila sabendo que ambos estavam seguros.

Enquanto o céu brilhava com uma intensidade laranja e vermelha, a livraria permanecia silenciosamente escondida nas sombras do blecaute. Foi em uma dessas inspeções que eles se depararam com um bombeiro, o rosto manchado de fuligem e brilhante de suor.

– Se o seu setor estiver bem, precisamos de ajuda – disse ele. Sua marcha aumentou para uma corrida enquanto ele apontava para longe. – Naquela praça, Paternoster Square. Tragam o que puderem.

18

Um calafrio percorreu a espinha de Grace, apesar do calor causado por seus esforços. E quanto ao distrito dos livreiros na Paternoster Row, que chegava até a praça? E quanto à Simpkin Marshalls, que tão prontamente fornecia todos os livros para a livraria? E as gráficas e editoras e todas aquelas lojas?

Grace e o Sr. Stokes não perderam tempo. Armados com sua bomba d'água portátil e um balde vazio, eles seguiram o bombeiro, correndo por vários quarteirões. As chamas ficavam mais visíveis a cada passo, brilhando como se fossem um inferno maciço, com bombeiros por todos os lados, pulverizando as chamas com a água de suas bombas d'água rebocadas por táxis.

O barulho estrondoso dos canhões antiaéreos disparando contra os alemães também estava mais alto, junto com o assobio de bombas caindo e as inevitáveis explosões que se seguiam.

Quanto mais Grace e o Sr. Stokes se aproximavam da Paternoster Square, mais quente o ar ficava, até que chegaram a um ponto em que pareciam tentar respirar dentro de um forno.

– Grace, precisamos parar – disse o Sr. Stokes ao seu lado, ofegante, curvando-se para recuperar o fôlego.

Ele disse algo mais, mas uma bomba assobiou ali perto, fez silêncio por um instante, depois detonou com uma explosão ensurdecedora que fez o chão tremer.

– Não podemos parar agora – rebateu Grace.

Ela acelerou o passo, correndo a toda a velocidade, contornando a esquina da Paternoster Row e parando.

Onde homens santos uma vez abençoaram as ruas, o próprio inferno havia baixado. Uma fumaça sufocante erguia-se das chamas, e páginas chamuscadas se espalhavam pela rua cheia de escombros, como penas de asas que tivessem sido arrancadas.

A rua brilhava, vermelha com a conflagração intensa, embora vários imóveis permanecessem intocados, provavelmente aqueles cujos proprietários empregavam vigilantes de incêndio em seus telhados. No entanto, eles eram poucos e distantes entre si.

As lojas cheias de livros secos eram como pavio à espera de um fósforo. A maioria tinha fogo rastejando sobre suas telhas de ardósia, dançando perversamente por seus elaborados interiores de madeira e estendendo-se de suas janelas quebradas, a pintura externa enegrecida pela fuligem.

A Simpkin Marshalls, que frequentemente se vangloriava de seu estoque de milhões de livros, queimava como uma pira funerária.

O prédio à direita de Grace brilhava mais forte, como se estivesse se inflamando a partir de seu interior. Lá dentro, estantes de livros estavam sendo lambidas pelas chamas, que corriam com um prazer ganancioso sobre fileiras e mais fileiras de lombadas bem organizadas.

O edifício parecia pulsar, como uma besta respirando, determinada a devorar tudo em seu caminho.

Alguém gritou o nome de Grace, e a fera dentro de um prédio rugiu, poderosa e aterrorizante.

Ela não conseguia se mexer. Não conseguia desviar o olhar daquela cena horrível. Tantos livros. Milhões. Destruídos.

Algo sólido colidiu com ela, derrubando-a no chão. Ela caiu com um grito abafado quando uma explosão de calor escaldante correu em sua direção. Bocados de areia e poeira mordiscaram seu rosto e as costas de suas mãos.

Atordoada e momentaneamente confusa, ela piscou e encontrou o Sr. Stokes cobrindo-a com o próprio corpo. O edifício ofegante agora era só escombros, seus tijolos caídos incandescentes.

– Você está machucada? – gritou o Sr. Stokes em meio à cacofonia da guerra e do inferno.

Grace balançou a cabeça.

– Precisamos encontrar água – disse ela.

Ele olhou ao redor com tristeza.

– Precisamos encontrar sobreviventes.

Ele estava certo, é claro. O fogo era grande demais para ser contido. Ao redor deles, os bombeiros estavam esvaziando seus tanques sobre as chamas, sem nenhum efeito.

A Pritchard & Potts ficava a apenas algumas lojas de onde Grace estava, umas das poucas que não tinha chamas, embora um pedaço parecesse estar faltando onde uma explosão atingira seu lado direito, demolindo a loja ao lado.

Felizmente, a Paternoster Square não teria muitas pessoas em seus prédios, pois a maioria havia ido para o interior com a intenção de retornar no ano-novo. Mas algumas não tinham para onde ir.

Como o Sr. Pritchard.

Ele estaria em seu apartamento acima da Pritchard & Potts, sem sombra de dúvida. Sobretudo quando havia criticado tantas vezes os abrigos públicos, reclamando daqueles que sujavam o chão das estações de metrô e das edificações próximas.

Grace correu para o prédio e viu que a porta havia desaparecido, explodida pela bomba que o atingira. Lá dentro, a livraria estava escura, iluminada apenas pelas chamas brilhantes que vinham pelas janelas quebradas. Livros haviam sido derrubados de suas prateleiras e cobriam o chão, espalhados e rasgados como pássaros caídos.

Um apito soou do lado de fora, seguido por um estrondo que fez toda a estrutura tremer. Caiu gesso do teto, e vários outros livros tombaram de suas prateleiras.

– Sr. Pritchard! – gritou ela.

Ele não respondeu.

Não era hora para decoro. Ela encontrou a porta que levava ao apartamento e subiu as escadas. Enquanto subia, o edifício parecia balançar, ligeiramente instável em suas fundações.

Guiando-se pela luz laranja tremeluzente que vinha do lado de fora, ela vasculhou o apartamento, em tão mau estado quanto a loja abaixo. Sua respiração ficou presa quando notou o que parecia ser uma perna magra projetando-se por debaixo de uma cristaleira inclinada.

– Sr. Pritchard! – disse Grace novamente.

Sem receber resposta, ela se ajoelhou ao lado da cristaleira, confirmando que era de fato o idoso embaixo dela. Ela empurrou o móvel, sem sucesso.

Uma bomba caiu em algum lugar próximo e o prédio estremeceu, como se quisesse desmoronar.

E poderia.

Mas a cristaleira não importava mais, não depois que Grace tentou encontrar alguma pulsação no pulso flácido e fino do Sr. Pritchard. Não haveria salvamento. O Sr. Pritchard já estava morto.

Outra bomba caiu, essa com tanta força que Grace se desequilibrou. Foi quando ouviu um grito choramingado.

Ela correu em direção ao som e olhou embaixo do sofá, onde encontrou Malhado muito assustado. Pegou o gato com tanta pressa que ele não resistiu. Em vez disso, agarrou-se a ela enquanto Grace corria do prédio.

Lá fora, o Sr. Stokes estava parado no meio da rua enquanto incêndios se alastravam em ambos os lados. Os bombeiros apontavam suas mangueiras para as chamas, seus uniformes encharcados com a água que escorria dos bicos de latão das mangueiras, mas ainda assim sem se moverem de sua posição.

O Sr. Stokes olhou para Malhado.

– Algum outro sobrevivente? – perguntou ele.

A imagem do Sr. Pritchard imprensado sem vida sob o móvel voltou à mente de Grace. Ela abraçou Malhado com um pouco mais de força e balançou a cabeça.

O vento varria o beco estreito, atiçando as chamas em uma excitação selvagem, enviando faíscas por todos os lados. O calor ao redor deles se expandiu, envolvendo Grace até ela sentir como se o tutano de seus ossos estivesse derretendo feito cera.

Quando ela era criança, achava lindas as brasas brilhantes na lareira, como se fossem fadas de fogo. Não havia nada de bonito ou mágico agora. As chamas eram cruéis em sua ganância e impiedosas em sua destruição.

– Precisamos ir embora. – O rosto do Sr. Stokes brilhava de suor e seus olhos disparavam sobre o fogo que crescia. – Eles não têm água sobrando. Não há nada que possamos fazer aqui.

Ela levou Malhado junto com eles, pois não havia onde deixá-lo, entregando-o na catedral de São Paulo, que permanecia abençoadamente livre de chamas até o momento. Uma das paroquianas que buscara refúgio ali se ofereceu para cuidar do gato, envolvendo o pequeno felino assustado em seus braços.

Depois disso, ela e o Sr. Stokes voltaram para as ruas em chamas. Os aviões ainda estavam no alto, invisíveis na névoa de fumaça, mas audíveis, com seus motores zumbindo, os repetidos lançamentos de explosivos e o enlouquecedor plop, plop, plop das bombas incendiárias.

Um bombeiro estava na frente de um prédio em chamas, a mangueira flácida e vazia em sua mão.

– Eles bombardearam a tubulação – disse ele, quando os dois se aproximaram para ajudar.

– E os bombeadores de água do Tâmisa? – indagou o Sr. Stokes.

Os bombeadores ficavam lá como medida de segurança, no caso de os bombardeios cortarem as tubulações de água que alimentavam os hidrantes. O Tâmisa poderia então ser aproveitado como fonte de água.

O homem continuou observando o fogo devorar o prédio, seu olhar brilhando de desamparo.

– A maré está muito baixa – respondeu ele.

A pele de Grace se arrepiou com o calor intenso.

– Quer dizer...?

O homem baixou a cabeça antes de explicar:

– Não há água. Não temos escolha a não ser deixar que esses incêndios se apaguem sozinhos.

E foi o que aconteceu. Enquanto Grace e o Sr. Stokes tentavam ajudar qualquer pessoa que pudesse ter sobrevivido, os bombeiros só podiam assistir enquanto as chamas consumiam edifício após edifício com uma fome insaciável, saltando de um para outro do jeito que tinham feito quase trezentos anos antes, durante o Grande Incêndio de Londres. O inferno havia reduzido a cidade a cinzas e alcatrão, e estava repetindo o seu feito.

Ela estremeceu ao recordar as cenas que lera em *A catedral de São Paulo*, de William Harrison Ainsworth, quando o grande incêndio devorou Londres. Exceto que ela não podia pará-lo, como fizera o personagem principal.

Grace e o Sr. Stokes continuaram a resgatar todos os que conseguiram enquanto a noite mais longa da vida de Grace prosseguia. Em meio a tudo isso, ela se manteve de pé, extraindo de si mesma um fluxo de energia desesperada que não imaginava possuir estando tão completamente exausta.

Depois do que pareceu uma eternidade, a manhã chegou, trazendo com ela o fim das horas de bombardeio. A fumaça ainda pairava como um cobertor grosso sobre os prédios em ruínas, que crepitavam com incêndios que não puderam ser extintos.

Esgotada e derrotada por tanta destruição, Grace foi até a catedral de São Paulo, na esperança de pegar Malhado. O medo tomou conta dela com seu aperto gelado conforme ela caminhava através de uma fumaça espessa demais para discernir se a antiga catedral ainda estava de pé.

Ela prendeu a respiração, esperando que a construção não tivesse sido mais uma vítima do ataque, como o resto da Paternoster Square.

De repente, uma rajada de vento soprou, seu frio surpreendente contra o calor da alvenaria fumegante e das chamas. A fumaça também se moveu, afastando-se e revelando um pedaço do céu e a cúpula imaculada da catedral de São Paulo.

Durante o primeiro Grande Incêndio, a catedral continuara de pé por três dias antes de finalmente cair. Ela havia sido reconstruída e estava firme agora. Mas era muito mais que um simples edifício. Era um lugar de culto, de socorro às almas perdidas.

Era um símbolo de que, no meio do inferno, o bem ainda prevalecia.

Era a marca do espírito dos britânicos: mesmo diante de tamanha aniquilação e perda, eles também permaneciam de pé.

– Londres consegue suportar – disse o Sr. Stokes, com uma voz grave, ao lado de Grace.

A visão etérea claramente o comoveu com a mesma enxurrada de patriotismo ao repetir o slogan que o governo havia criado desde o início dos ataques.

Ainda mais milagroso, Malhado permanecia no mesmo lugar, agora envolto em um cobertor fino, dormindo na extremidade de um banco. Grace ergueu aquele embrulho azul-claro com as mãos enegrecidas pela fuligem, e Malhado piscou para acordar com seus olhos cor de âmbar.

Assim que ela colocou o gatinho contra o peito, ele se aninhou nela, agarrando-se sem arranhá-la. Com o animal a salvo, Grace permitiu que o Sr. Stokes a levasse de volta para a casa na Britton Street, cansada demais para argumentar que ele precisava ir para a cama tanto quanto ela. Independentemente do cansaço de ambos, e sem que tivesse sido discutido, eles tomaram o caminho mais longo para passar pela Livraria Primrose Hill, que, por milagre, permanecia abrigada e segura como sempre.

Ela se sentiu grata pelo fato de a loja continuar intacta, especialmente quando tantas haviam sofrido enorme perda.

Sem dúvida, o Sr. Evans já estava de volta ao seu apartamento acima da loja, depois que a sirene de liberação soou naquela manhã.

Nem todos os imóveis ou pessoas tiveram a mesma sorte. Em seu setor, em Islington, muitas casas tiveram danos nos telhados causados pelas bombas incendiárias, e várias propriedades foram destruídas. Mesmo assim, não chegava nem perto da destruição na Paternoster Row.

O Sr. Stokes simplesmente meneou a cabeça para Grace quando eles chegaram à casa dela, antes de se virar e cambalear lentamente em direção à própria casa, na Clerkenwell Street. A Sra. Weatherford abriu a porta antes que Grace terminasse de subir as escadas.

– Grace. – A Sra. Weatherford levou a mão ao pescoço, como se estivesse lutando para respirar. – Graças a Deus você está bem, minha menina. Entre, entre.

Grace estava cansada demais para fazer qualquer coisa além de se arrastar até a porta da frente. Sua garganta queimava por ter respirado o ar quente, e o peito parecia estar entupido de fuligem.

– Ouvi dizer que foi horrível. – A Sra. Weatherford fechou a porta e agitou-se ansiosamente ao redor de Grace. – Foi mesmo? Não, não responda. Posso ver na sua expressão que foi. Coitadinha. Graças a Deus está segura, está em casa. Quer um pouco de chá? Comida? Posso pegar alguma coisa para você?

Ela fez uma pausa em seu surto de preocupação e olhou para a trouxinha que Grace carregava.

O tempo estava tão frio lá fora que parecia que a neblina havia se congelado em fragmentos sólidos. Quando se afastaram do calor infernal do centro de Londres, Grace havia enrolado Malhado no cobertor para garantir que permanecesse aquecido. Então ela abriu a fina camada de pano, revelando um gato de olhos sonolentos que havia experimentado uma noite tão terrível quanto a de todos os habitantes da cidade.

A Sra. Weatherford colocou os dedos sobre os lábios.

– Esse não é… ele é…?

– O Malhado – Grace conseguiu responder, mesmo com a garganta seca.

A Sra. Weatherford colocou a mão no rosto de Grace em uma emoção silenciosa, e depois a deixou descansar na cabeça de Malhado.

– Você foi a última... – Sua voz falhou. – Você foi a última criatura ferida que Colin salvou. – De repente, lembrando-se, ela olhou bruscamente para Grace. – O Sr. Pritchard.

Grace balançou a cabeça. Ela se certificara de que as equipes soubessem da localização dele, para que seus restos mortais recebessem os cuidados adequados.

– Eu esperava que a senhora ficasse com o Malhado – disse Grace, a voz rouca. – Ele está muito assustado, imagino, e precisa de alguém para amar.

A Sra. Weatherford soltou um suspiro trêmulo.

– Eu me sinto exatamente assim, pequeno Malhado – declarou ela, tirando o gato dos braços de Grace com cobertor e tudo.

Depois disso, Grace tomou um banho, deixando manchas de fuligem preta no pequeno banheiro, mas exausta demais para se importar. Pretendia limpar tudo quando acordasse, mas descobriu, mais tarde, que já estava feito, praticamente brilhando com o aroma revelador de um bom sabão carbólico. Lá embaixo, ela encontrou a Sra. Weatherford, que dispensou o agradecimento pela limpeza enquanto acariciava Malhado. Da parte do gato, ele parecia estar muito apaixonado pela Sra. Weatherford, pois se esticava em sua direção para esfregar o rosto contra o dela. Para a alegria da mulher.

Depois da refeição rápida de ensopado de legumes e coelho que a Sra. Weatherford tinha guardado para ela, Grace deixou a casa para caminhar até a livraria. Afinal, a vida continuava e ela ainda tinha um trabalho a fazer.

O ar úmido a fez prender a respiração assim que a atingiu. O odor de queimado pairava, cortante, no vento, e a fez relembrar todos os acontecimentos da noite anterior.

– Ei, você. – Uma voz brusca veio da outra porta, ao lado.

Grace piscou contra o frio e encontrou a Sra. Nesbitt parada rigidamente nos degraus de sua casa. A fuligem havia manchado o seu casaco impermeável outrora impecável, e seus olhos estavam avermelhados.

Ela ergueu a cabeça.

– Acabei de ir à minha livraria. Ou o que sobrou dela.

Tal visão deve ter sido devastadora. Grace virou-se totalmente para a Sra. Nesbitt, sincera em sua empatia.

– Eu sinto muito.

– E deveria sentir – retrucou a mulher.

Grace já deveria estar acostumada com as repreensões afiadas da Sra. Nesbitt, mas as farpas nunca deixavam de atingir seu objetivo.

– O que a senhora disse?

– Você estava lá fora ontem à noite. – A Sra. Nesbitt beliscou suas luvas, tirando-as com raiva, um dedo de cada vez. – Poderia ter feito mais. Se não fosse o estoque que mantenho aqui em casa, eu não teria mais nada. Nada. – Ela arrancou as luvas das mãos e as colocou em uma palma nua. – Não há desculpa para tantas lojas terem se queimado daquele jeito. Nenhuma.

Estava na ponta da língua de Grace defender suas ações e as dos muitos voluntários que lutaram na noite anterior. O número de bombas incendiárias tinha sido gigantesco. As tubulações foram atingidas, e o Tâmisa teve a maré mais baixa do ano bem naquele momento. Mas Grace não devia nenhuma justificativa àquela mulher. Não quando ela e todos os outros tinham dado tudo de si.

A raiva afastou o frio no ar.

O boletim do rádio naquela manhã anunciara que mais de dez bombeiros haviam morrido e mais de duzentos ficaram feridos. Homens corajosos, cujas famílias nunca mais os receberiam em casa, nunca mais diriam que os amavam.

– Que sorte a sua que várias pessoas perderam a vida combatendo os incêndios ontem à noite – disse Grace, em um tom duro. – Agora há vagas para a senhora preencher, já que o resto de nós é tão obviamente incapaz.

O rosto da Sra. Nesbitt ficou vermelho.

– Sua insolente...

Mas Grace já estava descendo o resto da escada, sem se dar o trabalho de ouvir qualquer coisa. Não quando era tentador demais marchar até a outra mulher e dar um tapa naquela cara ossuda.

Um vapor saía dos lábios de Grace em baforadas brancas, e ela caminhou tão rápido que os músculos de suas pernas queimaram com o esforço. A Livraria Primrose Hill apareceu diante de si sem que ela percebesse a velocidade com que tinha chegado até lá.

Grace empurrou a porta com mais força do que pretendia.

O Sr. Evans levantou a cabeça.

– Srta. Bennett?

– Aquela mulher – declarou Grace, com toda a veemência que vinha engolindo. – Aquela mulher horrível.

– Não tem ninguém na loja no momento. – Ele deu a volta no balcão, cruzou as mãos e as descansou onde a protuberância de sua barriga antes se sobressaía. – Conte-me o que aconteceu.

Grace relatou a ele o que a Sra. Nesbitt havia falado e o que tinha acontecido na noite anterior, chegando a perder a voz quando contou sobre a morte do Sr. Pritchard.

O Sr. Evans suspirou pesadamente, seu olhar distante.

– Ele nunca viu sentido em ir para um abrigo. É uma pena que muitos compartilhem dessa opinião. – Ele balançou a cabeça lentamente. – O pobre coitado. Obrigado por cuidar de Malhado.

– Acho que a Sra. Weatherford está feliz em ficar com ele.

O Sr. Evans exibiu a sugestão de um sorriso.

– Vai fazer bem a ela, eu acho. E quanto à Sra. Nesbitt...

A mera menção do nome da mulher fez com que Grace fervesse de raiva novamente.

– Eu acho – disse ele, lentamente – que a Sra. Nesbitt está tão magoada pelo que aconteceu com a livraria dela que quis atacar a primeira pessoa que viu pela frente. – O Sr. Evans inclinou a cabeça, como se pedisse desculpas. – E aconteceu de ser você.

– Ela não precisava ser tão cruel.

Grace sabia que estava sendo petulante, mas a mulher era realmente odiosa.

O Sr. Evans ajustou seus óculos grossos.

– Você leu recentemente *Um conto de Natal*, se bem me lembro.

Grace assentiu.

– Viu como a infância infeliz de Ebenezer o fez ser quem ele era. Imagine como ele se sentiria se seu negócio fosse reduzido a cinzas.

Era uma comparação bem adequada, Ebenezer Scrooge e a Sra. Nesbitt, com certeza. Uma comparação que Grace nunca tinha pensado em fazer até aquele momento. Mas era verdade como a raiva podia ser usada para mascarar a dor, especialmente quando a dor era uma emoção que deixava o indivíduo tão vulnerável.

Até mesmo o Sr. Evans tinha usado de rispidez para mascarar suas lembranças da filha quando Grace começara a trabalhar na livraria.

Quem poderia saber o que a Sra. Nesbitt tinha passado na vida para se tornar tão dura e amarga?

Era uma nova compreensão que Grace nunca levara em consideração.

– Obrigada – disse ela. – Eu nunca tinha pensado nisso dessa forma.

O Sr. Evans deu um tapinha carinhoso na bochecha dela, do jeito que um pai faria.

– Você tem uma boa alma, Grace Bennett.

– E o senhor é um excelente professor.

Ela pensou naquela conversa ao longo do dia, enquanto trabalhava. Fez com que reavaliasse até mesmo seu próprio tio. A ruindade em uma pessoa não era inata, mas criada. Talvez ele tivesse suportado alguma dificuldade que o tornara tão cruel.

De repente, ela o enxergou sob uma luz diferente. Não com raiva, mas com compaixão. E com a constatação de que seus maus-tratos não tinham nada a ver com ela e tudo a ver com ele próprio.

Ela refletiu sobre tudo isso enquanto olhava para o espaço aberto na estante à sua frente, que tinha sido esvaziada no dia anterior para receber um novo pedido que deveria vir da Simpkin Marshalls. Um pedido que agora não seria mais entregue.

Uma ideia surgiu.

– Eu queria saber… – disse Grace, em voz alta – se poderíamos reservar uma pequena área da loja para os livreiros da Paternoster Row…

O Sr. Evans, que estava absorto em um livro a alguns passos de distância, olhou para ela por cima do aro dos óculos.

– Como assim?

– Podemos oferecer espaço a qualquer uma das lojas que tenha livros que não foram queimados e dar baixa no estoque delas quando forem vendidos. – Afinal, ela e o Sr. Evans mantinham seus registros em um nível imaculado. – Assim, os proprietários ainda podem gerar lucro com pelo menos parte de seu estoque.

– Pode ser uma tarefa difícil de assumir – comentou o Sr. Evans.

– O senhor está duvidando de mim?

– Nunca. – O rosto do Sr. Evans se abriu em um sorriso. – Pegue todas as estantes de que precisar.

Ele permitiu que Grace saísse no início da tarde para partir em sua missão de entrar em contato com os proprietários das livrarias da Paternoster Row. Seria a primeira vez que Grace voltaria ao polo de livreiros desde os incêndios da noite anterior, e sua ansiedade crescia a cada prédio demolido por onde passava. O cheiro de fumaça precedia a sua chegada, e seu estômago dava um nó diante do que os olhos encontravam.

19

Não restava quase nada da Paternoster Row. Seus restos jaziam sob uma mortalha de fumaça onde os incêndios ainda ardiam nas profundezas dos destroços. A rua outrora movimentada estava praticamente dizimada. Edifícios que se erguiam alto em ambos os lados agora eram pouco mais que tijolos e poeira, com várias paredes aleatórias de pé inutilmente, com quadrados onde as janelas um dia estiveram.

Grace se aproximou de um homem de terno, que andava de um lado para outro diante de um terreno que já fora uma loja elegante, com um letreiro escrito em tinta verde brilhante e pequenos pássaros de jornal pendurados no interior das vitrines.

– O senhor é o proprietário da Smith's?

Ele a olhou com uma expressão entorpecida que ela vira muitas vezes em seu trabalho na ARP. O meneio de cabeça foi quase imperceptível.

– A Smith's era uma belíssima loja. Sinto muito. – Ela se aproximou dele com cautela. – Eu trabalho na Livraria Primrose Hill, na Hosier Lane. – Ela analisou a devastação fumegante do local que provavelmente era o sustento do homem. – Estamos separando um espaço em nossas prateleiras para ajudar as livrarias afetadas pelo bombardeio. O senhor pode... – A emoção sufocou sua garganta. – O senhor pode levar até nós o que tiver de estoque, e garantiremos que receba os lucros quando os livros forem vendidos.

Ela lhe entregou um pequeno cartão, onde escrevera as orientações para a livraria.

Ele aceitou sem palavras e a encarou.

– Sinto muito – repetiu Grace, odiando o aperto de seu próprio desamparo. – Eu gostaria de poder fazer mais.

– Obrigado – disse ele, baixinho, e desviou seu olhar triste para os escombros de seu estabelecimento.

Ela viu apenas uma outra pessoa, a quem fez a mesma oferta. Recebendo a mesma resposta atordoada.

Não que isso importasse. Certamente nenhum livro havia sobrevivido.

Abatida, ela deu as costas para os escombros do distrito livreiro de Londres e voltou para casa, a fim de ceder ao cansaço que pinicava seus olhos como se fosse areia. No caminho para a Britton Street, no entanto, ela se lembrou de que conhecia uma dona de livraria que possuía um estoque de livros intocados pelos incêndios da noite.

A Sra. Nesbitt.

Uma guerra aconteceu na mente de Grace, com um lado discutindo que seria a coisa certa a fazer, lutando contra um lado rancoroso que havia sido ferido pelas palavras afiadas da Sra. Nesbitt e desejava retaliar com mais rancor. Exatamente como aquela mulher fizera.

Foi esse pensamento final que fez Grace se decidir. Pois ela nunca se permitiria tornar-se tão amarga. Mesmo diante de uma pessoa como a Sra. Nesbitt.

Grace estava na metade dos poucos degraus da casa vizinha quando uma voz familiar a chamou.

– Grace, você se confundiu? – gritou a Sra. Weatherford. – O blecaute ainda nem começou e você está indo para a casa errada. Precisa dormir mais, querida.

A Sra. Weatherford estava usando o uniforme cinza-esverdeado do SVM, indicando que provavelmente acabara de voltar de uma reunião.

Seu rosto estava corado, e os olhos brilhavam com a centelha da vida.

Grace desceu e rapidamente explicou o que pretendia tratar com a Sra. Nesbitt. A Sra. Weatherford se empertigou um pouco e ajeitou os ombros.

– Então eu vou com você. – Antes que Grace pudesse recusar, a Sra. Weatherford a silenciou. – Não vou deixar você enfrentar aquela fera sozinha, ainda mais quando está indo até ela com tanta bondade no coração.

E foi assim que Grace e a Sra. Weatherford bateram com a aldrava de bronze na porta da Sra. Nesbitt.

A mulher as recebeu com um olhar tão caloroso quanto o dia gelado.

– A sua casa fica ao lado. – Ela arqueou uma sobrancelha cuidadosamente depilada. – Ou você se esqueceu?

– Viemos aqui para vê-la – disse Grace.

– E bem que gostaríamos de um pouco de chá – acrescentou a Sra. Weatherford, esfregando as mãos frias uma na outra, lembrando, sem muita sutileza, à Sra. Nesbitt as boas maneiras para com as visitas. – Vamos ter queimaduras de frio se ficarmos aqui fora.

A Sra. Nesbitt suspirou e abriu a porta.

– Entrem. Vou colocar a chaleira no fogo.

Ela as conduziu até a sala de estar, onde o sofá de veludo azul parecia recém-comprado. A sala tinha uma beleza austera, como um museu cheio de itens frágeis que não se podia tocar. Tudo estava arrumado e organizado, desde a mesa de canto lustrada até as várias estatuetas e fotografias espalhadas de alguém que parecia ser a Sra. Nesbitt quando jovem.

Grace e a Sra. Weatherford se empoleiraram meio sem jeito na beirada do sofá, com medo de se recostar e deixar uma marca no veludo escovado. A Sra. Nesbitt chegou vários minutos depois com uma bandeja de chá, trazendo xícaras feitas de uma porcelana tão fina que Grace podia ver a luz da janela através delas.

– O que posso fazer por vocês? – perguntou a Sra. Nesbitt. – Além de gastar minhas rações de chá e açúcar em uma tentativa de ser hospitaleira.

Grace desviou a mão do açucareiro para a própria xícara, optando por beber seu chá puro.

– Gostaríamos de oferecer um espaço na Livraria Primrose Hill para a senhora vender seus livros. A senhora receberá seu lucro deles, é claro, e garantiremos que as pessoas saibam que são livros da sua loja.

A sobrancelha da Sra. Nesbitt se arqueou.

– Está falando sério? – indagou ela.

– Estou.

Grace tomou um gole de chá, sem se surpreender com o sabor fraco.

A surpresa foi ver os olhos da Sra. Nesbitt se encherem de lágrimas e ela desviar o olhar.

– Isso é o que eu mereço por nunca ter amado o Sr. Nesbitt. – Ela enxugou os olhos com um lenço de renda feito mais para decoração que para o verdadeiro propósito. – Eu só me casei com ele pela livraria, para que meu pai finalmente prestasse atenção em mim. Para... – Ela se conteve e olhou para a Sra. Weatherford e Grace como se fossem intrusas. – Não estão vendo? Deus está me punindo.

– A senhora é realmente tão arrogante a ponto de supor que Deus faria Londres ser bombardeada apenas para lhe dar um castigo pelo seu egoísmo? – indagou a Sra. Weatherford, e soltou um suspiro. – Sra. Nesbitt, sugiro que coloque algum bom senso na sua cabeça e tire proveito de uma boa oferta quando ela lhe é feita.

Grace quase se engasgou com o chá, ao passo que a Sra. Nesbitt gaguejou de indignação.

– Como se atreve a entrar na minha casa e me dizer essas coisas?

– Alguém precisava fazer isso. – A Sra. Weatherford colocou mais meia colher de açúcar em seu chá. – A senhora precisa se desculpar com Grace e dizer a ela que vai aceitar essa generosa oportunidade. Depois, vai se arrumar para ir ao orfanato comigo para ler.

– Ao orfanato? – A Sra. Nesbitt piscou em descrença atordoada. – Ler?

– A senhora fazia leituras diárias em sua livraria, não fazia?

A Sra. Nesbitt olhou de relance para Grace, então ergueu a cabeça e bufou.

– Fazia.

– Sua agenda parece estar vazia, e há crianças precisando muito de livros – declarou a Sra. Weatherford, mexendo o seu chá.

– Bem...

A Sra. Nesbitt sacudiu a cabeça.

Grace e a Sra. Weatherford olharam para ela com expectativa.

A Sra. Nesbitt adicionou lentamente um pouco de açúcar ao seu chá antes de tomar um gole, com um dedo mindinho elegantemente elevado. Ela colocou a xícara sobre o pires com um pequeno tilintar e respirou fundo.

– Vou aceitar a sua oferta, Srta. Bennett. – Ela olhou para o luxuoso tapete grosso sob os pés enquanto falava. – Obrigada.

– E o orfanato? – insistiu a Sra. Weatherford.

A Sra. Nesbitt ergueu o olhar.

– Vou me preparar para sair assim que terminarmos o nosso chá.

A Sra. Weatherford deu um sorriso triunfante.

– Maravilha.

O ano de 1940 se transformou em 1941 sem muitas comemorações por parte da Sra. Weatherford e de Grace. Havia muitas outras coisas a fazer. Ao longo do mês seguinte, os esforços da Sra. Weatherford para convencer a Sra. Nesbitt a se juntar a ela no orfanato foram ficando cada vez menores, pois ela começou a ir por vontade própria. A estante designada para a Nesbitt's Fine Reads recebia muita atenção, o que agradou muito a Sra. Nesbitt.

Ela não foi a única lojista a aceitar a oferta da Livraria Primrose Hill. Com tão poucos prédios abertos disponíveis na cidade bombardeada, a notícia se espalhou entre os livreiros da Paternoster Row, e cinco outros vendedores tiveram uma estante dedicada à loja deles, incluindo a Smith's. Grace confeccionou pequenos pássaros de jornal para enfeitar o espaço desta livraria e fazia um rodízio com livros de vendedores diferentes e da Primrose Hill para suas leituras da tarde. Em pouco tempo, os clientes na loja não eram apenas aqueles que eles já conheciam, mas também os de outras livrarias.

Jimmy, agora bem alimentado e com roupas adequadas e limpas, continuava participando, com a pequena Sarah a tiracolo, o que deixava a Sra. Weatherford imensamente feliz. As pessoas que ouviam Grace ler na estação do metrô também continuaram comparecendo, junto com vários de seus amigos e donos de outras livrarias e seus clientes.

A ideia de dar espaço às outras lojas ajudou não apenas os livreiros, mas inesperadamente também beneficiou a Livraria Primrose Hill, evitando que seu estoque se esgotasse depressa demais. Além de a Simpkin Marshalls não ser mais capaz de fornecer livros, encontrar um novo fornecedor era difícil por conta do racionamento de papel. Além disso, os clientes que iam lá para apoiar os outros vendedores muitas vezes compravam um item de sua loja também.

Grace escreveu para George sobre a Paternoster Row e contou como a Livraria Primrose Hill se tornara um lugar tão popular para leitores discutirem literatura. Ouvir as conversas deles a fazia sentir terrivelmente a falta de George, da facilidade com que ele descrevia livros com tanta eloquência e a seduzia com novos enredos. Ele manifestou o desejo de participar dos encontros em sua próxima visita a Londres, que esperava acontecer nos próximos meses.

Anseio por experimentar a familiaridade da Livraria Primrose Hill novamente, confessou. *Onde as conversas literárias são onipresentes e uma vendedora particularmente bonita dá vida às histórias com sua linda voz.*

Aquelas palavras a fizeram sorrir. Entretanto, a ideia de ler na frente dele também a deixava ansiosa, como na primeira vez que lera em voz alta na estação de metrô.

As cartas de Viv também vinham cheias de expectativas, especialmente porque seu posto de trabalho mudaria para Londres dali a vários meses, uma vez que ela estava sendo considerada para uma nova função sobre a qual não podia dar detalhes.

Sua exuberância iluminava toda a carta, e Grace mal podia esperar para ver a amiga mais uma vez.

Em uma rara manhã tranquila na livraria, o Sr. Evans estava no balcão registrando uma fileira de números em seu livro-caixa quando parou e olhou para Grace.

– Você me disse uma vez que eu era um bom professor. – Ele colocou o lápis no meio do livro. – Bem, quero que saiba que também aprendi muito com você.

Grace lançou-lhe um olhar cético e preencheu um espaço na prateleira com um livro da Stephens Booksellers.

– Veja o que sua compaixão fez. – Ele indicou as prateleiras de livros designadas para outras lojas. – Você dá cada parte de si mesma para ajudar os outros. Não apenas com seu trabalho na ARP, mas também aqui, com os outros livreiros, com as pessoas para quem você lê. Lá fora, você salva vidas. Aqui dentro, você salva almas.

Aquele elogio fez o rosto de Grace se aquecer.

– Acho que o senhor está exagerando – respondeu ela em um murmúrio, mas o prazer das palavras dele a percorreu com um brilho de afeto.

A julgar pelo sorriso terno no rosto do Sr. Evans, ele percebeu.

A Sra. Nesbitt empurrou a porta com seu habitual ar de presunção. Mas, dessa vez, não parecia ela mesma. Não usava seu casaco impermeável ajustado com um cinto na cintura fina nem o chapéu preso nos cabelos. Em vez disso, estava vestindo um monótono uniforme verde do SVM.

– Ora, não me olhe como se nunca tivesse visto uma mulher em um uniforme do SVM antes, Srta. Bennett – alfinetou ela.

A Sra. Nesbitt caminhou em direção à estante com seus livros, os práticos sapatos baixos estalando no chão.

Grace escondeu o sorriso em reação à mudança que a Sra. Weatherford havia forjado na Sra. Nesbitt.

– Acabei de fazer as contas, se a senhora quiser ver – informou o Sr. Evans, levantando o livro-caixa, preparando-se para mostrar à Sra. Nesbitt a organizada linha de números, como ela normalmente pedia em suas visitas.

– Não, obrigada – respondeu ela alegremente, enquanto tirava um livro infantil de capa amarela da prateleira. – Só vim pegar algumas coisas para levar ao orfanato. O estoque de livros de lá é péssimo. – Ela selecionou mais cinco livros, então listou os títulos para o Sr. Evans. – Retire estes do meu estoque. Eles vão ficar com as crianças.

Sem conseguir acreditar, o Sr. Evans ergueu as sobrancelhas espessas para Grace e disse:

– Pode deixar.

Ele pegou o lápis que estava aninhado no miolo do livro-caixa, e anotou os títulos ao longo da página.

– Obrigada, Sr. Evans – respondeu ela em um tom decisivo.

– Não é a mim que a senhora deveria estar agradecendo – disse ele, indicando Grace com a cabeça.

A Sra. Nesbitt parou diante de Grace e a estudou pensativamente. Suas feições duras se suavizaram, mesmo que por apenas um instante.

– Obrigada, Srta. Bennett. Por tudo.

Com isso, ela ergueu a cabeça, altiva mais uma vez, e saiu da loja.

O mês seguinte voou em um turbilhão de atividades, com as leituras diárias de Grace crescendo em popularidade junto com a livraria. Enquanto a Foyle's continuava a atrair celebridades para seus famosos chás, a Livraria Primrose Hill tornou-se conhecida pelas leituras de Grace e pelas muitas discussões sobre os livros que aconteciam a seguir, quando as pessoas se aglomeravam para repensar o que tinham ouvido.

A Sra. Weatherford vinha todos os dias em seu uniforme do SVM, o olhar astuto identificando órfãos que precisassem de cuidados para colocar sob as suas asas. Mais uma vez, ela se parecia com a mulher que tinha sido, embora com mais fios prateados nos cabelos arrumados. A única vez que Grace viu a Sra. Weatherford realmente chateada foi quando março chegou trazendo um novo item na lista de racionamento: geleia. Ao que ela tristemente respondeu:

– O que vem a seguir? Queijo?

Os bombardeios continuaram, e Londres não apresentava mais sua antiga glória. Mas, mesmo exausta e devastada pela guerra, a cidade continuava a abrigar seu povo noite após noite, dia após dia. Caminhões manobravam em torno de crateras nas ruas, donas de casa formavam filas para obter a comida racionada e faziam com que rendessem muitas refeições, e as pessoas limpavam os detritos de suas portas de manhã, quando coletavam suas garrafas de leite. A vida seguia em frente.

O tempo estava horrível, com neblina pesada, neve intermitente e pouco sol à vista. O povo da Grã-Bretanha passou a amar aquele clima abominável e o alívio que prometia dos bombardeiros.

Os alemães ficavam tão desconcertados com o céu encoberto que começaram a fazer o que foi chamado de "joga e corre", quando eles passavam por cima da cidade, soltavam algumas bombas sem mirar em nada e partiam rapidamente. Os danos de tais ataques aleatórios eram quase sempre mínimos, e a perda de vidas, muito menor que nas investidas anteriores.

Grace continuou a escrever para Viv e George, embora encontrar postos de correio ainda funcionais para enviá-las fosse uma tarefa complexa. Muitas vezes, era só um carteiro parado com uma placa na mão dizendo simplesmente "Correios Aqui", com um balcão iluminado por uma vela em uma garrafa. Os entregadores de telegramas tinham ainda mais dificuldade, correndo para lá e para cá em seus uniformes com um papelão pendurado em uma corda no pescoço declarando que aceitavam telegramas. Aqueles que desejassem enviar algum usavam as costas do rapaz como mesa improvisada para escrever suas mensagens.

O trabalho com a ARP não ficara menos cansativo, mas era bem menos assustador. Já tinham visto aviões e bombas demais para fazer o gatilho do medo ainda disparar. Agora, quando as incursões aéreas aconteciam, Grace e o Sr. Stokes mantinham a calma, não se preocupavam em correr até que o zumbido dos aviões pudesse ser identificado ou o barulho dos canhões antiaéreos os informasse que os alemães estavam perto.

Abril significava um novo mês para começar a plantar. Dessa vez, a Sra. Weatherford semeou com habilidade, em fileiras organizadas e com identificações adequadas. Malhado certamente encontrara uma grande companheira na Sra. Weatherford, pois os dois eram quase inseparáveis. Portanto, não era nenhuma surpresa que, quando a mulher mais velha saía para a horta, Malhado viesse trotando atrás dela, cutucando a terra.

– Não se preocupe, Grace – disse a Sra. Weatherford depois que as sementes estavam sob o solo rico. – Dessa vez eu não plantei alface.

Nos dias que se seguiram, quando os brotos começaram a desapontar na terra e o clima ficou ameno, apesar da chuva, a livraria continuou a prosperar com novos clientes. No entanto, foi nessa época que Grace percebeu que o Sr. Evans passara a demonstrar que não estava muito bem de saúde. Começou com uma pequena caixa que ele trouxe da sala dos fundos. Ele cambaleou sob seu peso leve, bufando e respirando fundo quando chegou ao balcão da frente. Grace perguntou como ele estava, mas ele dispensou a preocupação.

Vários dias depois, ela o encontrou na salinha dos fundos com a mão no peito, o rosto extremamente vermelho. Ela havia insistido para que ele fosse ao médico, o que obviamente não aconteceu, pois o homem era teimoso.

Logo após a primeira semana do mês, em uma manhã fria que deixou a geada espalhada sobre os telhados de ardósia, como se fosse farinha peneirada, Grace encontrou o Sr. Evans inclinado pesadamente sobre o balcão quando chegou.

– Sr. Evans?

Ele não olhou para ela. Em vez disso, emitiu um gemido sufocado e flexionou a mão esquerda.

Grace voltou até a porta, gritou por socorro aos transeuntes na rua, largou a bolsa e correu para o balcão enquanto tirava o casaco. Seguiu automaticamente os passos que havia treinado como vigilante, mesmo que sua mente vacilasse por agora ela estar ajudando o Sr. Evans.

Ela o colocou no chão, apoiando o peso dele com seu corpo.

– Tente manter a calma e respirar com tranquilidade – pediu ela, na voz suave que usava quando trabalhava com as vítimas dos bombardeios.

Só que dessa vez havia um tremor, uma ruptura em seu autocontrole.

O Sr. Evans sempre fora tão forte, tão imperturbável... Vê-lo em tal estado, fraco e incapaz de respirar, era demais, um maremoto de emoções que ameaçava afogá-la se ela deixasse a cabeça chegar abaixo da superfície.

Uma camada de suor brilhava na testa dele, e seu rosto estava estranhamente branco, os lábios de um azul pálido. O que quer que estivesse errado com o Sr. Evans estava acontecendo dentro de seu corpo, algo que exigia um médico. A ajuda que ela estava acostumada a oferecer era para um trauma visível que ela era capaz de identificar.

A impotência a mergulhou em um desespero descontrolado. Nada que ela pudesse fazer o ajudaria.

Ele pegou a mão dela, gelada e úmida de suor.

– Alice – ele gemeu.

– O senhor vai ficar bem – disse Grace, com firmeza.

Mas ele não ficaria bem. Ela sabia disso e não tinha ideia do que fazer para acudi-lo.

Ele se enrijeceu de repente e seus olhos se arregalaram, praticamente saltando do rosto, como se estivesse diante de uma grande surpresa.

– Logo, logo alguém virá para ajudar. – A voz de Grace fraquejava. – Alguém estará aqui em breve.

Havia uma luz nos olhos das pessoas que se apagava quando a morte as levava, como uma lanterna cujas pilhas acabaram. Grace a tinha visto antes em uma idosa que fora esmagada por um edifício que desabara enquanto tentava se agarrar à vida.

Aquela luz nos olhos do Sr. Evans, aquela que brilhava com inteligência, bondade e humor seco, aquela luz que tinha sido tão brilhante e tão viva, se apagou.

– Não. – Grace balançou a cabeça quando um nó se alojou em seu peito e doeu no fundo da garganta. Ela colocou os dedos no pulso dele, mas não sentiu nada. – Não.

Cautelosamente, ela o virou de bruços e dobrou seus braços, de modo que as costas de suas mãos apoiassem a testa no tapete. Ela não podia consertar o que estava danificado dentro dele, mas era bem treinada sobre o procedimento para fazer alguém voltar a respirar. Colocou as palmas das mãos entre as omoplatas dele e lentamente forçou seu peso em cima dele pelo tempo de uma expiração. Em seguida, puxou os braços do homem para trás pelos cotovelos enquanto ela inalava, desejando que ele fizesse o mesmo. Repetidas vezes ela fez isso, em um esforço para forçá-lo a respirar mais uma vez.

O sino da porta tocou, um som agudo e desagradável diante daquela dor indescritível.

– Alguém está precisando de ajuda? – perguntou um homem.

– Aqui! – gritou Grace.

O homem vestia um terno e carregava uma bolsa de couro preta. Seus cabelos grisalhos estavam desgrenhados, e a exaustão tinha deixado olheiras sob seus olhos escuros.

Grace explicou o que havia acontecido com a eficiência de um vigilante da ARP relatando seus esforços para a equipe médica. Só que, dessa vez, ela conhecia o paciente. Ela o amava como o pai que nunca tivera. E, agora, a pessoa estava morta.

O médico colocou a mão no ombro dela.

– Você fez tudo o que podia. Não há mais nada a ser feito. – As sobrancelhas dele franziram com uma sinceridade genuína, apesar das muitas vezes que, sem dúvida, ele já dissera aquelas palavras. – Lamento muito.

Lamento.

Uma palavra insignificante para a enormidade de tal acontecimento. Uma vida extinta, uma vida que tinha sido tão essencial no mundo de Grace. Ele tinha sido um mentor, um amigo, uma figura paterna.

E agora, ele se fora. Para sempre.

Lamento.

O Sr. Evans foi levado, deixando a loja estranhamente silenciosa. Pela primeira vez desde o início da guerra, Grace fechou a Livraria Primrose Hill cedo e vagou para casa, seus pés a levando automaticamente.

Ela abriu a porta da casa e ouviu a exclamação da Sra. Weatherford.

– Meu Deus, onde está o seu casaco? – A Sra. Weatherford se interrompeu. – O que foi, Grace? Foi a Viv? Querido Deus, por favor, me diga que não foi a Viv.

Grace balançou a cabeça, embora mal percebesse que fazia isso.

– O Sr. Evans.

O rosto da Sra. Weatherford se contorceu, e as duas mulheres se abraçaram por mais uma perda devastadora.

Mesmo assim, Grace abriu a livraria no dia seguinte, e no dia depois, e no seguinte também. Os clientes perguntavam pelo Sr. Evans e, ainda que essa preocupação demonstrasse o amor deles pelo homem que significara tanto para Grace, cada pergunta mexia diretamente na parte ferida e esfolada dentro de Grace. Sua mente parecia pesada de tanta dor. Sempre que ela destrancava a porta da loja, esperava ver o Sr. Evans lá, fazendo anotações meticulosas no livro-caixa e saudando-a distraidamente. E, a cada vez, o vazio daquele espaço atrás do balcão a atingia como uma nova martelada no peito.

Por mais que ela fracassasse em apreender a realidade, por mais que não quisesse acreditar, o Sr. Evans havia partido.

Foi preciso comparecer ao funeral para que ela finalmente aceitasse a perda. E somente no momento em que o caixão foi enterrado. Choveu o dia todo, como se o mundo estivesse de luto pela enorme perda de um homem como Percival Evans.

Ela ainda realizava as leituras todas as tardes. Não conseguiria fazê-las se ele não estivesse em sua mente, encorajando-a com aquele sorriso orgulhoso. Todas as noites, ela fechava a loja e colocava o dinheiro em um cofre nos fundos, do jeito que sempre fizera, sem saber o que aconteceria com ele. Ela não sabia nem o que aconteceria com a livraria. Talvez houvesse algum primo que ele nunca havia mencionado...

Somente quase uma semana depois ela obteve a resposta. Após sua leitura, em uma tarde sombria, um senhor mais velho se aproximou.

Não era incomum. Muitos novos ouvintes gostavam de falar com ela sobre o livro ou perguntar que outros ela poderia sugerir. Normalmente, ela daria boas-vindas a essas conversas. Mas não naquele dia. Não quando seu peito ameaçava desabar.

– Srta. Grace Bennett? – indagou o homem.

O fato de ele saber seu nome a deixou nervosa, e ela o olhou com cautela.

– Como posso ajudá-lo?

– Meu nome é Henry Spencer, advogado da Spencer & Clark. – Ele sorriu. – Gostaria de dar uma palavrinha com a senhorita, se possível.

Grace olhou para a Sra. Weatherford, que estava perto o suficiente ouvir. A mulher fez um movimento com as mãos, indicando que Grace deveria falar com o homem.

Grace acenou para que ele a seguisse até a sala dos fundos e se desculpou pelo espaço apertado. Sem poder encomendar nada da Simpkin Marshalls, a livraria estava finalmente usando as pilhas do estoque. Embora muitas das caixas tivessem sido retiradas, o espaço arrumado ainda era bastante pequeno.

– Não costumo ir ao estabelecimento dos meus clientes – disse o Sr. Spencer. – No entanto, o Sr. Evans era um amigo. Eu queria me assegurar de falar com a senhorita em particular.

Uma dor apertou a garganta de Grace.

– O Sr. Evans não tinha família, como sabe – continuou o advogado. Ele enfiou a mão no bolso e tirou dali várias chaves. – Ele deixou tudo para você. A livraria, o apartamento no andar de cima, tudo o que ele possuía agora é seu.

Grace abriu e fechou os olhos, surpresa.

– Meu?

– Sim, Srta. Bennett. Pelo que entendi, você fez a Livraria Primrose Hill se tornar o que é. Tenho certeza de que ele sabia que ninguém cuidaria dela como você.

O homem lhe entregou as chaves e pediu que ela assinasse um documento, o que Grace fez em uma caligrafia instável, com as mãos tremendo muito.

Grace reconheceu a chave da loja, que era igual à que ela possuía.

– Para que servem estas outras duas? – perguntou ela.

Ele indicou a maior e disse:

– Esta é do apartamento. Quanto à outra, não sei.

Assim que ele disse isso, Grace se deu conta de que sabia exatamente o que ela abria: o cofre do Sr. Evans.

Ela se lembrava do dia em que ele lhe mostrou aqueles preciosos livros que haviam sido salvos das chamas nazistas. Isso acontecera meses antes. Parecia uma vida inteira. E, ao mesmo tempo, parecia ter sido no dia anterior. Com ele transmitindo suas sábias palavras, compartilhando um pedaço maior de si mesmo não só com ela, mas com o mundo.

A loja agora era dela, e ela se viu mais determinada do que nunca a fazer a Livraria Primrose Hill brilhar – não mais por ela mesma, mas pelo Sr. Evans.

20

Ser a proprietária da Livraria Primrose Hill foi muito mais amargo que doce para Grace. Ela preferia ter o Sr. Evans de volta.

O fato de ele ter deixado a loja para ela, no entanto, era realmente uma honra. Aquele lugar tinha sido a sua vida inteira, o seu legado, e ele o confiara a ela.

Ela não iria decepcioná-lo.

Grace fechou a capa de *A odisseia*, um dos livros que ela tinha visto o Sr. Evans folhear muitas vezes quando estava vivo. E um que ela agora lia em voz alta à tarde.

Não fosse a livraria, a passagem do último mês teria sido muito mais difícil de suportar.

Ela havia se perdido nos livros. Na venda e na leitura deles.

– Você está bem, querida?

Uma dona de casa mais velha, chamada Sra. Smithwick, que sempre usava um colar de pérolas, colocou a mão no braço de Grace.

Grace assentiu. A reação costumeira quando lhe faziam essa pergunta.

– Ler os livros que sei que ele amava realmente ajuda – respondeu ela, com sinceridade. – Obrigada.

– Nunca pensei que livros tão antigos pudessem ser tão interessantes – comentou a Sra. Smithwick, com uma piscadela.

– Nem eu. – Grace sorriu de leve para si mesma. – Mas o Sr. Evans tinha um grande amor por todos eles. Estou feliz por termos dado uma chance a este aqui.

– Continue lendo todos – incentivou a Sra. Smithwick. – E nós estaremos aqui para ouvir.

Grace assentiu com gratidão e colocou o livro atrás do balcão, para garantir que não se misturasse aos outros. Aquele exemplar era um dos que ela havia tirado da enorme estante de livros do apartamento do Sr. Evans, acima da loja.

As páginas estavam tão gastas quanto as bordas, por causa das inúmeras vezes que ele as lera. Um canto da capa estava amassado e a impressão do miolo tinha várias manchas, como se ele tivesse descansado os dedos sobre determinada passagem. Era pesaroso e precioso.

Não sobrara muito tempo para organizar o apartamento entre as horas que passava na livraria e o longo período dedicado ao trabalho como vigilante da ARP à noite. As bombas caíam com menos frequência agora, mas seus esforços ainda eram necessários. Ela estivera exausta demais para fazer muita coisa com os pertences do Sr. Evans, quanto mais para preparar o apartamento para se mudar. Na verdade, ela estava feliz com a opção de passar mais um tempo com a Sra. Weatherford. Ainda não se sentia forte o suficiente para ficar sozinha.

Tinham sido muitas mortes.

Mortes demais.

A mãe dela. Colin. O Sr. Pritchard. O Sr. Evans. Todas as vítimas de bombardeios a quem ela ajudara naqueles meses angustiantes.

Houve muita perda em pouco tempo. Isso cresceu dentro dela como uma onda gigantesca batendo em uma represa enfraquecida. E quanto mais se avolumava, mais ela trabalhava.

A Sra. Weatherford não gostava do que via e comentava muitas vezes sobre a aparência abatida de Grace, sempre empurrando comida em direção a ela para fazê-la comer mais. Mas Grace não tinha nenhum apetite. Nem pela torta Woolton, que elas passaram a chamar de Le Woolton Pie desde o encontro no Ritz, nem mesmo por frango, quando podia ser encontrado.

Como poderia comer, com tanta destruição e perda ao seu redor? Todos os dias, casas eram destruídas e pessoas morriam. As noites eram cobertas de escuridão, a comida era sem graça e cheia de cartilagem. Em meio a tudo isso, havia o gemido sempre presente da sirene de ataque aéreo, lembrando-os de que aquele estado de coisas se mantinha. Parecia que a guerra duraria para sempre.

Depois de anunciar a morte do Sr. Evans, ela demorou a responder as cartas de Viv e George. As únicas palavras em que conseguia pensar eram pesadas demais para cartas de guerra. Não faria nenhum bem deixá-los deprimidos com os fardos dela.

Grace se pôs a reorganizar a vitrine, deixando seu foco se voltar para a estética, um jeito de não se preocupar com a dormência em seu interior.

Um rosto familiar apareceu ao seu lado.

O olhar da Sra. Nesbitt percorria os livros bem arrumados entre flores de papel feitas de jornal pintado. Elas deveriam representar a chegada da primavera, apesar do tempo chuvoso e maçante.

– Você está montando outra vitrine? – Ela fungou. – Esta já não é a segunda esta semana?

Grace deu de ombros e disse:

– Pode trazer mais clientes, o que beneficiará todos nós.

A Sra. Nesbitt murmurou algum argumento que não tinha interesse em compartilhar e arrancou um pedaço de linha perdido em seu casaco do SVM.

– Você vai cair morta de exaustão, e isso não beneficiará nenhum de nós.

Grace deu uma risada sem alegria.

– Eu não falei em tom de brincadeira – retrucou a Sra. Nesbitt, secamente. – Mas com sinceridade. Srta. Bennett, nenhuma quantidade de trabalho que executar poderá trazê-lo de volta.

De todas as coisas dolorosas que a Sra. Nesbitt havia jogado sobre Grace, aquela mordida tinha os dentes mais afiados.

Uma dor se instalou na garganta de Grace.

– Por favor, saia.

– Você me disse coisas que eu precisava ouvir no passado, e agora estou retribuindo o favor. – Os olhos da Sra. Nesbitt se suavizaram. – Embora me doa fazer isso, acredite ou não.

A súbita compaixão daquela mulher irascível só fez a mágoa piorar.

– Eu posso ajudá-la, se for preciso, trabalhando um ou dois dias até você contratar uma vendedora. – A Sra. Nesbitt suspirou com o grande sacrifício que estava sugerindo. – Mas você não pode continuar assim.

Era a mesma coisa que a Sra. Weatherford dissera a Grace. De repente, ocorreu-lhe onde a verdadeira motivação da Sra. Nesbitt teria se originado: na própria Sra. Weatherford.

– A Sra. Weatherford lhe pediu que fizesse isso? – perguntou Grace.

A Sra. Nesbitt fez um ruído de zombaria.

– Eu tenho olhos, minha querida. E você só precisa de um ventinho para desmoronar.

Grace deu as costas para a mulher, não querendo reconhecer o que ela dissera. A Sra. Nesbitt se calou e se virou para sair.

Naquela noite, Grace estava extremamente frustrada com a atitude da Sra. Weatherford de enviar a Sra. Nesbitt – de todas as pessoas – para repreendê-la por trabalhar demais. Ela abriu a porta com força, pronta para confrontar a mulher que sempre considerara uma amiga.

– Grace – chamou a Sra. Weatherford, em um tom melancólico. – Grace, é você?

Os passos dela ressoaram na cozinha, seguidos de uma mudança na voz que indicava que Malhado estava perto de seus calcanhares.

A Sra. Weatherford empurrou a porta da cozinha.

– Ah, Grace! – lamentou-se ela. – Eles adicionaram queijo ao racionamento. Queijo! – repetiu ela, os olhos voltados para o céu.

– A senhora pediu que a Sra. Nesbitt fosse falar comigo? – indagou Grace, fazendo todo o possível para afastar a contundência de sua voz.

A Sra. Weatherford bufou.

– Eu nunca mandaria aquela mulher cuidar dos meus assuntos pessoais.

– Então a senhora não pediu a ela que me abordasse sobre trabalhar demais?

Grace colocou a mão na cintura, cética.

Pelo menos até a Sra. Weatherford dar uma gargalhada.

– Como se você fosse ouvi-la. Mas eu vou continuar dizendo, e você vai continuar me ignorando, até o dia em que entender por que eu a alertei tanto. – A Sra. Weatherford pegou Malhado em seus braços. O gato aninhou o focinho no queixo dela, que falou em meio àquela demonstração de amor exacerbada: – Eu lhe asseguro que nunca mandaria alguém em meu nome quando sou mais do que capaz de repreendê-la por mim mesma. – Ela hesitou. – Embora eu quisesse falar com você sobre outro assunto.

Grace se preparou para algo terrível. Como a maioria das notícias naqueles dias.

– Eu estava pensando em passar pelos procedimentos necessários para adotar Jimmy e Sarah. – A Sra. Weatherford colocou Malhado no chão, em meio a uma nuvem de pelos de gato. – Queria saber a sua opinião sobre eles morarem conosco.

As crianças estavam indo muito bem, seu progresso perceptível a cada semana. Agora, os dois não só assistiam às leituras, como muitas vezes iam à casa da Sra. Weatherford para jantar ou para ajudar na horta. Eles haviam trazido as risadas de volta a uma casa que andava muito silenciosa, e a ideia de tê-los lá permanentemente fez Grace sorrir.

– Era assim mesmo que achei que você se sentiria – disse a Sra. Weatherford, com um sorriso largo. – Vou falar com eles amanhã para ver se também gostam da ideia.

Grace assentiu em resposta e subiu as escadas para seu quarto. A fadiga a envolvia com força, exatamente do jeito que ela gostava. Não haveria lembranças dolorosas dançando em sua mente quando tentasse pegar no sono, deixando-a inquieta e a jogando de um lado para outro da cama. Mais tarde naquela noite, ela se renderia docemente à escuridão.

Ela abriu o guarda-roupa para pendurar o casaco e viu seu uniforme da ARP. Recentemente, eles haviam recebido o novo traje de sarja azul: macacões para os homens e ternos com saias para as mulheres. Ela não precisaria dele naquela noite, pois estava de folga.

Grace se forçou a ficar acordada e jantar com a Sra. Weatherford, que usou o racionamento e a culpa para estimular Grace a comer. Qualquer prato feito com bacon, manteiga, uma pitada de queijo ou um corte decente de carne era precioso demais para ser desperdiçado. Uma vez que a refeição terminou e os pratos estavam lavados e guardados, elas se prepararam para uma noite na estação Farringdon. Embora os ataques aéreos fossem menos frequentes, ainda era preferível passar a noite na estação de metrô, por precaução.

Se esperassem por uma sirene de ataque aéreo para depois descerem até o subsolo não haveria espaço disponível no chão da estação, então elas saíram no crepúsculo com suas trouxas de cobertores. Quase chegando à fila, Grace notou que o céu nublado tinha começado a clarear. Um arrepio percorreu sua pele.

Haveria uma lua de bombardeiro naquela noite. Precisariam de toda a cobertura de nuvens que pudessem ter.

Especialmente com o Tâmisa na maré baixa.

Uma apreensão formigou no fundo de sua mente. Exacerbada, sem dúvida, pelo cansaço.

Elas entraram na estação, passando por cima de pessoas que já haviam arrumado um lugar para descansar à noite, procurando um espaço onde pudessem se acomodar juntas. Entretanto, por mais cansada que Grace estivesse, não teria muita paz.

Normalmente, ela conseguia dormir enquanto os outros falavam e roncavam ao seu redor, pois se sentia tão cansada que entrava em sono profundo em poucos minutos. Naquela noite, porém, seu sono foi interrompido inúmeras vezes por memórias tenebrosas, que chacoalhavam em sua mente como alguém carregando pedrinhas nos bolsos.

A sirene de ataque aéreo gritou seu som de lamento em algum momento depois das onze, abafado pelas camadas de terra e o pavimento acima. O bombardeio subsequente, no entanto, não foi tão facilmente emudecido.

As bombas eram estridentes. Os canhões antiaéreos irrompiam feito socos. Os explosivos, que aniquilavam tudo em seu caminho onde quer que caíssem, provocavam estrondos. Gesso caía do teto, em pedaços ou em forma de poeira calcária. As luzes piscavam e se apagavam completamente por vários minutos.

Apesar de já estarem acostumados a esses sons, o que quer que estivesse acontecendo em cima estava sendo muito pior do que nas noites de bombardeio comuns.

A apreensão alojada no peito de Grace se amplificou.

A Sra. Weatherford apertou sua grande bolsa verde contra o corpo, parte de uma das mãos enfiada lá dentro, onde Grace sabia que ela estava acariciando Malhado. Não era permitido levar animais de estimação para lá, mas a Sra. Weatherford se recusava a deixar o gato, e ele tinha o bom senso de ficar quieto em sua bolsa até que elas pudessem voltar para casa pela manhã.

À medida que a noite avançava, os sons continuaram, hora após hora, até o amanhecer, quando o ataque finalmente terminou. O mau presságio dentro de Grace cristalizou-se em algo frio e cortante. Insistente.

Havia algo errado.

Ela podia sentir.

Como uma formiga fazendo cócegas na pele ou a umidade do ar antes de uma tempestade. Algo estava errado.

A sirene de liberação finalmente tocou, e os que procuraram abrigo na estação Farringdon formaram uma fila para sair. Era uma espera agonizante, que arranhava a paciência despedaçada de Grace. Ela mal conseguia ficar no lugar, mudando o peso de um pé para outro.

As pessoas diminuíam a velocidade quando saíam, e Grace viu o motivo quando ela também chegou ao lado de fora da estação. O céu estava em chamas, nublado por grandes ondas de fumaça preta. As casas estavam rachadas e vergadas, algumas completamente dizimadas, derrubadas em meio às filas de construções geminadas, como dentes perdidos em um sorriso banguela.

A pulsação de Grace se acelerou em um ritmo descontrolado. O suor pinicava as palmas das mãos.

– Ah, Grace. – A Sra. Weatherford ofegou. – Que horror.

Grace apressou o passo em direção à casa. Estava quase sem fôlego quando virou a esquina, apreensiva com o que poderia encontrar.

A Sra. Weatherford bufava atrás dela.

– Não consigo correr com o Malhado – disse ela.

Mas Grace não estava ouvindo, e sim analisando a fileira de casas geminadas em sua rua. A casa delas estava intacta, exatamente como sempre fora, exceto pelos tomates que brotavam das floreiras da janela em vez do antigo roxo e branco das petúnias.

A sensação de pavor dentro dela se alargou.

O sangue em suas veias congelou.

A livraria.

– Continue sem mim – sugeriu Grace à Sra. Weatherford.

Antes que a mulher mais velha pudesse perguntar o que ela queria dizer, Grace saiu correndo em direção à Hosier Lane com a trouxa de dormir agarrada ao peito. O ar acre e cheio de fumaça queimava em sua garganta e fazia seus olhos arderem, mas ela não diminuiu a velocidade e disparou em torno das pessoas que voltavam para casa depois de uma noite encolhidas na estação de metrô.

Precisava ter certeza de que a livraria estava segura, que havia sobrevivido ao ataque brutal. Afinal, o Sr. Evans havia confiado o estabelecimento a ela.

Porém, a cada passo que a deixava mais perto, o aperto desconfortável aumentava.

Quando contornou a Hosier Lane, Grace descobriu por quê.

A rua ardia com o que sobrara de incêndios já extintos. O prédio à direita da livraria, atingido por uma explosão, estava demolido em pilhas de tijolos quebrados. A Livraria Primrose Hill ainda estava de pé. Mas não intacta.

Vidros haviam sido lançados para fora de todas as janelas e páginas rasgadas voavam ao sabor de uma brisa invisível por entre os detritos da calçada. A porta desaparecera, e o conteúdo lá dentro era uma gigantesca bagunça. No alto, faltava uma parte do telhado, e a lateral do prédio estava chamuscada pelas chamas que, felizmente, não haviam consumido a estrutura.

O coração de Grace pareceu encolher dentro do peito, sugado para um reino de puro medo. Ela ficou parada de pé, entorpecida, incapaz de desviar o olhar. Uma brisa soprou e levou consigo uma rajada de cinzas e calor de um fogo próximo, que se espalhou sobre sua pele.

A livraria estava inoperante.

A fonte de sua determinação tinha sido rasgada, virada pelo avesso.

Grace se obrigou a agir e caminhou lentamente em direção ao prédio danificado, deixando a trouxa de dormir escorregar de suas mãos. O mundo ao seu redor crepitava pelos incêndios próximos, e o triturar de vidro sob seus pés se misturava ao ritmo irregular de sua respiração.

Qualquer esperança de que a Livraria Primrose Hill pudesse parecer melhor de perto foi eliminada quando ela parou diante do lugar que havia alimentado a sua alma, o ponto culminante de toda uma vida de trabalho árduo do Sr. Evans, a comunidade que construíra ao redor do mundo da leitura.

Grace lutou para recuperar o fôlego, ofegante pela dor que se abrira dentro dela, abrasadora e visceral. Uma pequena flor de jornal pintado que ela havia confeccionado para a vitrine rolou sobre cacos de vidro e poeira, parando na ponta de seu sapato. Ela se abaixou para pegá-la. Seu caule de papel retorcido estava frio e duro, as pétalas cor-de-rosa tão imaculadas e limpas quanto no dia em que ela as moldou.

Ela precisava entrar. Precisava ver por si mesma.

No mínimo para garantir que os preciosos livros dentro do cofre tinham sobrevivido.

Grace entrou pela porta escancarada e caminhou devagar pela desordem, tomando cuidado para não pisar nos livros caídos. Eles precisariam ser recuperados. Se ainda fosse possível.

Em seu estado de perplexidade, ela se perguntou como poderia separar os seus livros daqueles que pertenciam às outras livrarias, lembrando-se em seguida de que havia carimbado os nomes delas dentro com tinta azul. Deu graças a Deus pelos detalhes de organização que sempre aplicara a todas as tarefas.

Não que isso ajudasse os outros lojistas, pois a livraria agora era quase tão inútil quanto a deles. Ninguém mais teria aonde ir.

Lágrimas formigaram em seus olhos diante dessa constatação, diante de sua incapacidade de ajudar aqueles que passaram a confiar nela.

A porta do quarto dos fundos desaparecera, e a pequena mesa tinha sido esmagada, formando uma bola de metal em um canto. O cofre, felizmente, continuava alojado dentro da parede. Ela lutou com uma gaveta do armário e pegou uma lanterna. Com as mãos trêmulas, destrancou o cofre e prendeu a respiração.

O legado do Sr. Evans estava naqueles livros preciosos que ele salvara e guardara.

A porta se abriu com um gemido e um suspiro de alívio deixou os pulmões de Grace. Os livros que uma vez foram resgatados das chamas do ódio de Hitler haviam novamente sobrevivido a uma quase morte. Eles estavam em segurança dentro do cofre da parede, protegidos em todos os lados por aquela concha de metal grosso.

Grace pensou em tirá-los dali e levá-los para casa com ela, na Britton Street. Mas refletiu e achou que era melhor deixá-los em sua caixa de ferro. Ela estava começando a fechar a porta do cofre quando um pedaço de papel chamou sua atenção.

Um envelope.

Uma ponta se projetava entre dois livros cujos títulos em alemão ela não conseguia entender. Ela o pegou e leu seu próprio nome no verso, escrito com a letra inclinada do Sr. Evans.

Sua respiração ficou presa.

Ela deslizou o dedo sob a aba do envelope e tirou dali uma carta cuidadosamente datilografada.

Prezado(a) senhor(a),
Estou escrevendo esta carta para recomendar os serviços da Srta. Grace Bennett. Ela trabalhou no meu estabelecimento, a Livraria Primrose Hill, nos últimos seis meses. Nesse tempo, encontrou minha loja desorganizada e a transformou em algo bastante elegante, aumentando tremendamente sua popularidade e suas vendas.

A Srta. Bennett é uma jovem educada, com enorme compaixão e uma inteligência aguçada. Na verdade, ela é uma pessoa brilhante.

Se não a contratar, cometerá uma tolice. E eu sou um tolo maior por deixá-la ir.

Minha livraria nunca esteve em mãos melhores, incluindo as minhas.
Atenciosamente,

Sr. Percival Evans

Grace podia ouvir a voz dele em sua cabeça, o tom se tornando mais veemente no final.

Minha livraria nunca esteve em mãos melhores.

Os destroços ao redor dela diziam o contrário. Com cuidado, ela dobrou a carta, colocou-a de volta no envelope e a trancou de novo no cofre.

Sem a livraria, ela estaria decepcionando a todos. As pessoas que dependiam dela para vender seus produtos, os clientes que vinham em busca da distração dos livros, sem falar dela própria. E do Sr. Evans.

Ela havia perdido tudo.

21

Não havia o que fazer a não ser percorrer os escombros e encontrar o que poderia ser resgatado. Grace desligou a lanterna para economizar as pilhas e saiu da salinha dos fundos, tomando cuidado para não tropeçar em algum item caído. E eles eram muitos.

Livros, vidro, pedaços de estantes estilhaçados. Tudo sob uma fina camada de poeira e cinzas.

A silhueta esguia de um homem preencheu a porta da entrada. Ela deslizou de volta para as sombras, lamentando não ter trazido pelo menos o seu apito da ARP.

Era comum saqueadores entrarem furtivamente em estabelecimentos comerciais e casas destruídas, sobretudo depois de ataques pesados como o que acabara de acontecer. Era muito triste quando uma família voltava para uma casa em ruínas e descobria que seus pertences remanescentes já haviam sido roubados. A maioria dos ladrões era afugentada com facilidade quando alguém chegava e gritava. Mas alguns eram ousados e permaneciam onde estavam.

– O que você está fazendo aqui? – gritou Grace severamente, esperando o homem recuar.

O vulto não se mexeu.

Ela apertou as mãos ao redor da lanterna. Poderia servir ao menos para acertar a cabeça do desconhecido caso ele chegasse muito perto.

– Srta. Bennett? – chamou o Sr. Stokes. – É você?

Grace exalou um suspiro de alívio e se colocou em um ponto onde ele pudesse vê-la.

A rede elétrica havia sido desligada antes de sua partida na noite anterior, como sempre. Ainda bem, caso contrário a loja poderia ter se incendiado por completo. Ela teria que avaliar os danos às lâmpadas antes de religá-las.

O Sr. Stokes entrou na loja, vestindo calça e paletó, andando na ponta dos pés para evitar pisar em livros enquanto se aproximava dela.

– Me contaram que a livraria tinha sido atingida. – Ele olhou em volta e franziu a testa. – Eu sinto muito.

– A sua casa se salvou? – perguntou Grace.

Ele assentiu.

– Muitos não tiveram a mesma sorte. Foi uma das piores noites que passamos. Estimam que o ataque a Londres de ontem à noite deixou mais de mil mortos. Que Deus tenha piedade de suas almas. O dobro de pessoas se feriu, e as chamas ainda estão sendo apagadas. – Ele olhou para cima, apertando os olhos para avaliar o local enquanto eles se ajustavam à escuridão. – Que bom que este lugar continua de pé. E uma boa parte ainda pode ser salva.

Havia uma esperança em seu tom da qual Grace não compartilhava.

– Obrigada por vir checar a livraria, Sr. Stokes.

Grace olhou agradecida para o homem, percebendo que ele inesperadamente se tornara uma espécie de amigo nos últimos meses. Eles passaram por bombardeios juntos, viram a morte juntos, salvaram vidas juntos.

Ela se inclinou para pegar um livro que estava a seus pés, a capa aberta, as páginas dobradas. Antes de se endireitar, ela recolheu mais três livros, parando para sacudir o vidro quebrado de cima deles.

Quando se levantou, ele arqueou uma sobrancelha.

– Você não pretende de fato lidar com isso tudo sozinha, não é?

Grace analisou a bagunça à sua frente. Os livros estavam rasgados e amassados, as estantes estavam em pedaços, o cartaz da seção de história pendia de apenas uma ponta e estava coberto de poeira.

Quando ela se virou para o Sr. Stokes, encontrou-o de pé, fazendo continência.

– Sr. Stokes, equipe de salvamentos leves, apresentando-se ao serviço.

– Como eu poderia recusar?

– Não pode – respondeu ele, sorrindo.

Os dois trabalharam durante toda a manhã e a tarde. O dano à maioria dos livros não era tão grande quanto o esperado, e, embora o telhado não estivesse totalmente intacto, o apartamento estava, o que fornecia abrigo suficiente para a livraria. Por enquanto.

Fora de fato muita sorte ela ter sido tão lenta em organizar o apartamento do Sr. Evans e ainda estar morando com a Sra. Weatherford.

Grace e o Sr. Stokes varreram os cacos de vidro, reuniram as estantes irrecuperáveis e as colocaram do lado de fora para serem recolhidas, parando apenas para tomar um pouco de chá e comer o peixe com batatas fritas que o Sr. Stokes havia providenciado.

Os fragmentos de sono que Grace tinha conseguido durante a noite, por mais breves que tivessem sido, lhe deram energia suficiente para executar as tarefas. Seu vestido de botões estava coberto por uma camada de poeira e fuligem, e suas mãos estavam ásperas de sujeira.

Enquanto eles limpavam os últimos destroços do andar da loja, Grace olhou para o monte de livros. Era uma pilha aleatória, com algumas lombadas voltadas para fora, outras para dentro. Não estavam classificadas por livreiro, muito menos por categoria, e seria uma empreitada considerável separar tudo outra vez. Assim como reorganizar toda a loja.

Seria como começar em seu primeiro dia de trabalho na livraria do Sr. Evans. Exceto que ele não estava lá e o mundo inteiro havia mudado drasticamente.

A emoção borbulhou em Grace, confusa e inclemente, deixando-a sem saber se queria rir ou chorar. Na verdade, estava quase compelida a fazer as duas coisas ao mesmo tempo.

– Conseguimos salvar muita coisa – afirmou o Sr. Stokes, tentando incentivá-la.

– O que aconteceu?

Grace se virou para a voz familiar e encontrou a Sra. Kittering. Olhou para seu relógio de pulso e viu que estava quase na hora da leitura da tarde. O que significava que a Sra. Kittering não seria a única cliente a aparecer. Sem dúvida, nos próximos minutos haveria dezenas.

Ela correu para Grace, seus grandes olhos castanhos se arregalando quando entendeu tudo o que ocorrera.

– Fico muito triste por ver isso – afirmou ela. – Depois de tudo que você fez, de como transformou esta livraria...

A empatia da mulher se alojou profundamente no peito de Grace, ecoando a dor que já se irradiava por dentro.

– Eu vou dar um jeito nisso – respondeu Grace, com toda a coragem que conseguiu juntar e que, de fato, não era muita.

Mas ela era britânica. Além do mais, era uma londrina, batizada como tal pela tempestade da guerra, pelos bombardeios e pelos incêndios.

Depois da Sra. Kittering, várias outras pessoas começaram a entrar na livraria, olhando com espanto e perplexidade ao verem os danos.

O Sr. Stokes apertou o ombro de Grace.

– Obrigada pela ajuda, Sr. Stokes – declarou ela, com um sorriso de gratidão.

– Posso ficar mais tempo, se quiser.

Apesar da generosidade de sua oferta, a exaustão aparecia nas olheiras do amigo. Mesmo assim, ele hesitou em sair.

– Vá para casa, Sr. Stokes. Eu assumo daqui – afirmou a voz suave da Sra. Weatherford, que entrou na conversa enquanto pousava a mão no ombro dele.

Ele lhe deu um sorriso resignado. Até ele sabia que não deveria discutir com ela. Então fez mais uma continência e saiu da livraria, sem dúvida para cair em um sono profundo e sem sonhos.

– Grace, querida – disse a Sra. Weatherford, pegando-a pelo braço.

O apoio que ela oferecia era gentil, mas era demais quando Grace estava tão frágil. Seria fácil cair no conforto do abraço maternal da Sra. Weatherford e se entregar ao choro.

Em vez disso, ela ofereceu um sorriso agradecido e balançou a cabeça.

De vez em quando, a Sra. Weatherford recuava, quando sabia que era o melhor a fazer. Felizmente, aquele foi um desses momentos. Ela baixou a cabeça, compreensiva, e voltou para o degrau onde Jimmy e Sarah esperavam por ela com olhos grandes e questionadores.

Grace vasculhou sua bolsa grande com a máscara de gás enfiada lá dentro e retirou o livro que estava lendo em voz alta, *Jane Eyre*.

– Srta. Bennett, não precisa fazer isso – disse a Sra. Kittering. – Hoje não.

Mas o protesto só fortaleceu ainda mais a determinação de Grace, como sua mãe sempre a incentivara.

– De todos os dias, acho que precisamos disso hoje mais do que nunca.

Deus sabia que Grace certamente precisava. Como um lembrete do que, com sorte, poderia reconstruir mais uma vez.

Um dia.

Do jeito que fosse.

Ela subiu para o segundo degrau da escada, que ainda não tinha sido limpo, e o varreu para tirar os destroços. Um lenço apareceu na frente dela, oferecido pela Sra. Smithwick. Grace sorriu em agradecimento.

A escada ficava perto o suficiente da janela para que ela pudesse enxergar as letras e ler sem a ajuda da lanterna. Ela se sentou e, insegura, olhou para o rosto dos que estavam reunidos ao seu redor. Foi então que percebeu que deveria dizer alguma coisa.

Mas o quê? Que ela não sabia quanto tempo levaria para reparar um dano tão grande? Especialmente quando outro ataque poderia fazer desmoronar o pouco que restara. Ou quando a primeira chuva poderia vazar pelo apartamento acima e destruir toda a livraria.

Como se o mais cruel dos destinos ouvisse seus pensamentos, um estrondo baixo soou pelas janelas quebradas, indicando a probabilidade de um aguaceiro.

O desespero a puxou como uma ressaca, ameaçando carregá-la para o fundo de um abismo escuro.

– Obrigada a todos por terem vindo – disse ela, com a voz hesitante.

Jane Eyre estava em seu colo, um símbolo do que havia reunido todos ali, do que os unia em face da guerra e do perigo. Jane tinha coragem, uma quantidade considerável para enfrentar qualquer problema, e Grace tentou extrair o máximo da protagonista do livro naquele momento.

– Como podem ver, a Livraria Primrose Hill foi atingida pelo bombardeio de ontem à noite, assim como muitos, muitos londrinos. – Grace dobrou a mão em torno da capa do livro. – Não posso dizer a vocês quando estaremos de volta da maneira adequada. Eu não sei... – Sua voz falhou e ela limpou a garganta. – Não sei nem se será possível continuar.

Ela olhou para o mar de rostos que conhecia tão bem. Os professores que adoravam se envolver em debates filosóficos; as donas de casa, como a Sra. Kittering, que encontravam refúgio de suas casas vazias entre as capas dos livros; homens do resgate pesado, que às vezes precisavam de mais do que poderia ser encontrado em uma garrafa para fazê-los esquecer o que viram. E até Jimmy, que estava sentado em uma postura protetora com Sarah, ambos sob o olhar atento da Sra. Weatherford. A expressão preocupada da mulher revelava a Grace exatamente quão ruim o estado da loja era de fato.

A Sra. Weatherford assentiu para ela com o mesmo tipo de encorajamento silencioso que o Sr. Evans lhe oferecera uma vez.

– Aprecio muito o que todos vocês ajudaram a Livraria Primrose Hill a se tornar – prosseguiu Grace. – Foram os livros que nos uniram. O amor pelas histórias que eles contam, pelas aventuras para as quais nos levam, por sua gloriosa distração em tempos turbulentos. E um lembrete de que sempre teremos esperança.

O trovão resmungou de novo à distância. Mais alto dessa vez.

Várias pessoas olharam para cima com a preocupação estampada no rosto. Com parte do telhado faltando, o andar superior não conseguiria bloquear a água por muito tempo.

Jack, o homem de aparência rude que estivera lá desde a primeira leitura, virou a cabeça e falou com outros dois ao seu lado. Eles olharam para o teto com uma careta, claramente pensando a mesma coisa.

Grace empurrou de lado o pavor que crescia diante daquela avaliação e continuou:

– Mesmo que não tenhamos a Livraria Primrose Hill... – Grace aconchegou *Jane Eyre* no peito – lembrem-se de que sempre teremos os livros e, portanto, sempre teremos coragem e otimismo.

Os rostos olhando para ela eram solenes como os dos enlutados em um funeral. Uma mulher puxou um lenço da bolsa e enxugou os olhos.

Sem dúvida, eles suspeitavam que a livraria não poderia continuar funcionando.

E provavelmente estavam certos.

Jack e os dois homens que o acompanhavam saíram da loja em silêncio, enquanto outro trovão ecoava no alto.

– Vou ler até terminar *Jane Eyre*. – Ela indicou o livro e o local onde o pedaço de papel que havia colocado entre as páginas como um marcador estava mais próximo da contracapa do que da capa da frente. – E depois dele...

– Por favor, não pare suas leituras – disse alguém no fundo.

– Vocês são a última livraria de Londres – ponderou uma voz jovem. Jimmy.

A Sra. Weatherford colocou a mão no ombro dele e comprimiu os lábios, parecendo à beira das lágrimas.

Grace balançou a cabeça.

– Certamente não somos a última.

Afinal, ela imaginou que a Foyle's sem dúvida estaria por ali para sempre. Havia rumores de que seu dono forrara o telhado com cópias de *Mein Kampf*, em um esforço para manter todos os seis andares de livros com descontos a salvo dos alemães. Funcionou, embora tivesse sido por pouco, pois uma bomba acabou deixando uma enorme cratera na frente da livraria.

Todos tinham que improvisar em tempos de guerra.

– Embora certamente nunca vá existir outra livraria como a nossa – declarou Grace. A emoção apertava sua garganta e ela abriu o livro para remover o pedaço de papel. Se não começasse logo a leitura, poderia perder a coragem. – E nós ainda temos mais alguns capítulos.

Antes que se desse conta, ela se perdeu na história de Jane, sentindo a sua dor, mas deleitando-se com sua força e bravura. De repente, os dois capítulos que ela pretendia ler se transformaram em três, e ela sabia que devia parar.

Mas não queria parar. Queria continuar a ler. Era muito mais fácil se perder na coragem de Jane diante da falta de moradia e da fome após deixar Thornfield do que enfrentar as provações da vida real.

Mas as pessoas tinham que retornar às suas obrigações, e ela também.

Foi com muito pesar que ela baixou o livro e descobriu que começara a chover lá fora. Certamente não levaria muito tempo para que a água penetrasse nas paredes e o dano se tornasse irreparável.

Então, a Livraria Primrose Hill não existiria mais, e tudo pelo que ela trabalhara desapareceria.

Vários homens apareceram do lado de fora, com Jack na liderança. Ele entrou na loja, com o chapéu nas mãos grandes.

– Me desculpe por ter perdido a sua leitura.

Os homens que chegaram com ele vieram logo atrás, acendendo suas lanternas ao longo das paredes e do teto enquanto falavam ao mesmo tempo, em murmúrios baixos.

Eles não poderiam estar lá para...

– Tive que a chamar minha equipe – explicou Jack. – Para podermos consertar a livraria para você.

– O que você disse? – sussurrou ela, incapaz de acreditar nos próprios ouvidos.

Certamente não tinha escutado direito. Com certeza ele não queria dizer que...

– Estamos aqui para consertar a sua livraria – disse ele, e começou a dar várias ordens aos seus homens.

Um deles colocou uma folha de linho encerado no lado de dentro de uma vitrine estourada e pregou-a na moldura. A sala escureceu um pouco, com a luz bloqueada.

– Primeiro nós vamos fazer os reparos, depois a senhorita poderá continuar a ler. – Ele deu uma piscadela. – Esses camaradas aqui ainda não conhecem esses livros. Agora, todos estão interessados.

Grace deu uma risadinha que estava mais perto de um soluço do que ela queria admitir.

– Vou ler para eles qualquer livro que quiserem – afirmou ela.

– Eles estavam esperando que a senhorita dissesse isso. – Jack se virou para seus homens e emitiu uma série de instruções antes de se voltar para ela. – Por favor, descanse um pouco, Srta. Bennett. Sua livraria estará segura em nossas mãos. Nós elaboramos um sistema de vigilância de modo que os saqueadores não possam entrar, mesmo durante a noite.

– Jack. – As palavras ficaram presas na garganta dela, repletas de gratidão e admiração por tamanha bondade. – Obrigada.

Foi a única coisa que ela conseguiu dizer.

A Sra. Weatherford se aproximou e colocou um braço em volta dos ombros de Grace, guiando-a gentilmente para casa, onde lhe ofereceu uma refeição quente e a colocou na cama.

Com a mente rodopiando nas voltas e reviravoltas daquele dia, Grace cedeu totalmente ao cansaço que parecia estar drenando seus ossos.

Ela acordou com o brilho cinza de um dia chuvoso ao redor das cortinas opacas. Sua boca estava seca como um deserto e seu cérebro, enevoado com lembranças difusas. A severidade de sua fadiga a deixara mais confusa que os coquetéis French 75 que tomara com Viv no Hotel Grosvenor House meses atrás.

De repente, ela se lembrou de tudo. Da livraria bombardeada, do Sr. Stokes a auxiliando a limpar e salvar os livros, da leitura em meio às ruínas. E de Jack trazendo sua equipe para ajudar.

Ela pulou da cama, correndo para se vestir e ir ver o que eles haviam conseguido realizar à tarde. Esperava que tivessem pelo menos colocado uma lona no telhado, para evitar vazamentos no apartamento do Sr. Evans.

Ela se arrumou e foi para o andar térreo, onde a Sra. Weatherford estava sentada na sala de estar, com Malhado aninhado confortavelmente em seu colo.

– Estava aqui pensando quando você finalmente acordaria. – Ela riu e fez carinho atrás das orelhas de Malhado. Ele se inclinava para receber os afagos enquanto seus olhos se fechavam de maneira preguiçosa. – Fico feliz por termos conseguido passar a noite sem um único ataque aéreo.

– A noite? – perguntou Grace, assustada.

– Sim, minha querida. Você está dormindo desde que chegamos em casa ontem à tarde. – A Sra. Weatherford ergueu os olhos. – Isso foi muito bom. Você estava precisando muito de descanso. Jack disse que era para o seu bem. Que homem adorável, não é? Ele me disse para garantir a você que a livraria...

– A livraria! – exclamou Grace, correndo para a porta da frente.

– Coma alguma coisa antes de ir – gritou a Sra. Weatherford.

Mas Grace já estava saindo pela porta da frente, praticamente correndo para a Livraria Primrose Hill. Mais uma vez, seus pés derraparam quando ela parou de repente diante da loja, em estado de choque. Ela esperava por uma lona no telhado e viu que não havia nenhuma.

Havia telhas de ardósia.

Pedaços incompatíveis e de formato estranho, que se juntavam para formar um telhado sólido. As janelas estavam cobertas de linho encerado, esticados nas molduras como peles de tambor.

Até a fuligem que manchava o gesso tinha sido coberta com tinta.

A impressão era a de que jamais havia acontecido qualquer coisa com a loja. Grace caminhou em direção à porta – a porta!

A moldura sugeria que ela havia sido cortada de uma porta de tamanho maior, mas uma nova camada de tinta preta lhe dava uma bela aparência. Ela colocou a mão na maçaneta de latão amassado e entrou.

Um toque de sino familiar a recebeu com alegria.

Junto com uma visão surpreendente.

Estantes de várias alturas e cores, remendadas a partir de destroços de madeira reaproveitados, mais uma vez ofereciam uma gama de livros cobrindo as paredes, e as estantes que ficavam no meio tinham sido espanadas e preenchidas também. Placas de cartolina escritas em letras elegantes estavam de novo penduradas onde deveriam, e vários expositores promocionais haviam sido substituídos.

As palavras ficaram engasgadas na garganta de Grace. Era demais, da maneira mais maravilhosa. Um verdadeiro milagre.

E muitos dos rostos que ela reconheceu de suas leituras de livros estavam lá, observando-a com sorrisos cansados e luminosos.

– Eu... – Grace não conseguia formar as palavras. – Vocês fizeram tudo isso?

– Trabalhamos a noite toda e a maior parte do dia – contou a Sra. Kittering. – Para nossa sorte, não houve um único ataque aéreo.

– Ainda não está tudo organizado – alertou a Sra. Smithwick, desculpando-se, tocando as pérolas do pescoço. – Mas estamos dando um jeito nisso.

– A senhora fez um bom trabalho – disse Jack a ela, meneando a cabeça.

A Sra. Smithwick sorriu amplamente, as rugas nos cantos de seus olhos se intensificando.

– Isso é incrível – Grace conseguiu falar.

Se passasse horas olhando, ela ainda teria dificuldades para acreditar que sua livraria estava outra vez em condições de funcionamento.

– Tivemos que usar sobras para reconstruir tudo – explicou Jack, e avaliou tudo ao redor, os olhos semicerrados. – Mas é uma loja sólida, contanto que os alemães não tentem bombardeá-la novamente.

– Não sei como poderei retribuir – declarou Grace.

Ela colocou a mão sobre o peito. Seu coração parecia grande demais para caber no peito.

– Todo mundo quis fazer a sua parte para ajudar – revelou Jack, apontando com a cabeça para todos os outros.

Ele recuou e a pequena Sarah deu um passo à frente. Grace reconheceu o vestido de bolinhas azul e branco, que a Sra. Weatherford havia costurado com sobras de tecido de Viv.

Sarah respirou fundo e anunciou, em voz alta, como se fosse uma atriz:
– Todo os dias, você lê para uma multidão. Mas não são apenas histórias. Para muitos de nós, são um santuário. – Ela disse a última palavra lentamente, e Jimmy mostrou a ela um polegar para cima, indicando que ela havia falado da maneira correta. Ela se contorceu com um orgulho aparente, como as crianças costumam fazer, e respirou fundo de novo, encontrando os olhos de Grace. – E você não é apenas alguém que lê para nós. Você é uma heroína.

Grace ficou totalmente sem palavras, o nó na garganta apertado demais para ela sequer tentar expressar alguma coisa. Parada de pé, ela se viu oscilar, sentindo-se tonta de gratidão.

De repente, as pessoas na loja fizeram uma fila diante dela, com Jack na liderança.

Ele se aproximou.
– Você salvou a minha vida, Srta. Bennett. Se não fosse pelas suas leituras, eu teria explodido em pedaços na estação Marble Arch. Obrigado.

Ele não esperou por uma resposta e deu um passo para trás, baixando a cabeça com gratidão. A Sra. Kittering tomou a posição dele ao lado de Grace.
– Eu estava em um lugar sombrio quando você me encontrou soluçando em sua livraria. Você me deu a luz para seguir em frente. Obrigada.

Ela saiu e Jimmy deu um passo à frente.
– Eu não poderia ter cuidado de Sarah sem a sua ajuda e a da Sra. Weatherford. Vocês nos deram comida e roupas quando não tínhamos nada.
– E, agora, um lar – disse Sarah, enquanto a olhava timidamente ao lado do irmão. – Obrigada.
– Isso me deixa tão feliz! – afirmou Grace, entendendo que as crianças haviam concordado em morar com ela e a Sra. Weatherford.

Eles saíram juntos, de mãos dadas, e a Sra. Smithwick deu um passo adiante.
– Meu Tommy foi morto na guerra, assim como meu Donald. – Ela baixou a cabeça e, discretamente, olhou de relance para trás. – Você não sabe, mas salvou a minha vida também – disse ela, tão suavemente que Grace

quase não ouviu. – Você me mostrou que, quando tudo parece perdido para o inimigo, sempre se pode encontrar um amigo.

E, assim por diante, todos eles vieram à frente. Um homem cuja perna Grace havia enfaixado depois de uma explosão, com quem ela compartilhou detalhes de *O conde de Monte Cristo*, distraindo-o da dor. Um professor que estava procurando um lugar acolhedor onde encontrasse outros leitores, tendo-os descoberto na Livraria Primrose Hill. Um dono de livraria que tinha perdido tudo no bombardeio da Paternoster Row. E até a Sra. Nesbitt, que se desculpou por suas falhas do passado e agradeceu por tudo o que Grace tinha feito.

Por último, veio a Sra. Weatherford, que deu um passo adiante com um sorriso molhado de lágrimas.

– Você me salvou, Grace Bennett. Quando perdi Colin e pensei que não tinha mais nada, você me lembrou que havia um propósito para a minha vida. Além do mais, indicou a direção que eu deveria seguir. – Ela olhou para Jimmy e Sarah, e a menina acenou para ela, com vigorosa afeição. – Eu conhecia a sua mãe melhor que ninguém nesta Terra, e lhe digo agora: ela teria ficado muito orgulhosa. Do seu sacrifício, da sua coragem e da sua força.

Ela segurou Grace em um abraço.

– E eu também tenho orgulho de você, minha querida – sussurrou ela.

Quando elas se separaram, Jack estava ao lado de Grace, as mãos enfiadas nos bolsos do macacão.

– Com licença, mas precisamos de sua aprovação em uma coisa – disse ele.

Grace balançou a cabeça, tomada de afeição e apreço pelo esforço que tantos haviam feito, não apenas para recuperar a livraria, mas para fazê-la se sentir tão amada. Ela o seguiu até o lado de fora, onde dois homens usando uniforme esperavam, cansados e manchados de tinta. Eles seguravam uma grande tábua de madeira, cada um em uma ponta.

– Sabemos que o nome da loja é Livraria Primrose Hill – explicou Jack. – Mas todos nós achamos que isto parecia mais apropriado para o momento, dadas as circunstâncias.

Ele fez um sinal e os homens viraram a tábua, revelando uma placa pintada, onde se lia "A Última Livraria de Londres".

Grace riu, zonza de amor, amizade e alegria. Aquele era realmente um nome perfeito, e ela sabia que o Sr. Evans concordaria, se ainda estivesse vivo.

– É brilhante – afirmou Grace. – Me permitem uma pequena modificação?

Jack ergueu as sobrancelhas, achando graça, e a Sra. Kittering trouxe uma lata de tinta e um pincel. Grace escreveu, em letras cursivas pequenas, sob o belo título: "Todos são bem-vindos".

– Muito bem, Grace – disse a Sra. Weatherford, batendo palmas.

– Espere... mais uma coisa – interveio Jimmy.

Antes que alguém pudesse detê-lo, ele correu e pegou o pincel.

O garoto se virou, bloqueando o que havia escrito, e deu um passo para o lado, com um sorriso de orelha a orelha.

Abaixo das boas-vindas de Grace a todos havia uma declaração rabiscada, proclamando desafiadoramente: "Exceto Hitler".

Todos riram bastante enquanto os homens colocavam o novo letreiro acima da porta da livraria. Sarah puxou a saia de Grace.

– O que foi, querida? – perguntou ela à criança.

Sarah a fitou, os olhos azuis brilhantes implorando.

– Você vai ler para nós agora?

Não era apenas Sarah que olhava para Grace com expectativa, os outros também, cansados porém ávidos.

– Nada me deixaria mais feliz. – Grace levou todos eles até a porta preta. – Senhoras e senhores, é com enorme prazer que lhes dou as boas-vindas à Última Livraria de Londres.

Em meio à alegria que irrompeu, ela os conduziu ao interior da loja, onde assumiu seu lugar no segundo degrau. Hesitou por um instante ali, examinando todos os rostos que haviam reconstruído não só toda a livraria, mas também o seu coração. Seu olhar foi para a seção de história, onde o Sr. Evans muitas vezes se perdia, e, por um momento fugaz, ela o sentiu como se realmente estivesse ali.

Ela sorriu em meio às lágrimas, abriu o livro e começou a ler, levando todo mundo com ela a um mundo onde não havia bombas. Podia haver perdas, às vezes podia haver medo, mas também havia coragem para enfrentar os desafios.

Pois, em um mundo como o deles, com gente de fibra e amor, e com tantas histórias diferentes de força e vitória para inspirá-los, sempre haveria esperança.

EPÍLOGO

Junho de 1945

A estação Farringdon estava cheia de soldados e civis, estes últimos chegando em seus melhores trajes, o que não significava muito com o racionamento de roupas que se estendera por vários anos. Grace estava entre eles, esperando em um vestido azul com pequenas flores brancas ao longo de uma bainha que começava a desbotar.

Ela não costumava sair da livraria, ainda mais depois que se tornara tão movimentada. Embora o nome A Última Livraria de Londres tivesse um grande sentimento por trás dele, ela havia renomeado oficialmente a loja como Evans & Bennett, com um letreiro pintado em azul acima da porta. O estabelecimento havia mantido um grande número de clientes durante a guerra, a maioria deles considerada mais como amigos que como compradores. Aquele dia, no entanto, justificava deixar Jimmy cuidando da loja e se ausentar.

Ele se tornara um vendedor talentoso, ávido por ajudar, além de um leitor quase tão voraz quanto Grace. Não era incomum que ele se acomodasse entre as estantes para se perder em uma história. Esse comportamento a fazia se lembrar muito do Sr. Evans, e ela não conseguia repreendê-lo.

Grace consultou o relógio. Os pequeninos ponteiros luminescentes, que um dia haviam sido tão importantes em seu antigo posto como vigilante da ARP, ficavam esverdeados à luz do dia.

Faltavam cinco minutos para as três da tarde.

Aquela noite fatídica em que a Livraria Primrose Hill havia sucumbido e a Evans & Bennett emergira das cinzas foi a última dos ataques aéreos da Blitz em Londres. Ainda houve bombardeios de tempos em tempos ao longo dos quatro anos seguintes, até que, finalmente, no mês anterior, no dia 8 de maio de 1945, a guerra terminou.

As comemorações foram intensas. Casais dançaram nas ruas, pessoas levantaram as calças ou amarraram as saias para se jogar nos chafarizes, os mercados colocaram à venda seus estoques de açúcar e bacon, os vizinhos se reuniram para fazer um banquete que não viam fazia anos e os holofotes antiaéreos, que uma vez caçaram inimigos nos céus, agora rodopiavam sobre as nuvens em sinal de vitória.

Grace e a Sra. Weatherford levaram Jimmy e Sarah a Whitehall, em meio a uma multidão ansiosa, para testemunhar o discurso de Churchill anunciando seu sucesso em derrotar a Alemanha. O rei e a rainha apareceram na sacada, resplandecentes e majestosos, para mostrar seu apreço pelo povo e seu orgulho por aquele triunfo. A princesa usava seu uniforme do STA, o que fez Grace aplaudir ainda mais alto, se isso fosse possível.

A Grã-Bretanha havia aceitado o desafio com heroísmo e se sagrado vencedora.

Na estação de metrô, Grace consultou o relógio novamente. Como já eram quase três horas, o grupo na plataforma da estação ficou maior, até que o ar praticamente zumbia de expectativa.

Era frequente ver soldados voltando para casa e, entre os que haviam sido convocados, os primeiros a chegar eram, em sua maioria, mulheres. Sem a guerra, seus esforços, que tinham sido tão determinantes para a vitória, estavam sendo dispensados. Isso não foi recebido com entusiasmo por todos, especialmente por aqueles como Viv, que dera tudo de si em seu trabalho.

Viv fizera parte da primeira bateria mista de homens e mulheres que manejavam os canhões antiaéreos, estacionada no East End de Londres nos últimos quatro anos, onde ela ficara alojada com várias outras mulheres de sua unidade.

Pelo menos até ser avisada que seus serviços não eram mais necessários. O telegrama de Viv fora breve, informando apenas a hora de sua chegada na estação Farringdon e pedindo a Grace que fosse buscá-la.

Viv estava voltando para casa.

O telegrama foi o suficiente para Grace perceber que Viv não estava feliz com sua saída abrupta do STA. Elas tinham se visto em muitas ocasiões, por conta das licenças de um dia da amiga, mas ela jamais pedira a Grace para buscá-la.

Finalmente, o trem parou na plataforma e as portas se abriram com seu barulho característico, derramando muitos soldados nos braços abertos de seus entes queridos. Foi fácil achar Viv na massa uniformizada. Ela sempre se destacava, com seus cabelos ruivos e o sorriso brilhante. Algumas coisas nunca mudavam, nem mesmo depois de seis anos de guerra.

Grace chamou a amiga, que correu em sua direção, e a abraçou como se não se vissem havia anos. Lá estava ele, aquele cheiro familiar de perfume floral.

– Você está bem? – perguntou Grace.

Viv respirou fundo e assentiu, seus lábios vermelhos comprimindo-se. Apesar da tentativa de permanecer otimista, a decepção enrugava os cantos de sua boca.

Ao redor delas, as pessoas se acotovelavam, perdidas na felicidade de seus reencontros ou correndo para chegar em casa.

– Eu realmente fiz um ótimo trabalho lá – disse Viv.

Grace a apertou com um último abraço.

– Tenho certeza que sim.

– Nós duas fizemos. – Viv pendurou sua mala de mão no ombro e pegou a mão de Grace. – Você sente falta do seu trabalho na ARP?

– Sinto falta da emoção – respondeu Grace.

E ela sentia, de fato. Claro, era preferível viver em tempos de paz. Mas existira uma sensação de aventura pairando no ar nos últimos anos, uma gratidão por acordar viva a cada manhã. O tipo de sentimento que vinha da pressão constante do perigo. Ela não tinha consciência disso naqueles dias, mas agora a sensação ficava clara.

– O Sr. Stokes vai na livraria com tanta frequência que ainda não tive a chance de sentir saudade dele – disse Grace, com um sorriso cativante. – Mas sou grata pelas noites extras de sono.

– Eu sei que teremos novas aventuras – afirmou Viv, retomando seu velho hábito de procurar novos horizontes quando se sentia oprimida. Agora, sua atenção estava fixa em um soldado que passava por elas, com ombros largos e uma série de medalhas brilhando no peito. – Com uns maridos bem bonitos, quem sabe?

– E lojas para administrar – completou Grace, apertando a mão da amiga e ganhando uma boa risada.

– Como está a sua maravilhosa livraria?

Grace pensou na loja, lustrosa e limpa, as estantes organizadas por assunto, com a madeira ainda descombinada de quando foram reconstruídas com sobras, as leituras que ela continuara a fazer enquanto a guerra prosseguia e todas as pessoas que considerava amigos queridos. Com o passar do tempo, os livreiros a quem ela ajudara depois que os ataques aéreos destruíram seus estabelecimentos haviam montado suas próprias lojas, cada uma delas com uma prateleira designada para A Última Livraria de Londres, como forma de gratidão.

– Desse jeito? – indagou Viv com um sorriso. – O suficiente para transformar todo o seu rosto em felicidade?

Grace a conduziu até as escadas rolantes.

– Exatamente.

Enquanto subiam as escadas de metal, ela logo se lembrou de outra ocasião em que as duas estiveram na estação Farringdon juntas. Foi quando deixaram suas casas em Drayton, antes que a guerra tivesse começado, sem jamais imaginar que estariam cercadas por bombas ou operando armas antiaéreas. Antes de Grace ter descoberto o seu amor pelos livros.

Era surreal pensar que uma existência tão sem graça e sem cor um dia fora vivida por qualquer uma delas.

Grace entrara em contato com seu tio Horace nos dias seguintes ao fim da guerra, para confirmar que estavam em segurança e oferecer seu amor. No passado, ela teria pensado que fazer isso era dar a outra face. Agora, sabia que era compaixão.

E ele respondeu, com sua maneira ainda rude, assegurando que todos estavam bem e a convidando para visitá-lo quando quisesse dar um passeio no campo. Na verdade, era mais do que Grace esperava da parte dele.

Ela devia o início frágil dessa relação ao Sr. Evans. Bem, isso e muito, muito mais.

Grace e Viv conversaram a caminho da casa da Sra. Weatherford, onde Viv ficaria hospedada no quarto que ela e Grace haviam dividido. Grace agora morava no apartamento acima da Evans & Bennett, que era pequeno demais para acomodar duas camas confortavelmente. Ao se aproximarem, Viv deu a mão a Grace e seu sorriso recuperou o brilho.

Elas viraram a esquina da Britton Street e ambas começaram a correr feito crianças, subindo os degraus para a porta verde com aldrava de latão. Viv entrou e foi recebida com grande alegria pela Sra. Weatherford e por Sarah, que formavam um comitê de boas-vindas com bandeirinhas de jornal pintado e um bolo, para o qual a Sra. Weatherford vinha reservando o açúcar e a farinha.

Nas semanas que se seguiram, Grace e Viv retomaram a amizade onde ela havia parado, preenchendo seu recém-adquirido tempo livre sem o STA e a ARP com cinemas, cafeterias, noites no teatro e, claro, clubes de jazz e bailes.

Em meio a tudo isso, havia A Última Livraria de Londres. À medida que as crianças voltavam do interior e os soldados, da guerra, os rostos familiares que se tornaram amigos agora começavam a aparecer com seus entes queridos. Grace conheceu maridos, esposas e filhos.

Jimmy também gostava de ler em voz alta e era responsável pela sessão semanal de leitura de livros infantis todas as tardes de sábado. Em uma delas em particular, a Sra. Kittering chegou com a filha, uma menina bonita de cabelos castanhos, boas maneiras e olhos grandes como os da mãe. Grace nunca tinha visto a Sra. Kittering sorrir tanto quanto naquele dia ao lado da filha, admirando cada movimento e cada palavra dela com o amor incondicional de uma mãe. E esperando ansiosamente o retorno do marido, que sem dúvida seria dispensado do serviço em breve.

Foi numa dessas tardes de um sábado ensolarado de agosto que Grace encontrou um momento de descanso. Com os clientes todos ocupados, ela foi até a vitrine iluminada pelo sol com uma cópia de *Entre o amor e o pecado* nas mãos, encostou-se na parede e abriu o livro.

O cheiro familiar de papel e tinta a envolveu quando ela mergulhou de cabeça em uma nova história. Estava tão perdida no novo mundo que se desenrolava em sua mente que não ouviu o sino da porta tocar.

– Nunca pensei que ler pudesse ser uma cena tão bonita – disse uma voz familiar e alegre. – Até este momento.

Grace levantou os olhos e o livro caiu de suas mãos.

– George!

Ele estava a vários passos dela, bonito como sempre em seu uniforme bem passado da RAF, segurando um repolho roxo.

– Parece que os repolhos ainda estão na moda no lugar das flores – comentou ele.

– Só porque você não é o Ritz.

Ela correu para ele e se jogou em seus braços. O repolho caiu no chão com um baque suave.

Eles haviam se aproximado muito nos anos de guerra, com a troca de cartas revelando partes profundas de suas almas e todo o tempo que podiam passar juntos, nos raros momentos de licença que eram concedidos a George.

– Você vai ficar aqui de vez? – perguntou Grace, olhando nos olhos dele, incapaz de se fartar daquela visão.

Ela envolveu uma das mãos no calor da dele, em uma tentativa de se convencer de que ele era real. Que estava realmente ali de pé, diante dela.

– Vou – anunciou ele, acariciando o rosto dela com um dedo. – Para sempre.

Ela fechou os olhos e encostou a cabeça no peito dele, sentindo seu cheiro limpo e delicioso, saboreando a aspereza de seu uniforme de lã contra o rosto, algo que se tornara tão familiar.

– Você realmente não vai perguntar se eu lhe trouxe algum presente? – perguntou ele, a voz retumbando sobre o rosto de Grace.

Ela olhou para cima, surpresa.

– Não há mais nada neste mundo que eu possa desejar.

– Não? – Ele sorriu e enfiou a mão no bolso do casaco. – Nem mesmo um livro?

A mão dele parou no ar, as sobrancelhas levantadas com expectativa.

Ela bateu palmas de alegria. Afinal, era uma tradição agora que trocassem livros entre si. Os dele, em geral, eram cópias surradas e bastante manuseadas que haviam sido compartilhadas entre incontáveis soldados, mas as histórias que traziam eram sempre cativantes.

– Eu não poderia voltar para você de mãos vazias – disse ele, tirando do bolso um livro verde retangular.

Era uma coisa de formato estranho, impresso na horizontal, pouco maior que a mão dela.

– Eles são feitos pelos americanos, especificamente para os soldados carregarem nos bolsos dos uniformes – disse ele, respondendo à pergunta antes mesmo que ela a fizesse. – É uma ideia excelente, na verdade.

– É mesmo. – Ela virou o livro na mão para estudá-lo antes de ler em voz alta o título em amarelo. – *O grande Gatsby*?

No canto esquerdo havia um círculo preto declarando que o livro era uma edição para as Forças Armadas.

– Todos os americanos estão encantados com ele.

– Você ainda não leu? – indagou ela, com surpresa.

– Estou bastante entusiasmado com a ideia de que a famosa proprietária da livraria Evans & Bennett o leia para mim.

Ele colocou a mão grande e quente sobre a dela e eles seguraram o livro juntos.

– Tenho certeza que posso providenciar isso. – O sorriso de Grace ficou ainda maior. – Não sei se cheguei a agradecer a você.

Ele ergueu uma sobrancelha, o que o fez parecer tão charmoso quanto Cary Grant.

– Pelo que você teria que me agradecer?

– Por me ensinar a amar os livros – declarou ela, olhando ao redor da livraria com muito carinho.

Ele franziu as sobrancelhas com uma expressão genuína.

– Você fez isso, Grace. Não eu. Essa paixão foi algo que você descobriu dentro de si mesma.

As palavras encheram Grace de orgulho. No fundo, ela sabia que parte de sua nova paixão começara com George, por meio do velho exemplar surrado de *O conde de Monte Cristo* que ele lhe dera. Outra tinha vindo do Sr. Evans e de tudo o que a livraria representava. Ainda outra parte vinha das pessoas para quem ela lia, dos tempos sombrios durante os quais aquelas histórias as haviam amparado, trazendo distração, amor e risos. E até mesmo da própria guerra, do desespero para se encontrar uma válvula de escape, do desejo de sentir algo diferente de perda e medo.

Foram tudo e todos se unindo em uma comunidade, atraídos pelo poder da literatura, que realmente fizeram Grace amar os livros por completo, que fizeram bater o coração da Evans & Bennett – ou, como ainda chamavam alguns clientes de longa data, A Última Livraria de Londres.

AGRADECIMENTOS

Escrever um romance de ficção histórica que se passa na Segunda Guerra Mundial sempre foi um sonho meu. Agradeço ao meu editor, Peter Joseph, sua assistente editorial, Grace Towery, e minha agente, Laura Bradford, por me ajudarem a torná-lo realidade.

Minha gratidão a Eliza Knight por seu apoio constante. Foi uma experiência incrível que vivenciamos juntas em nossas carreiras. A Tracy Emro e sua mãe, por me ajudarem a me manter no rumo certo. A Mariellena Brown e a minha mãe maravilhosa, Janet Kazmirski, por dedicarem seu tempo para revisarem o manuscrito.

Um agradecimento enorme à minha família: John Somar, por estar ao meu lado o tempo todo, sempre disposto a intensificar sua ajuda com as crianças para que eu pudesse cumprir prazos. Às minhas queridas filhas, que são minhas maiores fãs e estão muito animadas para, finalmente, ler um dos meus livros. Aos meus pais, por sempre se orgulharem de mim. Eu tenho muito amor em minha vida e sou imensamente grata a cada um de vocês.

E um sincero obrigada a todos os leitores por aí, que transformam sonhos em realidade a cada livro que têm nas mãos.

Para saber mais sobre os títulos e autores da Editora Arqueiro,
visite o nosso site e siga as nossas redes sociais.
Além de informações sobre os próximos lançamentos,
você terá acesso a conteúdos exclusivos
e poderá participar de promoções e sorteios.

editoraarqueiro.com.br